LES HOMMES-COULEURS

CLOÉ KORMAN

LES HOMMES-COULEURS

r o m a n

ÉDITIONS DU SEUIL
*27, rue Jacob, Paris VI*ᵉ

ISBN 978-2-02-100167-9

à Vincent
à Esther et à mes parents

I

I. Mexico – 1945 sous la pyramide

Elle ne sait pas que cet endroit s'appelle l'Allée des Morts. Au lieu de la tenue de sacrifice, elle a mis une casquette de baseball et une paire de jeans, et elle avance sans crainte. Florence ne saura jamais où est passé le temps pendant qu'elle parcourait les deux mille mètres de caillasse qui la séparaient de la pyramide – elle s'arrête souvent parce qu'elle a chaud, pendant plus d'une heure elle reste même à l'abri d'un auvent où on peut acheter de la bière à une toute petite fille dans un tablier mauve, et quand elle ressort ses dernières pensées sont distillées par la chaleur, elle continue d'un pas drôlement léger, saluant au passage les agaves au long cou, dont les têtes ont éclaté dans le ciel en fleurs noires et bouclées.

Peu après être arrivée sur le chemin, elle s'est retournée en entendant quelqu'un l'appeler : c'était le chauffeur qui l'avait amenée depuis son hôtel du centre-ville jusqu'à Teotihuacán, et qui lui courait après parce qu'elle avait oublié sa casquette dans le taxi. Ainsi la casquette des *Red Sox*, bleu foncé avec un B rouge, ne la rejoint sur ce parcours qu'après une centaine de mètres : la tête encore nue, elle redonne quelques sous au chauffeur et, pour la première fois depuis qu'ils sont partis de Mexico, elle regarde en face ce masque de colère, qui ne voit pas ce que vient fabriquer une jeune Américaine seule en blue-jeans dans l'Allée des Morts. Tandis qu'il retient la casquette serrée entre ses mains elle peut voir ses joues creuses, brunes et lisses comme un cuir, et ses yeux blancs qui par contraste semblent presque calcifiés dans leurs creux saignants, comme sont les dents à l'intérieur de sa bouche ouverte et sans lèvres. Il y a peut-être un tarif spécial pour entrer dans ce lieu, pense-t-elle en fouillant dans sa poche pour trouver encore de la monnaie, mais il ne veut pas me le dire, il faut que je devine. Et comme ce n'est pas son genre de trouver aux hommes des têtes d'assassins, elle avance gentiment la main vers la casquette bleue à B rouge, la remet sur sa tête, sourit, et malgré le regard posé dans son dos, elle recommence à marcher.

Au bout de l'allée, la Pyramide de la Lune respire, les flancs dans la poussière. Les pierres hérissées sur ses pentes projettent des ombres instables, dilatées par les traces de ciment. Quand Florence arrive au pied du talus, la pyramide est déjà maculée de rouge, ses pierres sont gonflées et humides, elle transpire. Peut-être une maladie ou de la fièvre, pense Florence tandis que ses yeux fouillent en vain ses hauteurs inaccessibles à la recherche d'une ouverture. Et pourtant elle respire, se dit-elle, il doit bien y avoir une bouche ou un passage vers l'intérieur – et s'il y a un tunnel où mène-t-il ?
Elle se décide tout juste à entamer son ascension quand

elle perçoit un léger tremblement dans la façade : comme une goutte d'encre qui se diffuse dans un verre d'eau, quelque chose enfle et s'étire sur les degrés roses. La forme peu à peu se détache de son ombre, elle produit en grandissant deux bras et deux jambes – puis se met en marche. Florence la regarde maintenant qui accomplit sa descente en équilibre précaire, son ombre retenant son corps telle une bouée à travers la lumière. Par la commissure de l'escalier central, la pyramide livre passage à ce tout petit être qui avance en mettant les deux pieds sur chaque marche et en étendant les bras de chaque côté comme s'il prenait appui sur l'air. Une silhouette carrée, brune comme son ombre, et très petite, même en additionnant le bonhomme et son ombre elle se rend bien compte qu'il ne doit pas être plus grand qu'un pied de haricots : « Un enfant, pense-t-elle. Et il va se casser la gueule.»

Elle a déjà gravi les trois premières marches lorsque surgit un homme couvert de poussière, livide et à bout de souffle. La tête renversée en arrière, il s'époumone dans une langue qu'elle ne connaît pas, de sorte qu'elle ne peut distinguer s'il crie des injures ou marmonne des histoires drôles à l'intention du bonhomme perché sur l'escalier : « Je t'ai cherché partout ! T'es un voyou, descends !» et dans le même souffle : « Non surtout ne bouge pas, je t'interdis de bouger, ne descends pas, je viens te chercher, j'arrive. T'es un voyou, j'arrive.»

Avant de se précipiter dans l'escalier, il se tourne vers Florence et pour la première fois prononce un mot en espagnol, un bête *Gracias*, avec des larmes pas essuyées et un sourire immense, puis il ajoute une phrase qui est invraisemblable, il faudra à Florence de nombreux jours pour se rendre compte que c'est une proposition invraisemblable : « Attendez-moi ici, je vais le chercher » – et elle répond d'accord et se met tout naturellement à attendre au pied de l'escalier où l'homme se précipite, elle attend qu'il revienne, qu'il cueille l'enfant fugueur et l'enferme dans ses bras, qu'ils reviennent tous les deux, lui et ce bonhomme petit comme un pied de haricots, brun comme son ombre, elle les attend avec impatience, comme si elle les connaissait depuis toujours.

L'homme touche terre en premier, puis l'enfant qu'il dépose délicatement sur le sol sans lui lâcher la main – et sans rien dire ils se regardent, le père sort une gourde en fer rouge, il lui verse un peu d'eau sur la tête, le fils fait une grimace sans protester, il semble attendre une brimade ou une parole qui ne viendra pas car avec sa main libre l'homme se contente de lui rajuster le col de sa chemise, puis il s'accroupit, se donne un grand coup de langue à l'intérieur du pouce et avec sa salive entreprend d'essuyer une croûte de poussière sur la joue droite de l'enfant, il lui arrange quelques épis de cheveux qui se redressent aussitôt, il contemple le résultat et paraît enfin satisfait.

Ce n'est qu'à ce moment-là qu'il se tourne vers Florence. Il parle espagnol avec un fort accent étranger : « Depuis qu'il a appris à marcher, il s'échappe tout le temps. » Florence ne répond rien, elle voit le visage de l'enfant, sa peau très brune, ses yeux bridés qui la regardent par en dessous en clignant un peu, comme si un seul des deux voulait sourire, « sympa mais pas commode », pense-t-elle, puis elle regarde le père, un grand type pâle et brun qui lui fait penser aux hommes du quartier italien à Boston, «tous les deux ils se ressemblent autant qu'un chat de gouttière et un coyote» – ce qu'elle évite de dire à voix haute. Le grand regarde Florence, désormais il a oublié que sa main tient toujours fermement celle du petit, et ne faisant plus du tout attention aux secousses qui lui tordent le bras il lui dit son nom, Georges Bernache, et avec un espoir un peu flanchant il ajoute : «Je suis ingénieur à Mexico» – comme quelqu'un qui essaierait de se protéger du soleil en tenant en l'air un tournevis. Ils se regardent beaucoup, d'un ton qu'elle voudrait elle aussi un peu compétent elle lui dit «ça tombe bien» mais s'arrête avant «je suis architecte» : elle sent que ça ne va pas leur être plus utile pour se sortir de là. Lui se met à l'examiner, sans bouger de sa place et sans lui demander sa permission, et pendant qu'il lui regarde le front et la gorge elle se rend compte qu'elle a dû prendre des rougeurs autour des manches et du col de sa chemise, elle sent la sueur dans les plis de ses bras, derrière ses genoux et sous sa casquette. Il a l'air de nouveau très inquiet, il lui dit : «Vous avez complètement brûlé.» Elle répond : «Oh, ça va merci, je suis OK.» Il n'a pas l'air convaincu, il ajoute, très courtois : *You must pay attention here, the sun... You are going to fall into the apples* – comme elle éclate de rire il se vexe un peu, il abdique son anglais, poursuit en espagnol tandis qu'ils remontent tous les trois l'Allée des Morts, Florence, Georges, et au bout du bras de Georges le bonhomme descendu de la pyramide, qui s'est mis à parler et tient à préciser qu'il s'appelle Niño.

Ils marchent parmi les monticules pierreux des petites pyramides qui sont tout autour de la grande et lui ressemblent comme ses enfants, parfois ils s'écartent de l'allée centrale pour les toucher ou les escalader. Enfin quand il fait noir ils rejoignent les vivants à la sortie de Teotihuacán. Ils cherchent un endroit pour dîner et trouvent un genre de restaurant, un truc à tortillas et alcool de cactus avec une terrasse en ciment, des rideaux en perles de bois peintes. Florence parle du voyage qu'elle a fait jusqu'ici, Georges ne raconte rien sur sa vie avant Mexico, mais au moins il connaît la ville «jusqu'aux entrailles» – c'est l'expression qu'il emploie. Et régulièrement il reprend des nouvelles des coups de soleil de Florence, il demande s'il ne faut pas des soins particuliers pour les rougeurs de sa gorge et de ses bras, elle essaye de le rassurer, d'attirer plutôt son attention sur le baroque churrigueresque que l'on peut admirer dans le nord, et quand son regard devient trop gênant elle attrape son sac à dos et fouille dedans en demandant l'heure, sans plus savoir ce qu'elle cherche ni ce qu'elle veut mettre sur la table, une carte routière, un rouge à lèvres ou le cœur sanglant de Frida.

Plus tard dans la voiture que Georges conduit à travers les faubourgs de cette ville qui grandit sans cesse, Florence lui demande: «Ingénieur, ingénieur de quoi, qu'est-ce que tu fais ici? Ingénieur agronome?» Il répond non, malheureusement ce n'est pas ça: «Ingénieur métronome, je creuse dans la terre, je fais des souterrains pour y mettre des rails. C'est un contrat que j'ai avec la ville, je dois m'occuper de l'intérieur. » Elle sourit, ça lui plaît, la voiture franchit la haie de cyprès qui entoure le jardin et s'arrête devant les marches de la maison, un spécialiste de l'intérieur cela mérite qu'on s'y arrête, ils découvrent que le môme pas commode a bien voulu s'endormir sur la banquette arrière et ils le mettent à l'abri dans sa chambre, ingénieur métronome, spécialiste de l'intérieur c'est intéressant, dit-elle tandis qu'il lui enlève sa casquette, bleue à B rouge elle atterrit par-dessus son jean qui est déjà en boule au pied du lit, très intéressant et sûrement agréable.

II. La terre parle

L'ingénieur hydraulique Joshua Hopper n'était peut-être pas le candidat idéal pour sonder les abîmes du chantier Bernache, mais il était justement dans le couloir de la direction des affaires internationales quand le dossier sortit de l'oubli le 12 mars 1989. Reconnaissons qu'au moment où ce dossier se présenta pour la première fois au siège social de la Bombardier, à Ottawa, il ne présentait pas de subtilités particulières. Il avait une couverture grisâtre et des perforations sur le côté gauche. Il contenait des numéros de téléphone et des documents en papier carbone. Une lunette marron sur le dessus, souvenir d'une probable tasse de café. Une secrétaire l'avait trouvé ; elle l'avait laissé de côté en attendant ; elle l'avait oublié sur une photocopieuse, une collègue l'avait récupéré ; grâce à l'antique principe qu'on ne sait jamais il était resté bien longtemps dans les limbes, puis était passé aux mains de Joshua Hopper avec la garantie qu'il n'y avait pas de quoi s'alarmer. Tout juste devait-il receler quelques formalités administratives ; quelques biens immobiliers ignorés et négligeables pour un conglomérat d'une telle importance; un ou deux coups de fil à passer.

Des broutilles, même si tout cela dégageait aussi une odeur un peu agaçante car cela faisait bien deux ans que la Bombardier luttait pour se débarrasser des derniers contrats de la firme américaine Pullman, dont l'acquisition s'était avérée si regrettable. Deux ans que l'on payait des dettes et cédait des actifs, qu'on mettait de l'ordre à n'en plus finir dans cette faillite incurable. La Pullman avait été dès le XIXe siècle une société pionnière dans la fabrication des trains, une actrice légendaire de la grande aventure américaine par voie ferrée, et elle avait prospéré à toute vapeur à travers le XXe siècle et ses évolutions technologiques. Mais à la fin des années 1980, c'était devenu une vieillarde exsangue, décrépite et outrageusement maquillée que la Bombardier avait eu bien tort de racheter. Ses comptes, surtout, avaient été maquillés: les agents de la Bombardier avaient découvert cela trop tard et avaient hâte d'oublier leur bévue. Le conseil d'administration ayant déclaré un mois plus tôt qu'il fallait clore une fois pour toutes cette opération inepte, la découverte du cas Bernache était contrariante.

C'était une mission toute trouvée pour l'ingénieur Joshua Hopper au moment où il passait annoncer la clôture de son dernier chantier au bureau des affaires internationales, avec un peu trop de satisfaction, trop d'enjouement dans le ton de sa voix et dans l'angle de sa cravate desserrée. Il était la victime idéale pour se défausser de l'affaire: trop fatigué pour attaquer un projet plus costaud; trop énervant pour se voir accorder des vacances. Ainsi, à la décharge de la direction

Bombardier, admettons que personne n'avait remarqué l'odeur de soufre entre ces vieilles pages mal reliées, désormais parcourues fébrilement et en tous sens par l'infortuné Joshua.

«Cela n'a vraiment rien d'une histoire d'amour», pensa-t-il. Les entrailles du chantier Bernache étaient en fer, et avaient englouti des milliers d'hommes. À l'époque, l'administration n'avait pas la fibre sentimentale : on ne relevait même pas les noms des ouvriers qui avaient participé, on se contentait de noter combien de journaliers étaient venus, et ce avec une régularité moyennement minutieuse – semestre après semestre. Ces chiffres étaient sur des fiches rassemblées là. Il y en avait eu de plus en plus jusqu'en 1968, où le total était d'environ six mille hommes. Six mille ! Mais peut-être pas toujours les mêmes au même endroit et au même moment : en qualité de journaliers, encore et toujours des journaliers, disaient les fiches. Puis ce chiffre redescendait progressivement, quatre mille en 1973 puis seulement mille en 1974 et soudain : plus personne.

Cela n'avait rien d'une histoire d'amour, et pourtant les deux seuls noms que Joshua avait pu arracher aux profondeurs étaient ceux de Georges Bernache et de sa femme Florence Evans, une architecte américaine qu'il avait rencontrée à Mexico juste après la guerre, et qui l'avait secondé tout au long de l'entreprise. À l'intérieur du dossier muet, la solitude de ces deux noms leur donnait l'air de fuir et de se tordre d'une façon échevelée et romantique qui lui déplut. Jusqu'à six mille hommes par an, mais juste ces deux noms – c'était plutôt fantastique.

Par ailleurs, comment pouvait-on espérer que ce monstre de chantier produise des sentiments, alors que toute sa vie il avait fait l'objet de tant de négligence et de mépris ? Son existence n'était même pas dotée d'un petit bout de contrat, pas un seul papier dûment signé pour lui conférer un soupçon de légalité ou attester d'un quelconque scrupule. Seulement une lettre où la Pullman et la ville de Mexico se mettaient d'accord, en 1944, pour la construction d'une première ligne de métro. Or il n'y avait pas eu de métro dans la ville de Mexico avant l'année 1967 et la préparation des Jeux Olympiques ; et à ce moment-là le marché avait été confié à une société mexicaine – cause nationale oblige. Joshua avait bien vérifié : rien n'avait été construit par la Pullman, malgré une somme importante évoquée dans la lettre. Ce que trois à six mille hommes par an avaient bien pu fabriquer entre 1944 et 1974, à bas prix et dans les conditions de travail les plus obscures, c'était peut-être une opération inscrite dans les astres – ou bien dans les arcanes invisibles de la corruption ? Par excès d'optimisme, Joshua Hopper aurait largement préféré la première hypothèse.

D'après la lettre, il s'agissait alors d'adapter les véhicules Pullman, les essieux et les roues en métal de la Pullman, au système pneumatique qui était utilisé dans le métro parisien, plus souple et silencieux. Georges Bernache, un Français, avait été chargé de cette opération pour le métro de Mexico. Le vide juridique, l'absence de données financières, de contrats datés, de toutes les choses sérieuses et fiables que produit nor-malement la civilisation mettaient en évidence les quelques éléments biographiques qui entouraient le recrutement de Georges Bernache. Entre les couvertures de carton déchirées, on ne pouvait distinguer que le portrait de cet homme – un visage à la mine de plomb, épaisse et floue, et vraiment triste.

Peut-être s'appelait-il Bernheim avant d'arriver au Mexique ? Au début de sa carrière d'ingénieur, il avait eu une mission dans le métro parisien, puis il avait été amené à travailler sur l'ensemble du réseau ferroviaire français – mais il avait décidé brutalement au milieu de la guerre que le Rail de France n'avait plus besoin de lui. En janvier 1943, il avait préféré s'embarquer à bord d'un bâtiment brésilien qui prenait par l'océan la direction de l'ouest, au lieu de prendre le chemin de fer dans le sens opposé. Il avait choisi de disparaître à sa façon, quand au bout de ces rails auxquels il avait consacré plusieurs années de labeur, toute sa famille était morte.

Joshua eut sous les yeux la correspondance laconique qui l'avait conduit à accepter sa nouvelle charge à Mexico. La ville lui offrait la nationalité mexicaine. La ville disait qu'il ne serait plus inquiété par l'obligation d'un retour en France. Il répondait d'abord avec beaucoup de réticence, en disant qu'il devait s'occuper d'un enfant, et qu'il ne voulait plus entendre parler de rails et de trains. Mais la ville de Mexico préférait insister sur le risque de son rapatriement en France, qu'elle était au regret de ne pas pouvoir empêcher s'il refusait cette proposition. De plus elle lui offrait des conditions de vie très confortables. La copie d'un mandat d'expulsion était insérée à cet endroit de la correspondance. La dernière lettre de Georges Bernache disait d'accord.

Josh plongeait un regard inquiet entre les mâchoires acérées du chantier Bernache. Après quelques jours d'enquête, il se rendit compte qu'il était impossible de retrouver le couple : ni au Mexique ni aux États-Unis. Il semblait que Georges et Florence Bernache avaient tout comme leurs hommes été engloutis par le chantier.

« Cela n'a pourtant rien d'une histoire d'amour », pensait-il, mais il se sentait étrangement sensible aux rares informations qui émergeaient à leur propos, ces données à l'emporte-pièce et qui avaient la poésie muette des annonces de décès dans les journaux : toute une vie en quelques noms, Paris, Boston, Mexico. Quatre enfants, un petit Mexicain qu'ils avaient adopté, une fille née à Mexico et deux jumeaux un peu plus tard. Une maison de fonction et autres émoluments. Un métro sur des roues pneumatiques : tellement silencieux qu'il avait disparu dans les souterrains de l'Histoire sans avoir jamais existé.

* * *

Après avoir rencontré Florence sous la Pyramide de la Lune, Georges l'avait invitée au numéro 126 de la rue du Président Benito Juárez, dans le quartier de Coyoacán aux allées d'ombres bien taillées. Une grande maison donc, et deux enfants à l'époque, ce qui ne faisait certes pas avancer les travaux. Ils creusaient, un peu, contournaient, ils n'avançaient pas même s'ils continuaient à vivre la belle vie, tandis que des gens de tous les horizons se donnaient rendez-vous nuit et jour à leur table, dans ce cadre enchanté.

– Et vous ne vous trouvez pas un peu trop bourgeois ?
demanda ce soir-là un de leurs convives, à qui le vin califor-
nien donnait des élans politiques.

– Ah non, pas du tout. Je t'assure, ressers-toi. Pas du
tout.

C'était le temps de l'amitié : la maison de Mexico ne
désemplissait jamais. Florence avait répondu à voix haute
mais ses pensées avaient déjà quitté la table de la salle à
manger, étaient passées par la fenêtre et vagabondaient
avec Niño et Suzanne dans l'ombre des acacias. Où étaient
les enfants ? Ils jouaient tout le temps à se cacher. Le jardin
était immense, un vrai parc naturel au milieu de la ville. Et
impossible de gardienner ces deux enfants sauvages, poussés
au milieu des cactus. Non, elle n'avait aucun scrupule. Ici
c'est grand, ça sent bon. Le matin le café, le midi les galettes
de maïs, le soir le chocolat. Les domestiques font les lits,
ouvrent les grandes fenêtres, cirent les meubles. On change
les fleurs tous les jours. Il y a tout plein de vaisselle, en
porcelaine, en grès, en argent. Il y a des draps brodés en
percale de coton. C'est beau, mes amis ! Tout cela dans cette
vaste maison, de style colonial évidemment : une vieille
hacienda avec une magnifique galerie longeant le corps de
bâtiment côté parc et des plafonds en bois qui vous mènent
en bateau. Elle se souvenait d'un tableau qui avait été volé
peu de temps après qu'elle l'eut découvert au Musée des
Beaux-Arts de Boston ; est-ce que tu as pensé à demander à
Johannes Vermeer s'il n'avait pas mauvaise conscience ? Il
y a des tissus qui dépassent un peu, non ? Des instruments
inutiles, posés sur le piano sans que personne n'en joue ?

Trop de couleurs ? Juste à côté de ce *Concert*, il y avait également une nature morte qui représentait un chou-fleur, des sardines, et une aiguière en argent. C'était sa mère qui lui avait appris à aimer les natures mortes. Elle connaissait les noms des objets, cela aussi. Elle pouvait se souvenir des compositions car elle savait les nommer, comme dans le jeu de mémoire avec le plateau où il manque un truc : clef à molette, maïs, banane, caillou, plume, bracelet, stylo, dé à coudre, pion, sifflet, rouge à lèvres, couteau, sarbacane, tricotin, os à moelle, préservatif (elle disait plutôt *condom*). Le préservatif avait été inventé à la fin du siècle précédent par une firme américaine, Goodyear, spécialisée dans les pneus en caoutchouc. C'est comme ça que Georges les avait trouvés, en faisant une étude comparée avec Michelin, en recherchant la liste des secteurs d'activité du caoutchouc il était devenu pionnier en produits dérivés. Ça ne les avait pas préservés de faire un enfant comme ça leur était venu, en plus de celui qu'ils avaient adopté. Et ils en feraient d'autres… Mais les enfants, mes amis, ça naît bourgeois ! Ils veulent posséder toutes les choses ! Les miens seront mal élevés car je travaille trop. Mais elle se disait, comme elle l'avait lu quelque part : il vaut mieux des enfants mal élevés que pas d'enfants du tout. Elle les laissait se cacher. Ils pouvaient bien grimper aux arbres jour et nuit, elle n'était pas toujours là pour les surveiller. Les domestiques murmuraient. La gouvernante se plaignait. L'aîné rapportait. Un jour il y aurait bien un accident. En attendant, ils avaient le droit de se réfugier dans les branches.

Les pensées de Florence revinrent s'asseoir à la table des adultes. Georges avait déplié les plans d'une grande galerie constituée de compartiments sous une voûte en berceau, qu'ils n'avaient toujours pas pu construire. Un morceau intitulé par Florence : le *bêtiment*, parce que vraiment elle commençait à s'ennuyer. Pourquoi tant de retard ? Où en étaient réellement les travaux ? On était en 1948. On n'avait toujours pas ouvert une seule station.

– Alors ?

– Alors attendez, on n'est pas au bout de nos peines.

C'était une vie fastueuse. On était payé par cette compagnie américaine pour mettre en œuvre le projet de métropolitain : « La très première ligne du métro de Mexico, un historique événement ! » barbarisait Florence. Mais justement mes amis, on s'est cogné la tête contre l'Histoire et c'est pour cette raison qu'on est affreusement tard. Crois-moi que ce n'est pas de notre faute. C'est à cause de la terre qui nous bavarde beaucoup trop.

Dès le tout premier tunnel on découvre que la terre parle. On est venu creuser et ferrer. Georges avec sa lampe, premier de cordée, honneur à l'ingénieur. Mais la terre humide se détache bizarrement à cet endroit. Elle s'effrite. Il y a comme un puits au fond de la première grotte qu'on a aménagée. Le puits n'a pas l'air d'être un accident. Il sert à faire quelque chose. Il est à quelqu'un. On descend, quand même, dedans. Georges, il a l'air de plus en plus inquiet. Elle l'appelle.

– Tu crois que je suis la première femme sous terre ?

Elle descend avec la corde, mais en fait elle se rend compte que le long des parois c'est un genre d'escalier.

Au début, elle ne voit rien car elle est recueillie dans le halo de la lampe qui lui perce les yeux. Elle se dirige à tâtons vers le foyer de lumière, au sol, parce que Georges s'est assis contre une paroi. La pièce est bien vide non ? Une salle lisse, sans rien dedans. Ou bien, tout au fond : un tas de petits bonshommes effrayés, des figures en terre groupées sur le sol et qui regardent vers l'entrée, par où Georges et Florence sont arrivés. Ils ont peur, avec leurs bras levés comme s'ils étaient en train de fuir. La lumière des deux casques dessine des ombres tordues à leurs trousses. Ils sont bêtes : tous creux, de petits pots sans âme, des animaux ventrus pour porter l'huile ou l'eau, pour servir qui voudra. Mais il n'y a rien à craindre ? Florence a dit cela à voix haute, pour vérifier. Comme il ne vient pas de réponse, elle veut regarder encore. Elle voit alors l'autre femme : dessinée dans le mur, qui la regarde non pas de face, mais de ses deux profils côte à côte, comme si son corps était écartelé.

Ils ramenèrent des photos, remontèrent quelques-unes des poteries, montrèrent les plans et le cadastre, mais cela n'intéressa personne. La ville avait déjà sur les bras bien trop de vieilleries à ciel ouvert, et la compagnie américaine n'était pas mécène. On leur demanda de contourner. Mais plus on contournait, plus on découvrait. Ils cherchèrent donc à tout prix à faire retarder les travaux : parce que bientôt on allait leur demander de tout détruire.

– Pardon, interrompit un hôte, si rien n'avance, pourquoi est-ce qu'on vous paye ? Est-ce que personne, au siège, ne se plaint de votre travail ? Qui vous paye ?

Florence ne répondit pas. Car il y avait d'autres raisons d'être en retard, des raisons qu'elle n'avait pas le droit d'évoquer. Au creux de la terre existaient des trésors que certains trouvaient beaucoup plus intéressants que la dame en fresque aux seins nus et corps écartelé. Seulement leurs mandataires se déchiraient pour savoir ce qu'il fallait en faire et cherchaient à gagner du temps en maintenant le chantier en place. Georges et Florence étaient bien gardiens de trésor mais d'une façon qui leur déplaisait totalement.

Cela s'était passé dès la toute première année. Alors que Florence était enceinte de Suzanne, Georges l'avait emmenée voir les restes de la cité aztèque. À l'aube, ils traversèrent furtivement la place du Zócalo parmi les courants d'air et les ombres violettes, dépassant en toute hâte l'immense drapeau national livré au vent et qui tirait sur son pylône comme un chien enragé. Le chapeau de Florence, qui était en velours bleu avec une plume de coq, s'envola dans le ciel. À l'autre bout de la place ils purent se réfugier sous un porche à l'angle de la cathédrale. De là, ils reprirent leur souffle et allèrent regarder le palais éventré qui se trouvait derrière le temple de Jésus-Christ, un chaos de murs et de salles à ciel ouvert dont la fonction était inconnue ou qu'on préférait ignorer. Par exemple l'une d'elles contenait un empilement de crânes, si vieux qu'on n'aurait pas su dire s'ils étaient d'os ou de pierre. Et sur l'un de ces crânes se trouvait le chapeau de

Florence, incontestablement : de velours bleu, avec une plume de coq. Ainsi coiffé le crâne paraissait rire de son mauvais tour, tandis que Florence restait pétrifiée de terreur. Georges ne voulait pas s'attarder avec elle dans les ruines, et il lui dit : «Repartons. Je t'emmène voir l'âme vivante de cette ville, celle que tout le monde ignore.»

Florence n'était pas descendue sur le chantier depuis plusieurs semaines. Elle était si énorme de l'attente de Suzanne qu'elle craignait à tout moment de tomber ; de plus, elle se croyait trop grosse pour pouvoir s'accrocher aux échelles. Il fallut donc qu'elle descende avec d'infinies précautions, en mettant son corps légèrement de biais face aux barreaux, pour ne pas s'écraser le ventre. Georges allait toujours le premier, l'attendant échelon après échelon pour ne pas qu'elle trébuche. Arrivés en bas, il la prit par le bras et la conduisit dans une première galerie, puis dans une autre plus étroite et plus basse qui était adjacente. Il n'y avait plus de rails, juste un chemin de terre, et il fallut descendre encore quelques marches taillées dans le sol, et encore quelques autres. Florence ressentait une légère ivresse en s'enfonçant dans ces profondeurs, et une nausée aggravée par la sensation de l'enfant flottant à l'intérieur de son corps mais aussi de l'atmosphère liquide tout autour d'elle, un bruit de clapot de plus en plus intense et une lumière qui tremblait sur les parois comme le reflet d'un fleuve. Cette réverbération se trouvait épaissie par l'odeur effrayante des murs, forte comme si la terre malade avait transpiré, mais elle restait très sombre car les eaux qu'ils trouvèrent au bout de leur marche étaient d'un noir d'encre. En plongeant la main, comme le fit Florence qui s'était assise près du bassin pour contempler ce miroir vivant, on trouvait que cette encre était lourde et visqueuse, et qu'elle laissait une trace de bave un peu nacrée en s'écoulant. Georges lui tendit un chiffon pour qu'elle essuie ses doigts, puis il l'aida précautionneusement à se relever.

Suzanne naquit quelques jours plus tard mais ils n'oublièrent pas qu'ils vivaient sur le fantôme de la ville aztèque, et du lac qui autrefois avait baigné ses murs. Parfois, Florence faisait des rêves traversés d'aqueducs, de routes en pierre et de ponts amovibles, jetés sur des eaux douces et poissonneuses où grouillaient également des Indiens vendeurs de toutes choses, plumes, tabac, coquillages, viande ou or, ou grillant du maïs sur des radeaux en bois qui dérivaient tout autour de l'immense cité de pierre qui était comme une île. Une des barques qu'elle voyait était un panier enduit de bitume dans lequel dormait son bébé – de bitume, parce qu'à l'aube des temps c'est ainsi que les hommes calfataient les bateaux. Florence prenait la petite dans ses bras, mais elle sentait qu'elle était regardée par la jeune Indienne qui fabriquait les paniers voguant sur le lac et qui pleurait, parce que dans le rêve c'était elle la vraie mère de Suzanne, tandis que Florence était une voleuse d'enfant.

Georges veilla sur Florence pour qu'elle reprenne des forces et qu'elle ne se noie pas dans ces visions mélancoliques. Il lui jura qu'elle était bien la mère de son enfant puisqu'il avait vu Suzanne sortir d'elle le jour de sa naissance. Rassurée, elle passa des jours et des jours à nourrir la petite de son propre lait, tandis que Georges partait en mission avec Niño, pour lui rapporter du marché les meilleurs fruits, viandes, et chocolats de tout le Mexique.

Ils laissèrent passer quelque temps et quand ils redescendirent près de la nappe de pétrole pour calculer ses dimensions, elle paraissait déjà beaucoup plus grande car les ouvriers avaient creusé au fond de la cavité et dégagé un nouveau réservoir en contrebas. Petit à petit, la nouvelle de la source s'était répandue. Que faire de ce pétrole ? À qui appartenait-il : à la Ville de Mexico ou à la Pullman ? À la femme écartelée, pensait Florence, à elle seule et ses petits bonshommes creux qui servaient de récipients, ses enfants effrayés. On leur dit qu'il fallait attendre. Ils attendirent.

III. Il n'en reste qu'un

Voilà que Joshua avait dû prendre l'avion pour assister à une messe. Au début il avait voulu attendre dehors car les crucifix lui avaient toujours fait une peur bleue. Mais en regardant un à un les visages dans la foule, à l'entrée du temple : c'est lui qui s'était fait regarder. Alors il s'était décidé à rentrer à l'intérieur avec les fidèles. Ce qui n'arrangeait pas sa situation. Il pouvait maintenant être sûr que tout le monde l'avait bien repéré. Avec sa mine d'aspirine parmi les visages noirs. Sa façon d'approuver la parole de Dieu sans manifester trop de certitude alors que les autres disaient *Ay-Men* d'une manière spéciale, en balançant les hanches et en sachant frapper des mains au bon moment. Surtout, croyant qu'il était en mission pour une affaire informelle, occulte, en deux mots sans cravate, il se retrouvait dans sa vieille veste en jean et ses baskets au milieu d'une foule de chapeaux en fibres colorées précieuses, voilettes et fleurs en tissu, tailleurs chics, costumes sombres avec cravates assorties aux chapeaux des dames à leur bras. Un vrai fiasco que la veste en jean de Joshua, son teint qui semblait

31

sale tant il était clair et prenait mal l'éclairage halogène des plafonds du temple, et puis – Joshua passa la main sur ses joues et sentit sous ses doigts hésitants la honte qui s'hérissait poil après poil – et puis même pas rasé, quoi, l'infâme. Comprenons qu'il se sentait désormais totalement stigmatisé et qu'on aurait pu le plaindre.

Le vieux n'avait pas le téléphone, voilà le problème. Le seul homme à qui Joshua pouvait demander des nouvelles du chantier Bernache était mentionné dans un post-it dont l'encre pâlie indiquait la date du 12 juin 1982 : quand c'était encore l'époque de la Pullman, et ses interlocuteurs l'avaient alors largement négligé. Il s'était fait connaître pour obtenir de l'aide dans une demande de citoyenneté américaine. Il avait eu besoin pour cela de faire la preuve de ses années de travail à la Pullman : l'administration voulait s'assurer qu'il s'était impliqué suffisamment longtemps dans la vie de la nation. La personne de la Pullman qui avait reçu son appel avait noté qu'il cherchait à contacter Georges Bernache. Sur le post-it, le nom de Georges Bernache était suivi de deux points d'interrogation et d'un point d'exclamation. Puis entre une paire de guillemets l'interlocuteur du vieil homme s'était ingénié à transcrire mot à mot sa requête sans nulle intention de l'aider et pour le simple plaisir de se moquer :

« Je recherchai la naturalité américaine. C'est pourquoi j'ai nécessité de parler au Seigneur Georges Bernache pour m'aider dans ma citoyennisation en l'État de la Neuve York. Mon nom c'est Grís Bandejo, dites-lui qu'il me connaît. Il est mon ami. Dites-lui s'il vous plaît. C'est Grís Bandejo mon nom. »

Grís Bandejo, voilà : le seul nom d'ancien ouvrier qui avait fini par émerger de cette entreprise. Écrit malignement par un stylo sans cœur. Plus Joshua avait fouillé à la recherche de ce nom et plus ce billet lui avait paru cruel. Puisque, maintenant qu'il avait bien enquêté auprès du bureau chargé de l'immigration à New York, grâce à la date de juin 1982 et à ce nom qui par chance s'était avéré suffisamment rare, il s'était rendu compte que ce vieil homme n'avait même pas de téléphone. Il pouvait ainsi imaginer l'acharnement que ce Grís Bandejo avait dû employer pour faire progresser sa demande en se déplaçant pour chaque coup de fil dans des cabines téléphoniques, muni de cet anglais restreint... tandis que se dressaient en travers de sa route beaucoup d'autres stylos sans cœur.

Joshua avait été forcé de batailler pour obtenir l'adresse à New York et le reste des informations, mais il avait pu montrer la patte blanche de la Bombardier et arguer de sa détermination à aider cet homme dans ses démarches. Il avait expliqué que le dossier de Grís Bandejo avait traîné mais que le conglomérat nouvellement propriétaire de la Pullman voulait rendre justice à tous les anciens ouvriers ; et qu'il était lui-même en charge des Politiques d'Intégration Sociale au Service des Fusions-Acquisitions. Il n'avait pas trouvé de titre plus ridicule. Ça n'était pas mentir car il avait en effet prévu de l'aider. Il était déterminé à soutenir Grís Bandejo en se portant garant de son passé dans l'entreprise améri-caine Pullman – si en échange celui-ci voulait bien l'aider à reconstituer le passé en question.

Arrivé ce dimanche devant la porte de Grís Bandejo, il ne

l'avait pas trouvé chez lui, mais un voisin lui avait amicalement indiqué ses habitudes de messe. Il avait même ajouté en rigolant : *un temple noir !* Et jusqu'au moment où il s'était retrouvé comme un ver de terre dans un champ de papillons, Joshua n'avait pas réfléchi à cette phrase. Maintenant, se tortillant tant bien que mal au rythme des versets, il avait tout le loisir de se demander ce qu'un immigré mexicain, probablement catholique, pouvait bien faire lui aussi dans ce haut lieu de la communauté noire évangélique. Enfin, grâce au contraste des visages et des couleurs il parvint à le repérer et comprit : au tout premier rang, un vieil homme de type indien qui souriait beaucoup, mettait sa main sur son cœur, était embrassé par ses voisins, et quand il le fallait : parfaitement en rythme avec la musique.

* * *

Ce soir-là, après que les derniers invités furent partis ou bien éparpillés dans les chambres nombreuses de la maison Bernache, la pluie s'empara du jardin. En rebondissant contre leurs feuillages elle faisait aux arbres un halo blanc comme à des saintes en prière, et au fond du jardin elle fit resplendir la couronne lumineuse de la petite Vierge brune en manteau bleu – sa couronne impérissable formée d'ampoules électriques. À l'abri des fenêtres constellées de gouttes d'eau, Georges regarda sa femme endormie et remonta sur elle la couverture qui avait glissé, il la remonta si bien qu'un pied de Florence réapparut par le bas. Alors il lui attrapa les orteils en se retenant de rire car ce faisant il ne pouvait s'empêcher de murmurer *Cendrillon ! Cinderella !* et même, ça lui vint tout haut d'une façon irrépressible (à ce dernier nom il faillit exploser de joie sacripane) *Aschenputtel ! Aschenputtel !* ; car vraiment, elle se serait scandalisée d'un tel assaut, eût-elle été réveillée.

Puis, fier de son coup, il se glissa hors de la chambre dans le palais endormi, heureux de cette nuit complice. Il se souvenait qu'auparavant tout cela était beaucoup plus hostile, la maison trop grande et sans invités, et qu'il aurait seulement erré comme une âme en peine. À cette époque qui lui semblait lointaine, il trouvait que la Vierge debout au fond du jardin, qui brillait si intensément, taillait dans l'obscurité un passage maléfique dans lequel il souhaitait ne jamais pénétrer. Il avait maintes fois rêvé de la débrancher mais craignait encore davantage la colère des domestiques qui la vénéraient. Désormais il la voyait comme une alliée, et lui fit un clin d'œil à travers la nuit.

Par le passé, Georges avait regardé avec méfiance la ferveur religieuse qui régnait dans la ville. Il pensait alors qu'il fallait être idiot pour croire à ces causes mystiques, comme il se trouvait lui-même odieux de ne pas y croire. La rage qu'il fallait pour aller Lui peindre le sang aux côtés, goutte à goutte, pour Lui rajouter du rubis dans les plaies et des cheveux postiches, des yeux de verre, pour qu'Il sente et qu'Il voie tout ce qu'on Lui faisait. Et puis d'aller Lui coller des larmes en cristal dans le bois des joues, ou bien dans la cire tendre et peinte en rose. Cette imagerie le mettait profondément mal à l'aise ; lui qui croyait bien en avoir terminé d'être juif, ces effusions sacrées étaient si brutales qu'elles le faisaient se retrancher dans ses souvenirs familiaux les plus primitifs, au sein rassurant du Dieu sans visage.

La religion des autres le plongeait dans une solitude infinie, lui qui ne pouvait tremper ses lèvres à la coupe de sang et la faire passer dans le cercle. Enfant des Lumières, il prétendait réfléchir aux grands rouages du monde sans voir son intelligence usurpée par des rituels et des superstitions – mais cela n'allait pas de soi. Le mépris qu'il éprouvait pour la foi religieuse aggravait son impression de rester un étranger dans ce pays, il le trahissait comme une longue moustache coloniale vraiment ridicule qu'il aurait continué à gratouiller et à tortiller en public alors qu'il pensait l'avoir rasée mille fois. Pire que cela, il se découvrait une jalousie terrible à l'égard de tous ceux qui partageaient ces croyances, et une fascination – ses propres pensées, inspirées-expirées chaque jour dans l'air mystique de Mexico, ne devaient plus être très fiables. Il n'était pas tranquille. À tout moment ses pas pouvaient le conduire dans une église et il risquait de se prosterner devant une de ces affreuses statues composites. Il devrait lui soulever la tunique pour baiser ses genoux de cire, la main en bois articulée viendrait lui tapoter l'épaule en signe de bienvenue. Dans sa nuque il sentirait rouler les yeux de porcelaine émaillée et il ne saurait pas, avant d'avoir osé relever la tête, si le visage était celui d'un homme, d'un animal, ou de cette femme qu'ils avaient rencontrée dans la grotte – car la révélation pouvait avoir lieu à tout instant, dans toute forme de vie.

D'après Grís Bandejo, la peur de Georges avait disparu en une seule nuit – une nuit où un homme était venu, un

marchand, qui lui avait vendu ce dont il manquait si cruellement. C'était peu après la naissance de Suzanne : une
époque où Georges souffrait plus que jamais de la solitude
parce qu'il la sentait répercutée sur toute sa famille. Il s'en
voulait à cause du chantier qui n'avançait pas, à cause du
sort de Florence qui avait quitté les États-Unis et mis au
monde une petite fille dans une ville où elle connaissait si
peu de gens, pour s'occuper d'un petit garçon qui n'était
pas le sien, qu'elle adorait mais qui était difficile, et comme
soucieux de faire comprendre à chacun qu'il n'était l'enfant
de personne.

Ce marchand était venu dans la maison de Georges et il
l'avait sauvé. C'est ce qu'affirmait avec la plus grande véhé-
mence le témoin Grís Bandejo, le dernier ouvrier du chantier
Bernache, installé devant Joshua et le poulet frit de son *diner*
préféré après la messe du dimanche matin, les yeux encore
brillants de l'inspiration divine, le parler balancé, net et cla-
quant comme un écho du prêche qui résonnait encore tout
frais dans ses oreilles : « Crois-moi, frère, le marchand il
avait ce qu'il fallait pour Georges Bernache. Georges ne le
savait pas, il aspirait à quelque chose, il était livré à l'ennui
et au dégoût et ne savait pas ce qui manquait à sa vie mais le
marchand l'avait, lui, il a apporté ce qu'il fallait. Une nuit,
Joshua, il a suffi d'une seule nuit, pour que tout change. »

Joshua dit Josh, élevé sobrement dans la religion du
baseball dominical, dans toute son existence ayant goûté
pour seules nourritures spirituelles la dinde de Thanks-
giving et la citrouille de Halloween, n'avait jamais entendu
son prénom prononcé avec tant de lourdeur et tant de nimbe

prophétique – tandis que Grís lui parlait il se rendait compte pour la première fois que ce nom sortait vraiment de la Bible, il pouvait le voir s'arracher aux pages du livre ancestral en hurlant comme un nouveau-né monstrueux doté d'une trop grosse voix de patriarche. Vivant avec quelque malaise ce deuxième baptême, il faisait de son mieux pour feindre la satisfaction, encourager la poursuite du récit… « Il est venu, dans la nuit d'été, il avait ce qu'il fallait. » En subissant les lenteurs et les complications baroques du discours de Grís, Josh essayait de mieux l'observer et tentait de comprendre ce qu'il voulait – cela s'avérait difficile. Car celui-ci donnait un luxe de précisions, prenant un air canaille comme s'il était en train de braconner des sous-entendus chaque fois qu'il rajoutait un détail inutile. À part ça, une sorte de vieil Indien au visage extraordinairement rond et ridé comme un bébé centenaire. C'était vraisemblablement un idiot.

Grís Bandejo avait su aborder Joshua en premier, venant à sa rencontre avec le plus grand naturel à la fin de l'office, avec toute la chaleur qui est due à l'accueil d'un nouveau converti. Josh s'était d'abord réjoui de la facilité de cette rencontre, puis avait déchanté. Certes, Grís Bandejo acceptait sans surprise l'aide qu'il venait lui offrir dans ses démarches de naturalisation. Et vraiment, il voulait bien parler de son expérience du chantier Bernache… car parler, pour lui, ce n'était pas un problème ! Le gouffre, c'est qu'il était bavard, massivement bavard. Il disait tout et n'importe quoi dans le plus grand détail, et Josh qui était tout son auditoire et pire encore, qui s'était aventuré à solliciter ses confidences… Josh était condamné à l'écouter.

Comme cela durait bien trop longtemps devant la porte de l'église balayée par les vents d'avril, il avait bien fallu s'attabler avec cette vieille blague à tabac ratatinée – il allumait des cigarettes puantes, de marque mexicaine inconnue, les unes derrière les autres. Joshua découvrait dans la douleur qu'il était impossible de tirer de cet homme la moindre information valable. À plusieurs reprises il avait voulu partir mais il restait rivé à ce témoignage, à cette voix très ancienne, avec cet accent rêche, cette grammaire atypique, car il ne pouvait s'empêcher d'éprouver en même temps une profonde pitié en imaginant sa vie de forçat. Il se rappelait que la Pullman recrutait à l'époque dans les mines d'argent afin de ne pas s'embarrasser des moindres normes de travail. Aussi il se sentait une certaine responsabilité par contumace à son égard. Josh refaisait le calcul : les ouvriers les plus jeunes du chantier, qui avaient seize ans en 1950, n'auraient aujourd'hui pas plus d'une soixantaine d'années : un âge auquel on est largement en droit de prétendre même quand on est pauvre et misérable. On pouvait supposer que certains d'entre eux étaient retournés dans des campagnes sans eau courante où on n'avait pas encore installé l'état civil, mais même ainsi il n'était pas normal qu'aucun autre nom n'ait ressurgi, et ce Grís Bandejo apparaissait comme un miraculé. Joshua s'obligeait donc à respecter son témoignage en l'écoutant jusqu'au bout, fût-il absurde et désordonné, comme si lui-même avait causé cette maladie de langage.

Cette nuit-là Georges était harassé par l'insomnie, rongé par l'angoisse, et il était descendu dans la cuisine pour se faire un chocolat chaud. Ces gestes l'avaient d'abord apaisé. Georges avait senti que son cœur mollissait sous la cuillère, et que bientôt réduit à l'état liquide il ne lui causerait plus de tracas. Il avait éteint le feu sous la casserole. Il arrivait au salon avec entre ses mains le précieux liquide en fusion.

En se voyant ainsi, il pensa tout à coup qu'il était comme un enfant, et il sentit alors que la peur qui l'avait quitté un instant redoublait d'intensité. Il eut soudain terriblement froid, comme si un courant d'air – mais la fenêtre était pourtant fermée. D'un geste machinal, il voulut allumer la lumière, tout en voyant bien que malheureusement quelqu'un d'autre l'avait fait avant lui. Sa poitrine fut brusquement hantée par une affreuse odeur de tabac ; il fallait donc supposer que la personne assise dans le fauteuil en cuir, et qui avait allumé une cigarette, avait également allumé la lumière.

Un homme avait pris place dans le salon, qui s'était mis à l'aise : il y avait deux ou trois mégots écrasés sur la table et le fauteuil qu'il s'était choisi, profond avec de hauts accoudoirs, semblait lui procurer un confort et une satisfaction intenses. Dès qu'il vit Georges il se leva avec diligence, salua en inclinant son buste, écrasa sa dernière cigarette et s'empara d'un grand sac en nylon qui reposait au pied du fauteuil. Georges allait l'interpeller quand l'autre lui prit les mots de la bouche : «Qu'est-ce que vous voulez, Monsieur ?», demanda-t-il avec une politesse obséquieuse – en prononçant ces mots il avait déjà commencé à extraire de son sac une vaste toile vernie qu'il ouvrit et étala sur la table dans un bruit de parachute. Puis avec des mains papillonnantes et des doigts qui semblaient être plus que dix il se mit à déballer d'innombrables objets : des cierges, des petits encensoirs grillagés en fer peint, des crucifix en bois et en émail, des médaillons de la Vierge (il prétendait qu'ils étaient en or véritable), des figurines en pied ou des carrés de tissu représentant aussi la Vierge – il les alignait tous avec méthode et son sac semblait être sans fin, un orifice branché sur une galaxie inépuisable de bondieuseries qui lui inspiraient chacune une exclamation émerveillée, des monsieur prenez ça voyez ceci, des ça ça va vous plaire, des séquences de oh et de ah épatés entre lesquels Georges était incapable de placer le moindre mot. Il restait hypnotisé par la prolifération des objets sur la table et sentait l'angoisse l'étreindre à mesure que les yeux des Vierges de plus en plus nombreuses se braquaient sur lui. La table en était recouverte, les objets s'amassaient les uns sur les autres désormais et il entendit : « Et pour les enfants, pour les petits qui dorment là-haut et pour Madame, qu'est-ce que ce sera ? » Il vit que le colporteur ajoutait par-dessus le tas des poupées idiotes chargées de médailles, « ça c'est pour la petite quand elle sera plus grande, et ça pour le garçon, je le connais, je sais qu'il est prometteur et qu'il aime la musique, il aime beaucoup la musique ». Georges entendit un roulis sec de maracas qui s'abattaient sur les genoux des poupées et enfin un coup de sifflet, un sifflet de foire décoré de rubans qui le sortit de sa torpeur, ou bien était-ce la voix qui disait : « C'est peut-être autre chose que vous voulez ? » Georges pensait : « Oui je veux, je veux absolument, sors de là, fous le camp ! », et en entendant de nouveau la voix – « J'ai ce qu'il vous faut » –

il parvint à se ressaisir, la colère lui procura un immense soulagement. Alors il acquiesça, en une seconde il fut près du marchand et d'accord pour payer le prix qui serait exigé, n'importe quel prix pourvu qu'il s'en aille.

Georges l'agrippa par le col de sa veste, il vit l'attente ironique dans ses yeux et il frappa le premier, éprouvant dans l'instant une ivresse si merveilleuse qu'il comprit, au-delà des coups contre la peau et dans les os, qu'ils iraient tous les deux voir à l'intérieur et ne s'arrêteraient pas avant de s'être ouvert les flancs et arraché des organes. L'autre asséna dans son ventre un énorme coup de pied, qui le fit vomir. Il sentit que son corps était traîné dans le jardin, et quand il fut capable de se relever il fallut de nouveau se jeter l'un contre l'autre. Il regretta de ne pas avoir d'arme, à part ses mains, car il fallait à tout prix éclairer ce visage et le brûler, ou bien pouvoir contusionner son dos ou crever son ventre. Mais avec les mains, il sentait que ça allait, il pouvait faire de plus en plus de blessures. L'autre aussi comprenait, et ainsi ils luttèrent toute la nuit. Ils étaient tellement complices dans cette œuvre que parfois, entre deux assauts ils se laissaient tranquilles pour respirer, s'allonger sur la terre, ou bien ils s'attrapaient par les épaules en guettant leurs visages. Puis cela reprenait : l'autre aussi tirait sur sa chair pour l'ouvrir et finalement, aux premières lueurs de l'aube, couvert de sang, Georges réussit à lui bloquer la gorge et en plongeant ses doigts, ses ongles, et en tirant, il parvint à lui arracher l'œil gauche qui roula sur le sol – juste avant que son visiteur ne disparaisse.

Le lendemain matin, quand Florence retrouva Georges, il

dormait au jardin couvert de terre et de rosée qui faisaient
des amas de mousse aux endroits de ses plaies. Une treille
d'hématomes avait poussé tout le long de son côté droit et
renflait son visage au niveau des lèvres et des paupières.
Il fallut mettre un plâtre à son épaule cassée. Et pendant
toute la semaine qui suivit, il explora le jardin et prétendit
ramasser l'œil qu'il avait arraché et qui était son trophée,
mais ses recherches furent vaines. L'étal de marchandises,
dans le salon, cela aussi avait disparu.

«Il a pas retrouvé l'œil», dit Grís d'un air de défi qui
jeta Josh dans un profond malaise. Et il ajouta, comme si
cette question avait eu un rapport intime avec son histoire
et qu'il accusait Joshua de sa négligence : «Sais-tu ce que
moi je faisais, avant d'être mineur et avant le chantier de la
Pullman ?» Mais Joshua restait muet, cherchant désespé-
rément un indice raisonnable dans ce qu'il venait d'entendre,
et Grís reprit : «Je suis d'abord né dans le nord, où la terre
a été supprimée. Mes parents ont été retrouvés sans rien, ils
ne pouvaient plus faire pousser et devaient cueillir chez les
autres, chez les compagnies qui payaient au jour. À Mexico
donc, j'étais venu pour de l'argent. J'ai eu du commerce, au
départ ça a marché bien. Tu sais ce que je vendais ?» Josh
fit signe que non et fièrement, Grís répondit : «Je vendais
des vierges.» En voyant que Josh était soudain devenu très
pâle, il s'empressa d'ajouter : «T'en fais pas ça marchait
bien, j'ai eu beaucoup de clients» – et il sortit de sa poche
un mouchoir brodé qu'il déplia avec soin : c'était une délicate
effigie de la Sainte Vierge, jolie comme une rose dans sa

mandorle en fil doré. Grís la coucha sur la table, lissant avec sa paume le tissu froissé, ramenant dans leurs contours les fils qui s'étaient abîmés. Alors Joshua Hopper leva les yeux de cette vieille main desséchée, toute en veines et en os, et se mit à scruter le visage de Grís, qui maintenant riait silencieusement et pleurait. Il remarqua enfin qu'il ne pleurait que de l'œil droit, car son œil gauche n'était qu'une boule d'émail affreusement inerte. Convoquant alors tout son courage, il regarda au fond de l'œil unique qui rayonnait de toutes ces rides et de toutes ces larmes, et demanda : « Que se passa-t-il ensuite ? » Grís répondit : « Après cette nuit, Georges ne fut plus jamais seul. J'ai toujours été près de lui pour savoir comment il vivait et pour qu'on règle nos comptes. Il n'était plus seul. Je l'ai suivi, et même quand le chantier a été déménagé dans le nord je suis parti aussi avec eux. Pour ne jamais le perdre je suis reparti au nord, au nord où la terre nous avait été supprimée. »

IV. Les Lettres de Livourne

L'amitié avec Grís commença. Celui-ci était moins vieux qu'il ne paraissait, et débordait dans sa petite retraite d'envies de promenades, de bavardages et d'amitié fraternelle, au point que Josh prenait un plaisir croissant à se faire emmener en espagnol dans ce New York qu'il n'avait jamais pénétré. C'étaient, tout au nord de Manhattan, des confins que Grís nommait fièrement Little Mexico, aussi bien que s'il l'avait fondé lui-même. Et Joshua, qui avait l'habitude de demeurer pendant de longues semaines et parfois plusieurs mois sur les chantiers du monde qu'il supervisait pour le compte de la Bombardier, avait planté sa tente à New York comme dans un terrain nouveau, choisissant d'examiner les souvenirs de Grís avec autant de sérieux et de patience que si cet homme avait été l'installation d'une centrale électrique ou d'une plateforme pétrolière. À cette notable différence que Grís était à la fois le chantier et le chef de chantier, le capitaine et la terre inconnue, ce qui compliquait la tâche car il s'avérait sacrément autoritaire. Suivre le rythme imposé par Grís demandait beaucoup de patience, et Josh avait eu quelque difficulté pour faire comprendre cela à ses collègues du bureau d'Ottawa – qui toutefois, lassés par ses coups de fil quotidiens et intéressés par l'affaire du métro de Mexico, avaient fini par accorder le délai nécessaire à l'exploration.

Josh faisait un bon second : il savait cuisiner les pâtes dans l'eau de mer, il acceptait sans broncher de nettoyer le pont que faisait l'escalier de secours en fer rouge devant la cuisine, et perdait toutes les parties d'échecs. Grís savait bien tolérer sa paresse et ses absences, il se montrait magnanime en toutes choses car il acceptait de bonne grâce son destin de capitaine. Il n'était inflexible que sur un seul point, auquel Josh ne put jamais se soustraire (sauf une fois que nous évoquerons) : il fallait se rendre dominicalement à la messe de la 135ᵉ rue, afin de prier et chanter avec le chœur de la Metropolitan African Methodist Episcopal Church. Et Grís n'aurait accepté en aucun cas les mauvaises excuses de type ethnique ou religieux : étant mexicain et catholique dans une paroisse noire évangélique, il ne pouvait admettre que le fait d'être mi-juif, athée et blanc dispensât Josh de quelque effort que ce soit.

Joshua prétendait garder sa propre interprétation des événements, même s'il se mettait à adopter autant que possible les habitudes de Grís Bandejo – comme dans un très vieux couple la coïncidence des actes comptait plus que les divergences d'opinions. Car si on avait pris la peine de l'interroger, Josh aurait simplement dit qu'il s'était attendri sur ce vieillard, que pour des raisons professionnelles il avait besoin de lui parler le plus souvent possible et que, le pauvre homme ne pouvant supporter de faire des entorses à sa superstition, il l'accompagnait gentiment à la messe le dimanche. Josh aurait dit qu'en sortant de là ils aimaient bien s'attarder ensemble et que le vieux n'y voyant plus goutte de son seul œil, il se fendait de lui faire un peu de ménage ; que le vieux n'ayant pas souvent de compagnie à sa table il essayait parfois de lui cuire quelques nouilles dans lesquelles il mettait trop de sel, si bien que la plupart du temps tous deux préféraient descendre aux tortillas et qu'en échange d'une bière fraîche il le laissait gagner la partie d'échecs.

Ainsi ils partageaient le même monde sans le savoir. Et Josh, qui ne connaissait pas les pensées intimes du vieil homme, se leurrait en s'imaginant qu'il le fréquentait seulement afin de lui soutirer des témoignages utiles. En effet, Grís n'évoquait les souvenirs du chantier Bernache qu'en de rares occasions. Pour l'instant ces incursions ressemblaient plutôt à une vieille lampe de poche balayée contre le mur d'une cave banale, et à travers leurs conversations chaotiques Josh ne parvenait pas à amener le faisceau de lumière sur quelque trésor, ni sur une bonne bouteille ou même sur un détail valable du système de plomberie. Le vieux Grís faisait semblant de s'emmêler les jambes dans un mauvais anglais, trébuchait et rallumait la minuterie en découvrant un passé de mineur qui ressemblait plutôt à un sordide garde-meubles. Et parfois Josh se demandait même si celui-ci, l'ayant emmené là-dessous, n'allait pas profiter d'un moment de moindre vigilance pour l'assommer et lui faire les poches – ne serait-ce qu'un pillage au plan moral et intellectuel. Car le vieillard devenait parfois tellement alerte et curieux que Josh se prenait à s'inquiéter. Il avait rencontré le vieux Grís comme témoin, mais il devenait de plus en plus évident que celui-ci, malgré son prétendu gâtisme ou son apparent déficit de vocabulaire, s'était mis désormais lui aussi à poser des questions, et à mener la conversation.

Par exemple, c'est une promenade grandiose dans le parc et les feuilles d'automne vous mettent à cœur ouvert, mais est-ce que Josh doit répondre combien il est payé pour faire son travail ? Et d'ailleurs quel est ce travail, exactement ? Faut-il construire encore pour la Pullman si la Pullman n'existe plus ? Josh commence à répondre comme un bon élève en expliquant les conduites hydrauliques, nécessaires pour accompagner les nouvelles infrastructures un peu partout sur la planète. Mais il sent bien que l'œil unique est ironique, et qu'il faudrait préciser ou se taire. Alors il se tait, et la marche reprend plus calme, en profitant du froid qui anime le sang et semble ravir son vieil ami, malgré l'état pitoyable de son blouson de cuir et le peu de protection supplémentaire qu'apporte la médaille en or sur sa poitrine nue, montrant une Vierge Marie. Il semble éprouver un plaisir incroyable à être ainsi au grand air, et à son contact Josh aussi commence à connaître l'immense griserie qu'éprouve un ancien mineur revivant jour après jour à l'air libre.

Ainsi, Josh découvre que Grís a le culte de l'hiver : il aime tout ce qui tombe du ciel, et dans son langage de fidèle (c'est ainsi que dit Josh qui jalouse un peu son enthousiasme) il prie pour les averses et glorifie les plus bêtes crachins, il sympathise avec le vent, il pense que la neige est douce et qu'il faut la bénir. Il s'habille toujours de la même façon et ne frissonne jamais. Josh pense que c'est la foi religieuse qui lui procure une telle assurance, en même temps il décèle chez son compagnon une volonté plus agressive, qui n'a rien à voir avec l'humilité chrétienne : Grís est à New York comme un conquérant. On pourrait tout à fait dire qu'il a gagné cette ville, et pas seulement son petit quartier d'immigrés mais bien au-delà : son royaume déborde largement les frontières de cette communauté et même, Josh éclate de rire en lui faisant cette remarque, on dirait vraiment que c'est Grís qui a découvert New York. Il précise : que c'est lui qui a conquis l'Amérique. En entendant ces mots, Grís se rengorge un peu et ne cherche aucunement à le détromper. Il a plutôt le sourire faussement modeste de quelqu'un qui, après avoir laissé traîner sciemment certains indices, se laisse conter un de ses plus grands exploits. Il donne même des détails sur les difficultés épiques des premiers jours, comme l'adaptation progressive à cet univers *privé de terre*. Une expression qui permet à Josh de se rappeler qu'en effet, l'autre avant New York a toujours eu affaire avec la terre, toujours été obligé de la considérer, enfant de paysans ou employé des mines, par au-dessus ou par en dessous ; et qu'ici contenue sous la couche de bitume elle doit lui paraître bien inoffensive. En débarquant sur ce sol complètement lisse Grís a pu éprouver une fierté extraordinaire que Josh, enfant de la banlieue nord-américaine, ne pourra jamais s'imaginer. En tant qu'immigré, Grís malgré sa pauvreté est maître de son destin, et pour cette raison il semble éprouver beaucoup de répugnance à évoquer le Mexique.

C'est pourquoi Joshua met un certain temps à obtenir

de lui des informations sur le chantier Bernache. Mais peu à peu il comprend certains éléments, et par exemple que l'installation du métropolitain a été retardée par des découvertes plus ou moins contrariantes : des sites archéologiques premièrement, un gisement pétrolier ensuite. Sur le premier point il n'est pas très inquiet : la Pullman de l'époque ne se serait pas embarrassée de ce genre de vieilleries... Lui-même, alors qu'il faisait installer des égouts à Lima, eh bien ! Soudain il préfère ne pas y penser, ravale cette anecdote dont il soupçonne qu'elle déplairait à Grís. («Enfin tout de même ce n'était pas grand chose, hein, vaisselle ébréchée et bimbeloterie pleine de terre, même pas en or», pourtant il a honte et se garde d'en reparler.)

Le deuxième élément le rend infiniment plus perplexe. Cette nappe de pétrole restée toute seule dans son sous-sol mal éclairé le chagrine. D'abord tapie au fond de son crâne dont elle lape les parois, elle clapote de plus en plus fort. Pourtant il est bien renseigné, il sait que la loi mexicaine ne permettait pas à une firme étrangère d'exploiter un gisement national. C'était une jalousie patriotique inscrite en lettres d'or depuis 1938, et malheur au gouvernement qui aurait dérogé. Les capitaux étrangers pouvaient s'immiscer partout, mais pas dans le pétrole, qui était gardé comme le sang du peuple. La nappe continue de glouglouter bêtement dans sa tête et lui noie le bon sens. Alors ils l'ont laissée de côté, le chantier a continué comme ça ?

Ça clapote encore et glougloute dans le vide : Grís lui oppose un silence de mépris. Tout ce qui l'intéresse, à la rigueur, c'est de s'informer du destin de Georges et de

Florence Bernache – ceci demandé en passant comme on prend des nouvelles de vieilles connaissances. Est-ce qu'ils sont retournés à Mexico? Est-ce que tu crois qu'ils ont retrouvé leur gamin? Est-ce qu'ils se sont déménagés, ou partis aux États-Unis?

Quant aux questions de Joshua à propos du chantier Bernache à Mexico, elles lui paraissent triviales. Creuser. Poser les rails. Creuser. Et Grís lui fait comprendre poliment, à peine poliment que même sans avoir fait des études d'ingénieur il n'a rien à apprendre de lui. Que sans savoir parler correctement l'anglais il sait parfaitement mesurer, compter, déchiffrer des plans ou les dessiner, et même à main levée dans un puits sans lumière. Tant qu'il ne raconte rien, c'est qu'il en a décidé autrement.

Un jour, Grís demanda à Josh s'il connaissait un lieu nommé Livourne près de la frontière mexicaine. Livourne à l'extrémité sud du Nouveau-Mexique, dans la partie qui se trouvait à l'ouest du fleuve Rio Grande.

Josh voulut réserver sa réponse parce qu'il était certain que ce lieu n'existait pas mais que pourtant il avait déjà lu ce nom sur une carte lointaine; après vérification il en eut le cœur net: il n'y avait rien de tel dans cette région, ni nulle part aux États-Unis, mais seulement en Italie. Pour prouver qu'il s'était donné bien de la peine pour chercher, Joshua expliqua:

– Une ville libre fondée à la Renaissance par Ferdinand le Grand, enfant Médicis qui accueillit dans ses murs tous les marins d'Europe quelle que soit leur origine ou leur confession.

Et il se permit d'ajouter avec une pointe de condescen-
dance : «À la Renaissance, Grís : pas aux États-Unis.»

Grís accueillit cette réponse insolente sans se troubler
le moins du monde, mais il exigea en retour quelques
précisions :

— Tous les marins? Même les Juifs comme toi ou bien
les communistes?

Piqué au vif, Joshua abdiqua quelques défenses ration-
nelles :

— Oui, tous. Même les Juifs comme moi, et même les
Mexicains comme toi si par malheur ils avaient déjà existé
à l'époque!

Ah! voilà qui prouvait bien que ce lieu existait :

— Puisque Georges Bernache lui a donné le beau nom de
Livourne en hommage à la Livourne italienne.

Grís savourait ses effets. Maintenant qu'il était parvenu
à coincer Joshua dans un coin de l'espace-temps aussi mal
fréquenté, il profitait de sa confusion pour rebondir :

— Et crois-tu qu'on puisse écrire des lettres dans un lieu
qui n'existe pas?

— Non. Il faut bien qu'elles soient adressées à quelqu'un.

— OK. Tu n'as pas bien compris ma question. Crois-tu
qu'un père de famille blanc et originaire de Philadelphie
puisse écrire des lettres dans un lieu qui n'existe pas?

— Eh bien, il écrirait à ses enfants, je suppose.

— Pfff… Reprenons. S'il sait écrire, crois-tu qu'un Mexicain
puisse écrire des lettres dans un lieu qui n'existe pas? Ou
un homosexuel?

– Mais tu as dit que tout le monde avait le droit d'y être !
Beaucoup de ces gens-là devaient être analphabètes, à
l'époque !

– OK, c'est vrai. Mais toi, tu ne réponds pas à ma question.
Crois-tu que ces lettres de pères de famille, de communistes,
de Juifs, de Mexicains ou d'homosexuels puissent être écrites
depuis un lieu qui n'existe pas ? Tu m'entends ? Tous ces
gens-là peuvent-ils écrire dans un lieu qui n'existe pas ?

– Certes pas, Grís.

Grís triompha. Car la preuve ultime que le lieu dit Livourne
avait bien existé sur le continent américain, c'était une grande
quantité de lettres, toute une correspondance qui avait été
réalisée là-bas. Et puisque Joshua avait passé cette épreuve
et même s'il se montrait pour l'instant assez piètre disciple,
il proposa de lui montrer les lettres de Livourne. De les lui
lire et : parlait-il espagnol ? OK. De les lui traduire.

* * *

« ¡ Mi querida ! » Ou bien : « ¡ Mamá, querida familia,
querido tío, queridos amigos ! » Josh reconnaît aussi le mot
« cerámica » qu'il a vu dans les musées. Sinon, il laisse la
parole à Grís :

« Ma chérie ! Je suis plein de poussière mais je suis arrivé
au bout du chemin. C'est beau magnifique ! Je te tiendrai
dans mes mains quand sera terminé. Tu es belle. Aujourd'hui
nous avons pu signer les carreaux comme le céramisteur
est venu et nous a donné chacun pour faire un dessin dans la

terre. Moi j'ai écrit dessus ton nom et aussi écrit tes yeux et les belles oreilles de toi comme ceçà » (suivait un dessin qui paraissait représenter la fiancée d'un point de vue nettement plus médial et caudal, mais Grís ne souhaitait pas montrer n'importe quel détail à un jeune et fougueux apprenti).

Le four était très pesant mais grâce à l'avons amené jusque loin on peut cuire toutes les couleurs et je t'ai faite rouge. Avons tous marqué les noms et le céramisteur créé un paysage pour les mettre tout autour du plafond comme manière d'un ciel. »

La syntaxe préscolaire était aggravée par l'anglais de Grís, et ainsi les mots sortaient de terre doublement encroûtés, mais en tirant bien sur les racines on pouvait leur arracher un sens :

« Mère, nous avons entrepris une chose singulière. Il a mis des carreaux bleus et or dans le plafond, dessus le paysage, et nos noms sont entre, rajoutés que nous avons signés. Mère, ce pays comporte plusieurs dans le même plafond, car on y voit aussi la pyramide de Teotihuacán et aussi celle que je n'ai jamais vu de Chichén Itzà, et certains arbres que je connais du pays et d'autres que je ne connais pas car la estacion se nommait Livourne, qui est une cidade italique. Pour cette raison, il y a aussi dessiné des arbres italiques très infleuris et des éffontaines, arbres en eau.

En mémoire de la Livourne nous sommes migrés dans cette estacion où se dresse le quartier major. Beaucoup de biens ont été amenés pour l'auguration de cette place. C'est fête, car nous avons finalement pénétré en États-Unis. La frontière nous a pas fait mal car était en cet endroit de terre beaucoup molle, comme est ventre du paradis. Nous sommes pas encore montés dessus la terre, car devons pas apparaître à l'espace, mais sommes créés un cheminée pour nous externiser plus tard quand sera composée la marche en briques. Cette marche seront façonnées par céramisteur et je appose le ciment pour coller la marche honorifique. Nous pouvons tous escrire dans la marche et je escris une prière pour que bientôt vous me réunissez tous dans les États-Unis. Dans le argile je fais aussi les enfants et le nom de la famille avant que tout soit dans les flammes et rendurci. Comme cette façon vous tous auront figure dans la marche que je fais.

Je copie pour toi la phrase que nous avons apprise pour l'escrire en haut de la marche honorifique. Elle fut d'abord escrite par un roi italique qui viva à Livourne en Italique, et fut d'accord pour que tout le monde vive en sa belle ville. Il dit ceçà que je sache par le cœur :

À tous vous, marchands de quelconque nation, du Levant et du Ponent, Espagnols, Portugais, Grecs, Germains, Italiens, Juifs, Turcs, Maures, Arméniens, Persans et autres Nous concédons qu'en toute sûreté et libre faculté et licence vous puissiez venir, être, trafiquer, passer et habiter avec vos familles et, sans partir, tourner et négocier dans la terre de Livourne.

Cela l'avons escrit dans un front d'argile et peint en mémoire. Les mots étaient cuits dans le four du céramisteur et les avons relevés au ciment dessus le portail du cheminée. Les mots sont très grands, comme des hommes, et les avons cuits chacun après dans le four depuis toute la semaine. Notre travail est pas vite car nous aimons beaucoup manger et fêter, et il y a plein. »

Pendant cette lettre, Grís s'était renversé dans son fauteuil en plastique et avait commencé un étonnant manège où il mimait les lieux, se balançait en arrière et revenait à la table, s'étranglait de rire, rajoutait une gorgée de bière, se rebalançait en regardant Josh par en dessous, comme un vieux conteur malin qui teste ses mots. Il faisait de cette lettre un véritable numéro de théâtre et en tout état de cause il n'était pas en train de la lire. Ceci pour une raison simple, c'est qu'elle avait été écrite de sa propre main. Pour preuve, il y avait au bas de la page un beau scarabée bleu : son nom. En 1968, à 51 ans, Grís venait juste d'apprendre à lire et à écrire.

V. L'Ambassade sauvage

Trois années s'écoulèrent, après que la terre eut livré ses trésors. Trois années, avant que la Pullman ne semble prête à agir : en 1948, Florence dut se rendre à New York pour rencontrer la société ferroviaire à travers la personne d'un certain Gabriel Gould. Dans l'avion qui la conduisait de Mexico à New York, Florence regardait avec attention la carte de visite qu'elle avait reçue une semaine auparavant : au dos du carton granuleux, une plume laconique avait écrit en anglais quelque chose comme « La progression des travaux nous passionne. Je me réjouis de faire votre connaissance le… » – suivaient la date et l'heure du rendez-vous d'une encre rouge un peu bouclée, probablement écrites par la main d'une secrétaire. Florence avait admiré l'en-tête de la carte : le titre exact de Gabriel Gould était *Professor Gabriel Earl Gould – Senior Vice President of International Operations*, c'est-à-dire qu'il était le vice-président en charge de tous les chantiers extra-territoriaux de la Pullman et autrement traduit : le respon-sable du chantier qu'elle menait avec Georges.

Jusqu'à recevoir cette carte, elle ignorait tout cela, et se serait volontiers passée de cette visite de courtoisie. Elle était encore terriblement bouleversée par la découverte de ce lieu de culte ancestral dans le sous-sol de Mexico ; elle voulait protéger le mystère de ces objets et leur assurer un destin convenable. Elle ne comptait certainement pas en faire la publicité auprès de la compagnie, étant convaincue que l'intervention de la Pullman dans ce travail de fouilles pouvait se révéler extrêmement nuisible – qu'elle pourrait même s'avérer mortelle pour l'âme d'une ville qui avait résisté avec tant de peine aux assauts de la conquête occidentale et survivait désormais en cachette, fragilement conservée sous la terre dans de petites urnes d'argile. Elle ne souhaitait pas dévoiler ce secret, et craignait les efforts qu'elle devrait fournir pour le protéger. D'ailleurs une autre raison, plus intime, la retenait de faire ce voyage : elle n'était pas retournée aux États-Unis depuis maintenant dix ans et appréhendait beaucoup ces retrouvailles avec le pays de son enfance. C'est pourtant son statut d'Américaine qui lui avait valu son rôle d'ambassadrice – Georges voulant de toute façon éviter le moindre contact avec la compagnie, il avait aisément accepté de l'envoyer en délégation.

Si bien qu'on ne lui avait pas vraiment laissé le choix C'était elle ou personne. Or, tout bien considéré, elle constatait que l'expéditeur de la carte n'aurait pu souffrir un refus. Il ne s'agissait pas d'une simple demande : puisque l'enveloppe contenait déjà un billet d'avion pour la date indiquée.

Le plus pénible avait été de convaincre Niño que cette aventure ne serait pas longue, et qu'il n'était pas convenable qu'il l'escorte dans un lieu aussi lointain. À l'enfant de cinq ans qui ne souffrait pas la moindre absence de sa mère, il avait été bien difficile d'annoncer la nouvelle de ce voyage. Il avait fallu une ruse de Georges pour emporter enfin son consentement en lui demandant d'un air préoccupé :

– Si tu t'en vas aussi, qui s'occupera de ta petite sœur? Alors? Il faut bien que tu restes pour que quelqu'un joue avec elle, tu ne crois pas?

Niño aimait follement la petite Suzanne. Elle était arrivée dans sa vie en même temps que Florence dans la vie de Georges – enfin presque en même temps : Florence était d'abord arrivée seule, puis son ventre s'était mis à grossir énormément, puis il y avait eu Suzanne. Suzanne était magnifique. Elle était ronde et douce, avec de tout petits cheveux comme des plumes de moineau, et elle parlait comme une cantatrice : à pleins poumons et sans que l'on comprenne le moindre mot. Suzanne était drôle et sans gêne, elle écoutait les histoires en rigolant à contretemps, elle bavait, elle rotait, et elle tétait le petit doigt de Niño comme s'il s'agissait du sein maternel. Elle portait des habits excentriques, des blouses pleines de fleurettes et d'animaux de toutes sortes par exemple des guêpes et des éléphants brodés, avec de très gros langes épinglés par en dessous qui les faisaient bouffer exactement à la manière des robes à crinolines que Niño avait vues dans des gravures de belles dames mexicaines du XVIIIᵉ siècle – et si belles que soient ces robes, elle ne s'en souciait pas et faisait tout le temps caca dedans, ce qui provoquait des alertes sanitaires dans toute la maison, à qui voudrait bien la changer pour le salut collectif. Niño

n'avait pas le droit de la langer lui-même mais il surveillait
toujours attentivement les opérations et s'assurait qu'elle
soit traitée avec la délicatesse due à une si minuscule personne. Il faisait vérifier que les fesses de Suzanne étaient
bien séchées, bien nettes et sans irritations quand on la
rhabillait. Et il se demandait parfois comment une si charmante pouvait puer autant – mais se taisait, attendri.

L'attachement de Niño pour Suzanne était bouleversant
car il trahissait également sa volonté de connaître la vie
intime d'un tout petit bébé élevé par sa propre mère – ce
qu'il n'avait jamais connu, ayant été recueilli par Georges
dès l'horrible jour de sa naissance. Le lien qui unissait
Florence, Georges et Suzanne était pour lui aussi fascinant
que la mort : quelque chose dont il lui était interdit de faire
l'expérience pour ensuite s'en souvenir et s'en servir dans le
cours de sa vie. La naissance et la tombe avaient pour Niño
le même caractère de mystère irrémédiable, et la tendresse
infinie de ses parents adoptifs, la passion qu'ils mettaient à
faire sa connaissance jour après jour et à le rendre heureux
ne pouvaient compenser tout à fait cette faille.

À travers sa bonne humeur Niño gardait toujours un
peu de la mélancolie qu'il avait attrapée lors de sa première
année de tête à tête avec son père, dans la trop grande maison
de Mexico où celui-ci l'avait amené pour commencer une
mission qu'il abhorrait, dans une solitude si tragique que
lors des premiers mois de leur installation il eut bien de
la peine à faire rester les nourrices plus de quelques jours :
elles allaitaient Niño, préparaient pour le père trois repas de
maïs et prenaient la fuite, laissant les deux garçons à une

tristesse qu'elles jugeaient irréparable. Amer, Georges ne les regrettait pas, les maudissait et prétendait qu'elles étaient mauvaises, qu'elles mettaient trop de sel dans les galettes et jusque dans leur propre lait. Et il devait se mettre d'urgence en quête d'une nouvelle fille, car Niño criait famine.

À cette époque, Georges aurait tout donné pour provoquer un sourire de Niño. Il avait beau le promener, lui parler, faire des grimaces et des pitreries, rien n'y faisait : l'enfant était grave comme un vieux gorille, et la tristesse continuait de régner dans la maison toujours trop grande. Mais un jour qu'une nouvelle nourrice avait claqué la porte, et que Georges faisait lui-même griller un épi de maïs desséché dans une casserole, sous l'œil sévère de Niño qu'il avait calé tant bien que mal au milieu des coussins d'un fauteuil, un miracle se produisit : dans une minute de distraction où il buvait à gorgées lentes une bouteille de bière, le maïs fut trop cuit, le couvercle de la casserole s'arracha de son socle pour aller heurter le plafond dans un bruit de cymbales et les grains jaillirent en une grappe de pétarades retombant dans toute la cuisine en petits bonds ouatés. Georges eut à peine le temps de constater qu'il avait fabriqué du pop-corn sans le savoir et de vérifier que le petit n'avait pas reçu de pro-jectile brûlant sur le coin de la figure : Niño s'était redressé dans le fauteuil et pour la première fois de sa vie, les bras tendus, la tête rejetée en arrière et la bouche, les yeux écar-quillés, les pieds battants, son corps ouvert comme une étoile, il riait à n'en plus finir. Et ce qui le faisait rire, Georges en fut tout de suite certain, n'était pas le spectacle des grains éparpillés ou la vue de la casserole retournée, mais le bruit, la musique de l'explosion et de ses soubresauts qui avaient triomphé de l'énorme baraque et desserré l'étau mortel du silence. Dès ce jour, Georges sifflota, chanta, renversa et cassa la vaisselle, et mit entre les mains de Niño les objets les plus intolérables aux oreilles de parents normaux, crécelles tapageuses, joujoux à percussions, oursons péteurs ou diables à klaxons. Il mit Niño au solfège et à la musique comme tout bon fils de bourgeois, et c'est ainsi que Florence puis Suzanne avaient débarqué dans une maison tonitruante, auprès de deux garçons non seulement assoiffés d'amour, mais totalement époumonés.

Niño, qui avait commencé à se rasséréner grâce à la découverte du bruit et de la musique, avait atteint le comble du bonheur grâce à l'arrivée de Suzanne : parce que Suzanne écoutait. Non seulement Suzanne criait, riait et rotait, mais Suzanne écoutait sa musique et applaudissait de ses mains grassouillettes, elle était de tous les concerts, le meilleur public qu'on ait jamais rêvé. Niño aimait Suzanne et jamais il ne s'en serait séparé – serait-ce pour escorter sa mère dans ces États-Unis barbares dont elle était native, cette Nouvelle York où elle risquait de l'oublier.

On survolait – quoi ? Quelque chose comme le Mississippi, probablement… *Or is it already the Tennessee River… or Heaven ?* Florence sentit une affreuse nausée lui grimper dans la gorge, se souvint que ses dernières règles dataient d'il y a fort longtemps, au moins six semaines, ou huit, pensa qu'à tous les coups elle était de nouveau enceinte et refusa vigoureusement de se crasher avec son petit équipage intérieur.

C'était la première fois que Florence prenait un avion, qu'elle considérait encore largement comme un engin de guerre : elle se sentait embarquée dans une entreprise martiale qui ne lui convenait pas – et certainement, la jeunesse dans son ventre n'aurait pas dû assister à cela. Alors que l'appareil prenait un léger virage pour entamer sa descente (car à l'insu de ses rêves on avait déjà touché la côte atlantique et on descendait dans l'embouchure d'Hudson River) Florence eut un frisson d'inquiétude : la reconquête de l'Amérique lui sembla soudain dangereuse et vaine. Elle aurait préféré que Georges l'accompagne. Mais l'atterrissage se fit dans la plus grande douceur et Florence Bernache, ainsi que les deux bébés mâles calmement endormis dans son ventre (car c'étaient des jumeaux) arrivèrent sans encombre dans la ville de New York.

À cette époque, le bureau de New York était l'avant-poste de la Pullman pour les opérations en territoire étranger.

Car la Pullman, gigantesque entreprise de transport ferroviaire, débordait largement les murs de son usine. Alors que les États-Unis se couvraient de bitume et cédaient peu à peu au règne des camions, la compagnie continuait de prospérer grâce aux villes, qui lui achetaient des rames de métro, et grâce à de nombreux chantiers par-delà les frontières. En 1943, à la suite d'un douloureux procès d'atteinte à la concurrence, elle avait dû accepter de se défaire de toutes ses activités d'accompagnement des voyageurs et s'en tenir à la fabrication des trains et des machines. Cet événement lui avait fait perdre d'un seul coup le masque aimable auquel l'avaient identifiée trois décennies d'Américains : sous la luisante casquette, le sourire impeccable des porteurs noirs, emblème de la compagnie, avait disparu.

Débarrassée de cet aimable mais encombrant visage humain, la compagnie s'était offert l'occasion d'attraper le train d'une économie plus moderne qui ne voulait plus se limiter à un seul nom, une seule langue ou un seul pays. La Pullman souhaitait désormais être légère et véloce, venir partout où le progrès venait, juste à temps pour profiter de ce moment de transition privilégié des pays en développement : dès qu'il s'y trouvait assez de capitaux en circulation et avant que ne disparaisse la main-d'œuvre pauvre – instant de grâce qu'on pouvait cueillir aujourd'hui dans le monde entier si l'on avait l'art et l'appétit de chasser le boom économique en terre inconnue.

La Pullman proposait donc des financements généreux aux constructeurs locaux de chemins de fer, en échange de quoi elle exigeait de se faire acheter (c'était une condition exclusive) l'ensemble des trains qui devraient y rouler. Le Progrès étant une mission noble mais dangereuse, il fallait faire montre de fermeté et de rigueur. C'est la raison pour laquelle, au grand regret des dirigeants locaux, elle fut obligée par exemple de laisser à l'abandon une ligne ferroviaire pourtant très utile entre la ville bolivienne de La Paz et le port d'Arica au nord du Chili. Car le gouvernement de ces Indiens s'étant avéré corrompu et surtout mauvais payeur, les trains destinés à circuler sur ces rails ne furent pas livrés. Pendant des années, ces kilomètres de fer qui avaient englouti des milliers d'existences brillèrent à travers la forêt comme un serpent inerte, mort de honte. Ceci est un exemple malencontreux : en général, les avertissements lancés par la Pullman suffisaient et son commerce prospérait.

Ainsi, on aurait vainement tenté de limiter l'étendue de son pouvoir comme on l'avait fait en 1943 : l'usine de Chicago continuait de fulminer des kilomètres de wagons mais ceux-ci s'en allaient bien loin, et on aurait eu tort de la croire tout entière dans ce nuage de fumée. Elle était à Chicago comme elle était à Lima, au Cap ou à Mexico. Elle était sous la voûte immense de son usine mais également enfouie sous la terre d'innombrables capitales frénétiques où l'on se fichait bien de savoir quelle était l'origine des roues sur lesquelles on roulait.

Depuis sept ans la Pullman s'était enterrée, dispersée. Elle avait congédié son personnel de gare. Elle avait embauché, par l'intermédiaire de compagnies locales, d'innombrables ouvriers dans les nouveaux pays qu'elle abordait. Elle signait des contrats dans tous les coins de la terre. Où était la Pullman ? Quand pouvait-on la rencontrer ? Chez qui fallait-il prendre rendez-vous ? Pour aller au-devant du monde la Pullman avait choisi, loin de son vieil ancrage industriel à Chicago, la ville de New York : terrain assez hybride pour être neutre, c'était le centre idéal pour assurer ce travail de liaison qui se passait d'infrastructures. En vérité la Pullman pouvait installer son ambassade ici ou ailleurs, n'importe où et à peu de frais, car pour assurer cette fonction il ne fallait qu'un seul homme : Gabriel Gould.

* * *

Dans la rue, elle eut cinq ans. Il avait fallu à Florence quelques heures de marche pour se remettre de l'émotion de son trajet en avion, mais en attendant l'heure du rendez-vous avec Gabriel Gould, la ville l'avait enivrée, et lui revenait dans les jambes comme un jardin de paradis. Elle était heureuse, et se remémorait les lieux avec passion. La première fois que Florence était venue à New York, elle avait dû mettre des gants et des souliers vernis et son père, qui était réputé pour ses goûts saugrenus, lui avait offert un duffle-coat vraiment rose clair et non pas beige, noir ou brun. Comme ça au moins, on n'allait pas lui dire qu'elle était un beau petit garçon, avait dit sa mère pour se consoler de cet accoutrement. Mais ça restait difficile de lui faire la raie au milieu ou de lui mettre des smocks ou des manches à ballons, parce qu'elle avait une coiffure en cercle comme un petit moinillon et des bras trop potelés pour les effets de mode. Ça lui donnait un air rebelle qui plaisait énormément à son père, très fier de la conduire dans la ville. À la fin, il l'avait emmenée dans un restaurant où elle avait reçu dans l'assiette une vache tout entière – elle trouva plus sûr de se consacrer aux frites françaises en laissant son père terminer sa vache. Dans la vitrine du restaurant on pouvait voir les énormes viandes qui pendaient et Florence trouvait tout ce rouge effrayant et merveilleux. Elle sentait que son père lui faisait découvrir des choses mystérieuses car elles lui donnaient plusieurs impressions à la fois, et souvent contradictoires : comme par exemple les animaux morts du musée d'histoire naturelle, les échoppes chaotiques de la rue chinoise, ou bien un match de boxe qui sentait la fumée et la sueur. Mais elle regardait tout cela sans flancher parce que, sans le dire à haute voix, les dieux grimaçant sur le ring et la viande pendue au clou, elle trouvait que c'était beau.

Le bureau de Gabriel Gould était en haut d'une tour banale, en plein milieu de Manhattan – d'une hauteur invraisemblable qui n'avait rien d'extraordinaire dans un pareil quartier. Dans la grande entrée en verre et marbre, le réceptionniste ignorait ce qu'était la Pullman, et devant l'air étonné de Florence, lui demanda de préciser un nom :

– Ah, Sir Gabriel Gould ? (et sans même regarder à nouveau son registre) Il est au 42e étage !

C'était le dernier bouton de l'ascenseur. Arrivée là-haut, Florence n'eut pas besoin de chercher la porte d'entrée : la cabine s'ouvrait directement dans une pièce qui n'avait rien d'un bureau, mais ressemblait plutôt au salon d'un appartement bourgeois avec de grandes bibliothèques en bois, une table basse, un canapé en cuir clair. Foulant étourdiment la marelle multicolore d'un tapis Delaunay, Florence marcha droit devant elle à travers les fauteuils et les bouquets de fleurs jusqu'aux grandes fenêtres qui illuminaient la pièce. Depuis ce salon de magazine elle plongea son regard dans le défilé profond de l'avenue toute hérissée de tôles et de fumées brouillonnes, et se sentit soudain aussi vertigineuse qu'une bourgeoise hollywoodienne dans une nacelle de laveur de vitres. Ce contraste brutal lui rappela une question d'un célèbre peintre russe visitant l'Amérique pour la première fois : « Pourquoi, avec toute leur hauteur, ont-ils l'air tellement pot-au-feu et provincial ? » Avant d'avoir trouvé la réponse elle fut dérangée par une voix qui était assise derrière elle, et lui demandait sévèrement de bien vouloir s'asseoir pour patienter : dans un renfoncement à droite de l'ascenseur, une vieille dame en chignon serré qu'elle n'avait pas vue en entrant était assise derrière un bureau en métal. Impressionnée, Florence s'exécuta, et attendit.

C'est ainsi qu'elle put commencer à découvrir dans la pièce des détails incongrus, à commencer en face d'elle par un visage rouge et bleu qui lui tirait la langue – une langue en forme d'oiseau tellement bien tendue qu'elle lui touchait le front. Elle avait déjà vu cela quelque part. Ce mal élevé cloué au mur était un masque de Colombie Britannique. Il y avait aussi devant elle, à côté des revues financières sur la table en marbre, un monsieur priapique en bois noir dont l'équilibre vertical était miraculeux compte tenu de l'élévation de son pénis. Et sur le bureau de la secrétaire, une pierre rose taillée d'une façon également éloquente, joliment ourlée, que la vieille dame n'avait peut-être pas choisie elle-même comme décoration. Tout cela n'avait aucune cohérence géographique ou thématique : il y avait aussi dans des cadres dorés des codex mayas, développant d'innombrables histoires incompréhensibles, et des mères à l'enfant de toutes les origines allaitaient sur toutes les étagères. Une porte s'ouvrit en dessous du masque colombreton. Florence n'avait pas remarqué cette porte. Gabriel Gould apparut. Il était cylindrique, bouclé et jovial, et il l'invita à entrer dans son bureau.

C'était l'heure. L'heure d'expliquer pourquoi on n'était pas à l'heure. Pendant tout son voyage, Florence avait fabuleusement bien préparé sa défense au sujet du retard des travaux. Elle avait trouvé des raisons géologiques (un sol atrocement granitique en certains endroits), climatiques (les ouvriers assommés par la chaleur), mécaniques et économiques (il fallait remplacer le matériel de forage). Mais rien de tout cela ne semblait retenir l'attention de son hôte. Gabriel Gould, dans son nœud papillon et ses joues roses, l'écoutait avec une joie enfantine, comme si les désagréments accumulés lui procuraient un intense plaisir. Plus Florence annonçait d'accidents, et plus il souriait ; plus le retard prévu enflait et plus il rosissait. Au bout d'un moment Florence fut à court d'arguments, et elle se tut. Tandis que le silence s'installait, elle se demanda si le ravissement de son interlocuteur ne l'avait pas encouragée à décrire la situation des travaux en l'aggravant d'une façon compromettante, au lieu de l'atténuer comme elle l'avait prévu. Venue dans l'intention de le rassurer, elle s'était mise à craindre paradoxalement que Gould ne prenne l'affaire trop à la légère... Était-ce pour lui une façon de réduire les investissements, en prétendant que les problèmes étaient trop bénins ? Ou un malentendu ? Soudain, Gould se mit à l'interroger :

– Vous dites que le sol au nord de la ville est trop granitique ?

– Oui. On ne peut plus creuser. Il va falloir contourner. Nous avons certainement atteint le bassin de l'ancien fleuve.

Cette réponse sembla le satisfaire, et piquer pour la première fois son intérêt. Il reprit :

– Vous avez raison. C'était la frontière de la ville aztèque.

– C'est ce qu'on raconte.

– Comment pouvez-vous ignorer cela ?

– Je le sais... Évidemment. Nous avons des cartes... des cartes topographiques, et des cartes anciennes de la conquête.

– Bien. Et vous avez retrouvé des traces ?

Des traces ? Florence comprit enfin le piège et se vit brutalement coincée entre deux visages effrayants : celui de Gould, rose et rebondi, qui trahissait désormais une avidité inquiétante, et celui de la femme écartelée au fond de la caverne. Puis, elle se souvint également des pauvres bonshommes statufiés qui peuplaient son sol et ressentit une responsabilité envers eux, autant qu'une mère ou une souveraine, c'est pourquoi elle répondit avec fermeté qu'elle ne savait rien. Gould parut contrarié, mais cessa d'interroger.

Au lieu de cela, il ouvrit un tiroir et en sortit un petit paquet enveloppé dans un chiffon rouge. Il déplia le tissu et montra un masque du rire en terre cuite, ayant de gros lobes d'oreilles et un dessin crénelé, à l'engobe blanc, en travers du front.

– Est-ce que cela vous évoque quelque chose ?

– Non, je n'ai jamais vu une chose pareille.

– Et cela ?

Gould avait sorti également un petit personnage aux jambes courtes, portant un chapeau rond, et qui tenait dans sa main une sorte de masse dont l'extrémité supérieure était large et plate – tout à fait semblable à une batte de baseball ou une raquette de tennis. Ce rapprochement contemporain amusa Florence, mais elle vit que son interlocuteur restait très sérieux, et réprima son rire.

– Non, je n'ai jamais rencontré une telle personne, dit-elle modestement.

La petite tête moutonnante et les lunettes disparurent à nouveau. Un instant de fouille au fond d'un tiroir, et Gould déposait une nouvelle trouvaille devant elle. Cette fois, Florence dut faire un effort intense pour dissimuler sa surprise. C'était un petit homme d'argile aux bras levés dans un geste de panique ou de protection. Il avait les yeux exorbités. Et sa tête était creusée en son milieu, à la manière d'un pot.

– Non, je ne le connais pas.

Gabriel Gould remballa les objets et les rangea avec beaucoup de soin sous le bureau. Le silence s'installa. En se relevant, il avait le visage écarlate et les yeux à fleur de tête tout comme la statue. Florence ne sut pas si c'était l'effet de la rage, ou parce qu'il l'avait gardée trop longtemps baissée. Il transpirait. Il lui dit ceci :

– Le chantier de Mexico ne sert à rien. On ne nous a toujours pas commandé les trains. Nous faisons ça seulement pour occuper la place, et empêcher qu'une autre compagnie s'en mêle. Ce chantier ne sert à rien : c'est juste un masque.

Florence restait pour lui cette mauvaise élève dont l'attention volatile ne saisissait pas les informations essentielles. Aussi, fermement accoudé à son bureau, Gould voulut lui faire comprendre ce que ce dernier mot voulait dire et le mima : en passant plusieurs fois les gros doigts écartés de sa main droite, ses phalanges ornées de touffes de poils poivre et sel, devant le cadre d'écaille de ses lunettes, dans un geste circulaire qui fit trembler le reflet vif-argent de ses verres myopes. En reposant sa main il continuait de la regarder comme s'il venait de lui poser une question. Il était toute attente. La réponse lui parvint semble-t-il, par ultrasons, car il reprit sans que Florence ait pu ouvrir la bouche pour esquisser la moindre syllabe :

– Il ne faut pas mentir et il faut m'aider. Parce que nous sommes embarqués dans la même aventure vous et moi.

Et devant l'air perplexe de Florence, bientôt scandalisée :

– Si les citoyens mexicains découvrent que grâce à votre chantier vous pillez le sous-sol de leur capitale, notre compagnie sera absolument forcée de vous désavouer. Alors, écoutez bien, la règle : le pétrole mexicain n'appartient qu'au Mexique. C'est ça la loi. Vous me suivez ? Cela veut dire qu'on ne peut pas toucher au gisement que vous avez trouvé il y a trois ans. C'est pour ça que vous ne pouvez pas non plus faire avancer les travaux. Pendant que vous, vous ne faites plus rien, nous… Quand je dis nous je dis la compagnie, n'est-ce pas ? Nous travaillons. Depuis trois ans, vous faites une guerre de position sans le savoir ; ce n'est pas trop fatigant ?

C'était toujours aussi difficile pour Florence de savoir s'il attendait d'elle une véritable réaction ou bien s'il voulait faire à lui seul, dans un genre marionnettiste, toutes les questions et les réponses. En attendant, l'intervalle accusatoire créé par ces points d'interrogation la mettait extrêmement mal à l'aise.

– Vous occupez le terrain. Non, ce n'est pas trop fatigant. Et nous on négocie. On a fini par les émouvoir, et le prix de l'émotion… On a proposé beaucoup d'argent pour obtenir une licence sur ce gisement. Beaucoup d'argent, pour enfin parvenir à se faire accorder une dérogation convenable.

Des objections comme un coup de sang affluèrent dans la tête de Florence sans qu'elle ose les formuler à voix haute. Elle pensa : on ne peut pas bafouer les lois. Avec un accent américain très légaliste qui l'irrita (elle se traita simultanément d'idiote) elle ne put s'empêcher de se dire une chose très redondante : on n'est pas supposé contourner la loi, *are we ?*, je n'ai pas le droit d'enfreindre la loi, *do I ?* Heureusement, Gabriel Gould avait des méthodes adéquates :

– Dans le lieu où naissent les lois, dans la capitale, c'est trop compliqué de transgresser. Alors on a fini par arracher un accord sur un autre gisement. On va vous faire déménager.

Are we ? Qu'est-ce qu'il te dit ce type ? Transgresser où ? Partir quoi ? La pression des points d'interrogation enroulés de plus en plus nombreux à l'intérieur de ses tempes commençait à devenir insupportable. Elle parvint enfin à articuler une réplique :

– Pourquoi, déménager ?

Simplement cela, car elle se refusait pour l'instant à prendre acte de l'événement et à poser l'autre question : « Pour aller où ? »

Gould choisit de se défausser sur un absent de grand renom :

– Madame, entendons-nous, tout cela c'est à cause de Monsieur Lázaro Cárdenas.

Heureux de la surprise qu'il lisait dans le regard de Florence,

73

il se lança dans une mise au point historique pompeuse qu'il maîtrisait parfaitement :

– Tout cela ne serait pas arrivé sans le repli nationaliste, odieux, voulu par Monsieur le Président Lázaro Cárdenas. Alors il y a dix ans exactement, ce grand homme nous a nationalisé le pétrole mexicain. Vous n'imaginez pas les foules de hourras dans les rues, ce boucan ahurissant de dehors-les-gringos ! Voyez le résultat... Parce que malheureusement, ce pauvre président a oublié de bannir en même temps les pratiques de corruption. Et même s'il a un peu essayé... Allez, nous pouvons nous débrouiller avec la situation actuelle. Seulement, pas dans la capitale, vous comprenez ! Dans la capitale le chantier est bloqué, nous demandons donc compensation. Nous : je vous ai déjà dit que c'est la compagnie, hein ? Nous sommes prêts à investir dans cette affaire. Quant aux réclamations : je vous le répète, il faudra vous en prendre à Monsieur Lázaro Cárdenas, lui seul est responsable.

Gould avait réservé pour la fin de sa conférence une chute flûtée et enjouée, comme s'il allait proposer à Florence une spécialité pâtissière ou un lieu de vacances particulièrement charmant et secret :

– Est-ce que vous connaissez Minas Blancas ?

Puis il fit mine de changer de sujet et revint aux détails de la négociation :

– C'est temporaire, ce qu'on vous demande. Nous ne souhaitons pas voir davantage de personnes au courant de ces transactions sur le pétrole. Vous allez là-bas, c'est une mission hors de Mexico qui sera intéressante. Après, on peut même discuter de certaines conditions : si vous voulez revenir à Mexico, ou même aux États-Unis, on va organiser ça. Pour l'instant nous voulons être réactifs et pousser l'avantage : ils nous proposent une concession pétrolière au nord du pays, alors nous y allons tout de suite, avant qu'ils aient des remords. Ou qu'ils aient déjà fini de consommer l'argent qu'on leur a avancé.

– Qui ?

– Vous m'interrompez ?

– Qui consomme cet argent ?

– Ah ça, des gens très bien ! Des gens des ministères. Le ministre des travaux publics, par exemple. C'est très rentable comme opération vous comprenez : ils vont faire mine de vous chasser de Mexico !

– Pardon ?

– Oui, ils vont dire : nous leur commandons un métro, mais puisqu'ils ont trouvé du pétrole nous allons chasser cette entreprise américaine ! Ainsi ils lustrent leur réputation. Et ils récupèrent de l'autre main, en nous vendant une concession invisible à la frontière.

– Et comment sera-t-elle invisible ?

– Un oléoduc. Ça peut pousser sous la terre, n'est-ce pas ? Vous faites ça en secret, *sous* la terre. Et toute l'agitation à la surface, à Minas Blancas, nous pensons que c'est à cause d'un train. Nous avons signé pour une ligne transfrontalière, pour les échanges vertueux, la paix de nos peuples. En surface, le train fantôme, et par en-dessous : pétrole. D'accord ? Un masque.

Et il refit le geste devant son visage, les doigts hérissés

à travers lesquels ses yeux brillaient d'émotion. Florence pensa qu'il était entré dans une transe ·

– C'est joli Minas Blancas, c'est près de la frontière. Un peu désertique, mais à cette latitude que voulez-vous ? Pas tout à fait à côté de la frontière : deux cents kilomètres à peine, c'est pour ça qu'on a besoin d'un oléoduc, parce qu'on ne peut pas tout faire par camion, ce serait trop voyant. Il faut un oléoduc. Un oléoduc souterrain.

Il avait l'air merveilleusement amusé par son exposé, comme un savant fou qu'on aurait trop longtemps condamné à réparer des chaînes de vélo et qui se trouverait enfin confronté à quelque chose de compliqué et d'excitant, comme un piège à atomes ou un paracomète :

– Officiellement, votre contrat va dire que vous favorisez par voie ferrée l'amitié de nos peuples mais ne vous trompez pas : ce qu'on vous demande, c'est le pétrole véritable. Le gisement, on ne l'a pas encore localisé de façon exacte, mais c'est pas loin de Minas Blancas : je vous ai dit que c'était attrayant. Vous creusez. Et pour la livraison aux États-Unis, c'est quand même plus pratique, comme endroit, Minas Blancas, que Mexico. Reconnaissez.

Grisé par la beauté de son projet, dans un grand élan de générosité il ajouta :

– Disparaissez de Mexico avant de vous faire lyncher. Parce que la campagne anti-américaine, elle est prévue au programme. Regardez ça.

Et il déploya sur la table différents numéros de la presse mexicaine : *El Excelsior, El Universal, El Nacional*. Florence crut regarder à travers un cauchemar. Sur chaque première page, elle pouvait lire son propre nom en toutes lettres, Bernache, dans *El Excelsior* il y avait même une photo de Georges... légendée d'insultes, parce que cet Américain « avait caché sa découverte aux autorités mexicaines pendant plus de trois ans ». Et c'était vrai, n'est-ce pas, pouvait-elle soutenir le contraire ? Les journaux se félicitaient de son départ, qui avait eu lieu le matin même. Le matin même ? Ce qui était plus bouleversant encore : ils prédisaient l'avenir. Car ils étaient tous datés du mois suivant. À cette heure, l'opération médiatique qui devait les chasser de Mexico était déjà parfaitement orchestrée.

Il n'y avait pas besoin de négocier un contrat. Pas besoin de se mettre d'accord. Leur départ de la capitale, leur nouveau poste, tout cela était devenu obligatoire, sans aucune marge de manœuvre. Grouillant sur la peau blême du journal, ces maigres caractères prenaient autant d'autorité que s'ils avaient été gravés dans la pierre. Une fois qu'il eut défait tous les replis de son piège et charbonné ses mains en aplatissant au sommet du bureau les gros titres de sa victoire, Gabriel Gould prétendit octroyer à Florence des gentillesses de compensation :

– Minas Blancas, donc... C'est là.

Par-dessus l'étendue de papier journal, il avait ouvert une carte et pointait, en dessous de la frontière des États-Unis, un nom que Florence malgré tous ses efforts ne parvenait pas à déchiffrer : à travers sa rage elle ne percevait là qu'une nappe désertique informe et qui allait l'ensevelir, elle sentait déjà ce sable projeté massivement dans son visage et ne savait comment réagir, comment lire et regarder avec toute cette poussière collée à ses pupilles, comment parler tandis que les grains lui encroûtaient la langue et lui rayaient les dents, tombaient encore et l'emplissaient jusqu'à la gorge.

– Vous aurez une belle maison, encore plus grande qu'à Mexico, et recevrez une prime très importante pour le déménagement. Et dans peu de temps, disons, deux ou trois ans, grand maximum, nous vous ramènerons à la civilisation, c'est entendu ? Ne vous faites pas de tourment. Par ailleurs...

Il y avait un ailleurs ? Florence se stabilisait peu à peu dans son tombeau de sable, en rassemblant toute sa colère elle commençait à se sentir émerger. Elle se reprit, en imagination elle se racla la gorge et cracha encore devant elle quelques grumeaux, un geste de mépris qui la réjouit, elle était plus forte que ça, elle lui ferait manger du sable à lui aussi quand il serait temps, elle pensa, ce n'est pas la peine de se dépêcher car la vengeance est un sable qui se mange froid, n'est-ce pas de cette façon qu'on doit le dire ? Bien sûr ! Son souffle revint tranquillement dans l'intérieur rose et soyeux de ses poumons – ce que Gould ne vit pas, et il continua à découvert son chemin de triomphe, inconscient du danger :

– Par ailleurs, dit-il, je pense que vous n'avez pas bien répondu à ma question initiale, à propos des objets archéologiques que je vous ai montrés.

Elle avait été battue à plate couture, misérablement réduite à accepter toutes les volontés de la compagnie. Sur ce point pourtant, elle sentait justement qu'elle ne céderait pas : car elle était prête à toutes les ruses et à tous les mensonges pour protéger les petits habitants de la caverne. Elle entendait leurs voix qui résonnaient à l'intérieur de sa poitrine et appelaient son secours. C'est pourquoi elle s'entendit répondre avec une fermeté au-dessus de tout soupçon :

– C'est entendu. Vous les aurez.

– Je souhaite rassembler tout ce que vous aurez découvert. En particulier, les urnes funéraires de l'époque mixtèque, celles-là, elles se vendent très bien par ici.

– Des récipients, à visage humain ?

– C'est ça.

– Nous en avons une cinquantaine.

– Ça me va bien. N'envoyez rien par vous-même, je voudrais me charger du transport. Je vous enverrai quelqu'un dans une dizaine de jours, est-ce que ça ira ?

– Ce sera très bien. Merci de vous en occuper.

En prenant congé, elle se sentait raffermie et sûre d'elle, prête à se battre par tous les moyens. Elle regagna la lumière d'or de l'ascenseur, une rangée d'ampoules électriques réfléchies à l'infini par ses parois cuivrées et par un pur miroir de salle de bains, dans lequel elle retrouva son visage. En se voyant, elle se dit : on va enfreindre les lois de ceux qui défont les lois. On va obéir ? Oui. Et avec ses deux mains lissant doucement ses paupières et ses joues enflammées, elle pensa : l'obéissance, oui… mais uniquement en guise de masque. Ça allait commencer avec les enfants de la caverne : elle était certaine qu'elle trouverait un moyen pour les sortir de ce piège. Dix jours seraient bien suffisants pour mettre en œuvre son projet. En redescendant sur la terre ferme par la nacelle de l'ascenseur, une descente lente face au miroir où elle recomposait son plus beau visage, brossait ses cheveux, peignait ses lèvres, elle vit renaître son sourire. Enfin les portes s'écartèrent et en posant le pied sur le sol de la ville, Florence se remémora la dernière phrase de Gabriel Gould. Avait-il dit «tous les gisants» ou «tous les gisements»?

– À part le pétrole qu'il a fallu négocier, tous les gisants appartiennent à la compagnie.

Vrai, elle se sentait responsable du peuple de terre, comme une mère ou comme une souveraine, et elle avait décidé de le protéger.

VI. Vers Minas Blancas

La route qui mène à Minas Blancas se dessèche à mesure qu'ils avancent. Au commencement tendue d'asphalte et fréquentable, elle présentait pourtant toutes les garanties matérielles. On pouvait envisager d'accomplir sur son échine une bonne soixantaine de kilomètres par heure, moyenne honorable compte tenu du chargement. Désormais il semble qu'elle les abandonne. Les nœuds des ronces dans les cours d'eau évaporés ; la disposition des fumées et des morceaux de tôle échappés des villes : il vaudrait mieux savoir lire ces augures que se fier aux bribes de goudron qui ne tiennent plus ensemble et se confondent avec la poussière.

Ils sont tous ensemble dans la camionnette, réunis avec les caisses et les bagages qu'ils ont voulu garder de leur vie antérieure ; le plus encombrant dans cet espace de vitres sales et de cahots, c'est la mauvaise humeur des deux enfants : largement aussi lourde et dangereuse qu'une malle en fer qui rompt les amarres et se venge sur tout ce qu'elle trouve en travers de sa course. Depuis la nouvelle du départ, Suzanne et

81

Niño ont décidé d'avoir recours aux moyens de la Révolution et si la Révolution échoue, ils ont déjà prévu à l'unanimité qu'ils feront l'Enfer. Sur le siège arrière, arborant des cernes bleus et de la morve au nez, mal réveillés, mal habillés, mal coiffés, ils sont prêts à tout pour nourrir la lutte : refus d'obéissance, questions intempestives, campagne de dénigrement, déclaration de famine combinée à un refus de tout aliment dont le nom commencerait par une lettre comprise entre A et Z, souvenir d'une poupée oubliée dans la maison quand la camionnette a déjà atteint la sortie de la ville. Au début Florence pense qu'elle ne résistera pas à ces attaques, d'autant qu'elle aimerait elle aussi se comporter comme eux, elle aussi crier et pleurnicher – seul un fragile verrou de politesse la retient encore.

Mais bientôt le paysage vient à son secours : la dissolution des reliefs, l'abolition des couleurs, les arbres changés en pierre, toutes ces métamorphoses ont raison de leur colère qui se change peu à peu en curiosité ébahie.

Georges a choisi de conduire lui-même sa famille vers son nouveau lieu de vie. Ainsi, il doit affronter seul ce chemin de marelle, rassembler tous les signes, panneaux branlants, vieillard bavard, pierres déchaussées, qui les conduiront à destination. La situation semble curieusement lui plaire · elle lui permet de ressaisir le cours de ses pensées et de sa vie, et aussi de graisser et reluire les souvenirs et les habitudes du voyage que son corps avait trop oubliés. Cette région, il la connaît bien. Il interroge tous ceux qu'il rencontre pour savoir quelle est la route à suivre, il semble faire cela autant pour la joie de bavarder que pour s'orienter, considérant que les bières qu'il partage rafraîchissent sa mémoire mieux que la carte routière.

Dans le paysage désormais ocre et doux, Suzanne et Niño ont le temps de contempler la nouvelle qui les avait d'abord tant éprouvés : leur mère est enceinte. Pas seulement d'un bébé, non, de deux bébés en un seul coup. Il faudra bientôt faire de la place à ces nouveaux enfants, dans la nouvelle maison. Et comment sera Minas Blancas ? Le voyage est horrible mais leur père semble si heureux. La vue qui se déroule sous ses yeux s'accorde parfaitement aux rythmes et aux régions de sa mémoire. Quand sa main n'est pas en train de saluer n'importe quel inconnu par la fenêtre ouverte, elle se pose sur les cuisses ou le ventre de Florence, vérifiant qu'elle est bien tout entière avec lui. C'est dans ces lieux qu'il a vécu, avant, quand il venait d'arriver au Mexique. Avant ? Cette déclaration lancée par la fenêtre, adressée à personne, arrive comme un caillou dans la tête des enfants : jusqu'ici leurs songes étaient vagues, désormais ils se fixent autour de cette idée et répercutent ses ondes à l'infini, jusqu'à former des questions, jusqu'à ce que leurs parents daignent les entendre. Et tu vivais ici ? En attendant de décider si cela est bien ou mal, ils exigent des explications sur ce phénomène fabuleux : la vie de leur père avant qu'il soit devenu une famille.

Les réponses tardent à venir. Georges et Florence vivent pour l'instant dans un monde séparé où flottent d'autres enfants, un monde dont sont exclus les deux aînés, livrés sans défense aux choses qu'ils voient derrière la vitre : des choses si pauvres et si rares qu'elles semblent des écritures sans alphabet, disséminées hors de toute civilisation. Les effets de masse auxquels ils se sont habitués dans la ville ou dans les régions plus humides, là où arbres et maisons poussent en groupes, ont disparu. Désormais il faut se contenter de quelques cubes blancs éparpillés pour reconnaître un village, ou appeler arbres des êtres barbus et piquants. Plus loin, la vie des grandes villes, ou bien des zones industrielles, se devine aux déjections plus importantes qui s'amoncellent sur la route, des pneus, des briques, des flaques d'huile ou de peinture. Est-ce assez de ces déchets pour former un sens ? Les deux enfants s'abîment dans leur observation sans venir à bout de ce mystère.

Deux bébés futurs dans le ventre de leur mère ; l'aisance de leur père dans ce paysage dissolu ; les maisons, les enfants, les pierres, un à un au bord de la route sans lien de cause à effet, ou bien lequel ? L'idée de leur père sans famille fait son chemin dans leur tête, visible à l'horizon dans un nuage de poussière jaune elle porte maintenant une cape chatoyante, des bottes et des éperons, elle les hypnotise. Ils veulent savoir ce qu'était cette vie.

Ils déjeunent sous un auvent de toile imprimée d'une publicité pour une bière qui figure un soleil souriant. Ils avalent les galettes de maïs au fromage fondu et un soda rose exceptionnel, car d'habitude Florence n'est pas d'accord. Ils sont exaspérés par les conversations de leurs parents avec la tenancière du lieu, qui a pris place à leur table et leur raconte des histoires qui n'en finissent pas sur la réno-vation des routes ou la création de nouvelles lignes ferro-viaires, des développements qui d'après son air semblent tout aussi interminables et exaspérants. Elle en vient à évoquer un projet de ouï-dire plus au nord, justement là où ils vont à peu près, elle dit peut-être des rails vers les États-Unis en n'y croyant qu'à moitié, Georges et Florence se joignent à son pessimisme et préfèrent assez vite changer de sujet. Elle est énervante cette dame, il faut avouer malgré tout qu'elle est gentille, elle leur a offert à chacun une glace, vanille chocolat dans une coupe tendue au creux de ses mains café cassis à cause de ses jolis ongles vernis. Elle les trouve mignons, elle le leur dit, au bout d'un moment elle va aussi appeler ses enfants qui sont dans la cour. Ils ont le même âge ! Eux aussi, un petit garçon, une petite fille ! Alors ils ont le droit d'aller tous jouer dans la cour, avec les poules, le coq, et un ballon de football. Ça fait passer le temps. Suzanne est fascinée par l'autre petite fille, Lupe, qui lui présente sa poupée, Elena : impossible de détacher les yeux de cette petite en chiffon brun, parce qu'elle apprend que la maman de Lupe l'a fabriquée elle-même. Et comme Lupe le lui a demandé elle lui a fait des yeux bleus, ce sont des perles en verre comme il y en a sur le rideau pendu à l'entrée du bar. Suzanne, elle, a des poupées qui arrivent toutes prêtes depuis un magasin, ce n'est pas sa maman qui lui fabrique. Lupe écoute, étonnée. Elle lui laisse allaiter Elena comme un privilège normal qu'on fait à une hôte. Il y a des poupées qu'on trouve et d'autres qu'on fabrique : toutes, il faut les nourrir. Elle va montrer sa découverte à Niño, qui justement est très occupé avec Juan, ils donnent du grain aux poules. Ils se regardent tous les quatre et ils voient : Suzanne est la seule qui ne leur ressemble pas, elle n'a pas la peau foncée, ni les cheveux noirs et les paupières tirées aux tempes. Après cela Niño se précipite vers ses parents : il ne veut pas qu'on le trompe de famille.

La route recommence. Et cette fois, Niño a trouvé le moyen de poser la question. Il n'a pas besoin de crier, Georges et Florence comprennent tout de suite cette phrase étrange. Ils la comprennent parce qu'ils l'attendent depuis très long-temps, pourtant ils sont surpris par les mots que l'enfant a choisis : « Comment m'avez-vous découvert ? » – comme on découvre un continent ou une plante nouvelle, car il sait bien qu'ils ne l'ont pas tout à fait créé.

Georges jette un coup d'œil à l'arrière, et voit les deux petits corps de Niño et Suzanne tendus dans l'attente. Il a une main sur le volant, l'autre main dans la main de Florence – et maintenant il hésite devant l'obstacle. Ce n'est pas un récit très aisé : l'histoire de leur enfant n'est pas vraiment une histoire pour enfants.

Comment commencer ? Pour parvenir à raconter, le plus embarrassant est de trouver l'ordre. Tout d'abord, il faut savoir que Florence et lui ne l'ont pas adopté ensemble. Il dirait plutôt que, dans un premier temps, c'est Niño qui a recueilli Georges, puis que Florence les a trouvés. Florence approuve et commente, en se mélangeant les langues sous le coup de l'émotion :

« Saviez-vous que, lorsque nous sommes tombés en amour votre père et moi, Georges vivait déjà avec Niño ? C'est laby-rinthique, n'est-ce pas ? Moi je trouve. Mais Georges tu dois raconter davantage. »

Georges se tourne encore pour voir les deux paires d'yeux qui ne se ressemblent pas du tout ; puis il regarde la route, le niveau d'essence, le cadran de vitesse, comme s'il pouvait y trouver quelque information encourageante. Et le paysage devant lui. C'est peine perdue : malgré les années, l'histoire qu'il lit sur cette terre est restée aussi triste. Mais devant eux le temps est immense, alors il décide d'essayer.

* * *

En arrivant au Mexique, Georges n'avait pas l'intention de travailler. En mars 1943 il avait d'autres préoccupations. Il voyageait, et gagnait le minimum d'argent pour continuer de voyager. Il ne possédait rien de plus que le dernier des hommes.

Un soir, il cherchait une ferme pour demander l'hospitalité. C'était son habitude : il donnerait un coup de main le jour d'après et les jours suivants, pour qu'on puisse tirer quelque chose de la terre. Il traversait souvent des campagnes isolées car la sécheresse avait chassé les habitants, mais il ne craignait rien : chacun était si pauvre que rien n'était à prendre.

Sur cette route il rencontra un homme à cheval qui avait le visage plein de cendre, et comme c'était le premier homme qu'il rencontrait ici il lui demanda où il pourrait trouver un toit. L'homme relâcha sa main droite, qui était crispée sur la bride et désignant l'endroit d'où il venait il ouvrit sa paume ensanglantée. Il souriait, et demanda à Georges s'il avait des cigarettes puis, tendu sur ses étriers, se pencha jusqu'à son visage, et effleurant son cou lui demanda s'il avait un couteau. Georges lui tendit une cigarette. L'homme descendit du cheval et lui demanda en riant s'il avait de quoi allumer. Mais tout en fouillant dans ses poches, il eut l'air de se rappeler quelque chose, il sortit un briquet et fit rouler la flamme sous son pouce écorché, en riant encore un peu. Il demanda de nouveau à Georges s'il avait un couteau. C'était le premier homme que Georges croisait sur cette route. Il n'y avait personne d'autre alentour, et pour cette raison Georges répondit qu'il n'en avait pas. L'homme fit une petite moue d'approbation, comme s'il s'attendait à cette réponse, ou pour faire comprendre à Georges que c'était bien cela qu'il fallait dire. En conséquence, il remonta en selle et repartit.

En arrivant à la ferme, Georges vit qu'il n'y avait personne. Dans la pénombre, il avait cru voir un autre cheval traverser le champ, et avait donc pensé qu'il y avait encore là des gens qui allaient et venaient. En entrant il se rendit compte que le cavalier avait abandonné la femme qui se trouvait dans la maison. Georges maintenant l'entendait qui appelait, depuis la deuxième pièce, une niche ouverte en haut d'un escalier qui était une échelle. Par la fenêtre, il vit également que la grange à côté prenait feu et hésita d'abord à monter dans la chambre. Il pensa qu'en laissant la femme il ne parviendrait pas pour autant à éteindre l'incendie. En montant la chercher il n'était pas certain qu'il puisse s'en sortir, ni la sauver, car l'herbe alentour était sèche et les flammes risquaient de gagner la maison d'une minute à l'autre. Dans le lit, Georges vit que la femme venait d'avoir un enfant. Il les porta avec peine à l'écart du feu, par l'escalier qui était une échelle, la première et la deuxième pièce, d'abord l'enfant, puis la femme. Reposant dans l'herbe avec sa tête tournée sur le côté pour ne pas regarder l'incendie, elle essaya plusieurs fois de commencer des phrases qui semblaient prendre feu et se consumer en peu de mots : « L'enfant a besoin », « À cause de l'enfant », « Fais reposer l'enfant », « L'enfant se nomme », « Mon enfant se nomme » – Georges ne parvint pas à comprendre ce qu'elle demandait.

C'est pour cette raison qu'il l'appela *Niño*, l'enfant, car la femme qui mourut au matin ne put jamais l'appeler d'un autre nom.

$$* \quad * \quad *$$

Il y eut encore un jour et une nuit, avant qu'ils ne parviennent à Minas Blancas. La nouvelle maison était plus grande que la précédente, la ville était jolie, sur une colline où elle était parvenue à trouver de l'air et de l'eau. Il y avait une école et beaucoup d'enfants. Dans le nouveau jardin planté d'arbres miraculeux, aux écorces rouges et pelées, aux branches piquantes, Niño et Suzanne se livraient au bonheur. Tous deux jouaient dans ce jardin comme s'ils y étaient nés.

VII. Les Têtes

À Minas Blancas il leur fallut les hommes qu'ils trouvaient. Un jour, une lettre parvint dans la grande demeure. Sur le plateau d'argent où l'on mettait le courrier, dans la galerie côté jardin – une enveloppe tachée d'encre et qui sentait la poudre. Ça n'était pas méchant, ça disait juste, avec une orthographe plus que humble et en lettres de suie : je suis à votre disposition. Si vous voulez de l'aide sur le chantier, j'ai des gens. Et la main ajoutait : sinon vous ne pourrez pas rester. Oui, dans la jolie galerie en bois d'angélique, devant les rideaux blancs fraîchement lavés et tendus comme des voiles, cette lettre.

C'était trois mois après le début du nouveau chantier. La lettre n'était pas signée. Un domestique l'avait portée sur le plateau du courrier sans savoir d'où elle venait. Mais peut-être que Georges se doutait de quelque chose : sans connaître vraiment l'auteur de la lettre, il devinait quel genre d'homme c'était.

Georges resta longtemps pensif, tenant dans sa main le couteau qui avait tranché le bord de l'enveloppe – bien délicatement, alors que la lettre était pleine de souillures. Ces taches de cendre, rondes et floues, étaient des bouts de doigts sans empreinte lisible, mais elles retraçaient dans son esprit de voyageur un chemin douloureux. Il y avait là un homme qui lui demandait de l'aide d'une façon plutôt bravache, ou menaçante.

Et que demandait-il? Georges suspendit son geste, juste au moment où la flamme du briquet étant déjà allumée il allait l'approcher de la lettre… Car il lui venait une réponse en même temps que le souvenir très précis d'un homme à cheval. Est-ce que celui-là ne demandait pas lui aussi quelque chose de simple et d'exorbitant : comme par exemple du feu pour se chauffer, et un couteau pour tuer ? Il replia convulsivement la feuille de papier, la remit dans son enveloppe, replia encore et encore l'affreuse enveloppe et la glissa dans sa poche. Il repensa au jour où il avait trouvé Niño, revit la silhouette de centaure et la main tendue avec la flamme, qui éclairait les plaies. Georges n'était plus un voyageur isolé, mais son couteau et son briquet, le couteau qui avait ouvert la lettre et le briquet qui allait la brûler, étaient toujours les mêmes que quinze ans auparavant. Quant à l'homme : ce pouvait être le même, ou un autre. Le Mexique de cette époque était encore plein de ces cavaliers de la Révolution qui se battaient pour du pain, pour un sac d'argent, pour un général rebelle ou un autre dieu aléatoire. Comment savoir s'ils n'étaient pas déjà dans les rangs de ses domestiques, de ses ouvriers. Il fallait bien manger entre les combats. Il pouvait refuser aujourd'hui : mais d'autres misérables viendraient bientôt lui demander des comptes. Ils seraient pauvres et sans ressources. Armés seulement de leurs visages et de leurs mains. Comment pouvait-il leur refuser du travail ?

Pendant plusieurs jours, Georges continua de songer au Centaure, et au jour de la grange en flammes. Ce qui s'était échappé de cette rencontre... Pas seulement un enfant, un petit Niño, pensait-il, mais en même temps que l'enfant la vision d'un pays martyrisé par les guérillas, où chaque paysan pouvait du jour au lendemain devenir mercenaire et hanter le pays, les campagnes, et jusqu'à la capitale qui en perdant tous ses remparts fluviaux s'était épanouie au gré du hasard et des coups d'État – alors *a fortiori* dans cette petite ville de Minas Blancas logée aux confins du Chihuahua, presque dans le désert qui n'était à personne, où le climat était beaucoup trop sec pour faire pousser des lois. Un homme seul ne ferait jamais de mal, mais deux ou trois, trois cents ou trois mille, qui brusquement se mettaient au service du dernier chef de guerre ambitieux, et qui payait correctement : ces hommes-là étaient dangereux. Ils se prêteraient au plus offrant et dans ce cas, il valait mieux les avoir de son côté. Foulant l'allée pierreuse, brisant sous l'ongle un relief d'écorce au tronc d'un vieux citronnier, Georges réfléchissait. La lettre avait rejoint au fond de sa poche le couteau et le briquet des premiers temps.

Il vint d'autres lettres. Qui n'étaient toujours pas signées, mais qui venaient. Qui paraissaient toujours écrites de la même main, demandaient toujours la même chose, de façon de plus en plus insistante. Et le prétendu nombre de volontaires croissait également, la lettre parlait d'abord pour un seul, puis au nom de toute une bande. Elles arrivaient régulièrement.

Le ton en était très étrange, entre la supplique et le chantage. Elles lui faisaient de plus en plus peur. Puis une semaine, rien. Ni la semaine suivante. Georges ne remarqua pas alors la disparition des lettres, car il était préoccupé par son chantier, où s'était produit un événement majeur : ils avaient enfin trouvé où était la nappe, par où l'on pourrait accéder au gisement de pétrole.

Il avait failli ne plus y croire. Le chantier avait beaucoup ralenti, car après le forage des premiers cent mètres de tunnel, on n'avait toujours pas trouvé par où exactement il fallait attaquer la nappe. On la savait dormant aux portes de Minas Blancas, elle régurgitait parfois son encre noire dans les maigres champs des alentours, mais sous le sol où elle se terrait, qui était son domaine, elle était restée introuvable.

Ce jour-là, Georges étant occupé à faire consolider une paroi, un homme vint à sa rencontre pour lui parler. Il n'avait jamais vu cet ouvrier auparavant, mais il ne se méfia pas – il ne connaissait tout de même pas tous ses hommes, et ne pouvait pas toujours refuser la participation de certains inconnus, amis ou frères, qui s'intégraient le jour à l'équipe et venaient au soir réclamer leur écot. L'homme lui dit : « Je te connais, et je vais te montrer quelque chose. » Et il le guida vers le fond du tunnel, dans un boyau latéral très étroit, où les autres ouvriers avaient déposé des sacs et des vêtements, quelques gourdes d'eau. Il écarta tous ces objets sans ménagement et lui montra au sol, à la naissance du mur, quelque chose qui luisait faiblement. Georges se baissa, voulut l'attraper, et vit que c'était insaisissable, poisseux. Le liquide s'échappait d'une petite fissure dans la pierre – rien de moins visible que cet épanchement, qui avait lieu silencieusement et en secret, mais courait déjà sur plusieurs mètres, comme s'il couturait le mur avec le sol.

Georges demanda alors que cette fissure soit ouverte, puis que la brèche soit aménagée pour permettre l'extraction. Ses ordres ne furent pas obéis : le lendemain rien n'était commencé, ni la semaine suivante. Georges demanda aussi qu'on accélère le forage du tunnel, mais cela non plus n'avançait pas. De fait, il y avait de moins en moins d'hommes pour faire le travail. Il avait beau envoyer de nouvelles équipes sur le lieu de la source ou à l'avant du tunnel, celles-ci revenaient de moins en moins nombreuses de journées de travail de plus en plus oisives. Il y avait une atmosphère légère, presque festive parmi ceux qui restaient sans rien faire, et une insolence qu'ils savouraient en même temps que des repas prolongés jusque tard dans l'après-midi, agrémentés de gâteaux, de bière. Le midi ils ne mangeaient plus leurs galettes de maïs froides mais amenaient des réchauds et des grils pour se faire cuire des saucisses, certains amenaient leur femme et leurs enfants sous prétexte qu'ils aideraient, puis sous aucun prétexte.

Georges essaya de s'occuper tout seul de la situation, de ne pas effrayer Florence qui était totalement envahie par sa grossesse – elle sentait maintenant sans cesse les jumeaux converser dans son ventre et jouer, et elle était très fatiguée. Elle était au courant des lettres, mais il ne lui dit pas un mot de ce qui se passait sur le chantier et des craintes que lui inspirait cette grève qui lui paraissait bizarrement liée aux lettres de menace, exprimant, dans une langue certes indolente et joyeuse, le même message d'hostilité. Et comme il se taisait elle ne se douta de rien, jusqu'au jour où elle reçut elle-même une visite inquiétante.

La rencontre eut lieu dans le jardin de la maison Bernache, par une journée qui semblait délicieuse, un miracle de verdure dans cet univers de violentes chaleurs, un miracle arrosé, planté d'arbres qui avaient la garde de l'ombre depuis si longtemps qu'ils ne s'en laisseraient pas détourner de sitôt. Et des fleurs, un potager – comment faisaient-ils pour avoir ces choux-fleurs au pied des rosiers ?

Florence avait mis un certain temps à s'installer parfaitement. Elle avait fait porter au jardin un transatlantique en toile fleurie, son préféré. Elle l'avait fait mettre dans l'ombre de la maison. Puis, ayant eu quelques regrets du soleil, elle l'avait traîné elle-même au milieu de la pelouse, en pleine chaleur – n'osant pas à nouveau déranger quelqu'un pour l'aider à assouvir son caprice. Là, elle avait rapidement admis qu'elle était en train de brûler vive – elle suait déjà à grosses gouttes, et sentait une sorte de morsure de mauvais aloi sur ses épaules. Et elle se mit à plaindre les petits qui devaient bouillir à l'intérieur de son ventre, et à penser avec pas mal de culpabilité aux injonctions du médecin. Pour toutes ces raisons, une fois de plus elle se leva. Elle fut (mais malheureusement pour les historiens et les astronomes, personne ne la vit à ce moment-là) toute droite dans l'herbe avec son énorme ventre qui la déséquilibrait, en train de faire une sorte de double rotation sur elle-même et autour du trans-atlantique afin de trouver un lieu de refuge. Elle voyait le jardin à travers un filtre de sueur, et comme une petite fièvre déposée sur chaque brin d'herbe, qui tremblait. Alors, elle rabaissa le capot de ses lunettes de soleil, afin de mieux pouvoir envisager sa direction. Ainsi équipée, elle put enfin discerner l'ombre dentelée de l'énorme pin qui habitait à l'autre bout du jardin et offrait le double agrément de la fraîcheur mêlée de quelques taches de lumière. Elle agita son bras pour le saluer et demander son hospitalité et, prenant pour un oui la légère inflexion de ses branches inférieures sous l'effet d'un courant d'air, elle s'empressa de replier la fameuse chaise sous son bras droit, empila sous son aisselle gauche quelque roman, un fichu en lin rose, sa petite carafe d'eau, et se rendit en titubant dans l'oasis de l'arbre. On raconte qu'à ce moment-là elle avait trouvé pour la première fois une relative impression de paix, voire de bonheur et de félicité, et qu'ainsi elle put envisager de lire son livre avec la louable ambition d'en franchir la huitième page. Mais avant cela, elle allongea ses jambes, but une gorgée d'eau, cligna des yeux au passage d'une brise, rajusta en turban le fichu rose tout en rattrapant la partie supérieure de son maillot de bain – les maillots de bain de cette époque étaient fort différents d'aujourd'hui, d'une seule pièce chaste de la gorge à la cuisse, mais Florence n'ayant plus le même tour de taille depuis sa grossesse elle devait sans cesse remonter sur son sein le tissu évasif. Ainsi était Florence quand quelqu'un pénétra dans le jardin.

Ce fut d'abord un craquement de branche, un simple malentendu. Florence leva à peine les yeux de son livre. Mais elle crut saisir comme une pensée furtive entre deux lignes : cet endroit était très isolé. Elle leva les yeux, et se dit qu'à ce point du jardin la maison n'était plus visible. Réciproquement (pour cause de béatitude, elle réfléchissait fort lentement), depuis la maison ce point du jardin n'était plus visible. Mais était-ce une raison de craindre ? Elle se souvint d'une anecdote déplaisante : récemment son mari avait eu une dispute avec un ouvrier. L'homme avait fait effraction dans le jardin au milieu de la nuit. Pour réclamer sa paye, ou qu'on lui embauche quelqu'un, un beau-frère ou ce genre d'histoires. Cela avait été très difficile en définitive de comprendre ce qu'il voulait, mais il exigeait, d'une façon impérieuse. Georges et lui avaient failli se battre. Heureusement que cet homme n'était pas armé. Depuis, ils faisaient surveiller le jardin après la tombée de la nuit. Mais en plein jour. Fallait-il avoir peur en plein jour ?

Elle frissonna, comme si elle sentait quelque chose qui la chatouillait le long du bras. Une fourmi escaladait en direction de son épaule. Elle lui donna une pichenette, puis l'écrasa machinalement sous sa sandale. Elle vit alors d'autres fourmis sur le sol, une ou deux compagnes qui s'enfuyaient après ce meurtre et rejoignaient le gros de la troupe au pied du pin. Là était leur véritable destination : elles faisaient une émeute par-dessus la peau retroussée, parmi les os et les organes répandus de ce qui avait dû être une petite taupe – comme l'indiquaient indéniablement les petites mains griffues restées intactes aux quatre coins de ce massacre, tels quatre piquets d'un pavillon de fête. On voyait le chemin de sang qui reliait sur quelques mètres la taupe morte au pied de l'arbre et la motte de terre fraîche par où elle avait fait sa dernière sortie.

La taupe n'était pas morte toute seule, et pas sous l'assaut des fourmis. Florence vit un pied qui dépassait du tronc de l'arbre, bientôt un corps tout entier : un homme avec un épais tablier vert anglais et des bottes de jardinier, et tenant dans sa main un lourd morceau de bois. L'homme souriait, et pointait du menton le carnage, se montrant satisfait de sa besogne. Il dit : « C'est la troisième taupe que je tue aujourd'hui. » Florence ne se souvenait pas d'avoir jamais embauché ce jardinier. Elle eut la certitude qu'elle le voyait pour la première fois. Puis il ajouta : « J'ai quelque chose d'important à vous annoncer. »

Il ne parla pas tout de suite. Il alla s'asseoir à quelques mètres en face d'elle et la regarda longuement. Florence s'était levée, cherchant du regard une personne secourable, mais ils étaient assurément tout seuls dans le jardin. C'était bientôt le soir, la lumière était plus oblique, et semblait ourler les bourrasques de vent en provenance du soleil. Elle sentit que les enfants s'agitaient dans son ventre, qu'il fallait rester calme, et voyant qu'il serait inutile de s'échapper et de courir, elle se rassit. Alors, l'homme posa près de lui le bâton sur lequel on discernait une tache humide et sombre, qui devait être le sang de la petite taupe. Au bout d'un moment, il mit fin au silence.

Ce qu'il disait, c'était la même chose que ce qui était écrit dans les lettres, à ceci près que maintenant c'était à voix haute, en utilisant une massue comme argument : « Je suis venu vous proposer l'aide de mes gens sur le chantier. On est nombreux vous savez. On peut vous aider », et Florence entendait également : « On peut vous détruire. On peut déserter le chantier et on peut vous détruire. » Il ajouta : « Cela fait plusieurs mois que je travaille chez vous, je porte le courrier, je ne décide pas. » Et Florence pensa de nouveau qu'elle n'avait jamais vu ce visage et jamais entendu son nom. C'est la seule idée qui lui vint à l'esprit, elle demanda au messager quel était son nom. Et il répondit par un nom qui n'en était pas un, un nom qui était une couleur, une couleur qui n'en était pas une : « Je m'appelle Grís, Madame, c'est tout. C'est moi qui porte les messages. »

Quand Georges rentra ce jour-là, il rencontra d'abord au rez-de-chaussée Niño et la cuisinière Lucia, très occupés à réaliser un poulet à la sauce de cacao. Constatant avec satisfaction que son fils aîné était entre de bonnes mains, et occupé à de saines activités, il monta au premier étage où l'on pouvait entendre, en provenance de la salle de bains, un vaste concert de cris d'oiseaux parmi lesquels il était difficile de distinguer le rire de Suzanne de celui de Florence. Georges poussa la porte.

Suzanne, assise bien droite dans la baignoire et en équilibre sur sa bedaine, avait pu profiter de la confusion de sa mère pour obtenir gain de cause sur un point important : elle avait eu le droit d'emmener son goûter avec elle dans l'eau du bain. La brioche en forme d'escargot s'effritait gaiement dans la mousse de savon, ce qui permettait de nourrir le mieux du monde les trois palmipèdes en plastique qu'elle avait invités pour cette fête. Comme il devenait beaucoup plus intéressant pour Suzanne d'alimenter ses canards que de manger elle-même sa *concha*, Florence devait à tout moment la retenir de glisser. Et Suzanne, qui s'avérait en fait insubmersible avec ses bourrelets, s'agitait de plus belle et s'esclaffait, trouvant tous les efforts de sa mère à la fois très comiques et attendrissants.

Georges parvint non sans difficulté à capturer Suzanne dans une épaisse serviette imprimée d'un filet de pêche qui dégoulinait de coquillages. C'était bien le moins pour une telle sirène. Elle fut séchée, peignée, couchée. Elle s'endormit vite. Les parents purent enfin se parler.

Alors, Florence répéta à voix basse les paroles qu'elle avait entendu prononcer par l'homme gris et le bâton : ils ne voulaient pas simplement être embauchés sur le chantier. «Ils voulaient traverser.»

– Traverser quoi ? demanda Georges.

– Ils pensent que c'est plus sûr par le tunnel que par la surface. Ils disent que dans le tunnel ils ne risquent ni de mourir de soif, ni de se noyer. Tu comprends ? C'est plus lent, mais moins dangereux pour traverser. Et il y aura plus d'hommes qu'il n'y en a jamais eu. Des milliers qui sont prêts à payer de leur travail pour traverser.

– Traverser quoi ? demanda Georges qui malheureusement comprenait déjà la réponse à sa question, mais la posait encore pour se donner une chance d'être détrompé. Il voyait pourtant que le visage de Florence ne le rassurait pas du tout :

il exprimait une animation fanatique, comme si elle avait
été témoin d'une tragédie ou d'un miracle.

– Traverser quoi, mon amour ?

– Traverser la frontière.

Plus tard dans la soirée, quand Lucia vint les chercher
pour dîner, elle les trouva le teint livide et les yeux luisants
d'excitation, épuisés, affamés. Ils vinrent sagement se mettre
à table dans la cuisine, car c'était l'heure et que Lucia l'avait
demandé. Niño les attendait avec impatience : ils regagnèrent
un peu d'entrain dans la joie du petit à leur faire goûter le
plat qu'il avait préparé de ses propres mains. Niño avait
une passion pour l'art culinaire, et sa conquête des fourneaux
avec la complicité de Lucia avait été irrépressible. Lucia lui
enseignait toutes les recettes qu'elle connaissait : partant
des plats européens qu'elle avait appris chez les Bernache,
elle remontait peu à peu le cours de ses souvenirs et initiait
Niño à ceux qu'elle préférait parce qu'ils venaient de sa
jeunesse. Grâce aux goûts de Niño, qui préférait nettement
utiliser la palette nahuatl, elle avait trouvé une façon imparable pour convertir toute la maison, trop attendrie pour
se méfier du changement. Le métissage s'était donc introduit
discrètement sans provoquer la moindre protestation : les
gigots d'agneau s'étaient piqués de cacahuètes, çà et là
apparues à la place des gousses d'ail. Il y avait eu des avocats
dans la salade de tomates, du cactus dans la soupe. Et ce soir
bien sûr, on trouvait trop de chocolat dans le poulet (Lucia
prononçait xocolatle, pollo al xocolatle) : Niño avait pris
quelques libertés avec la recette… Lucia s'excusait pour

cela... Non, c'était très bon, très très bon! répondaient les parents. C'était tout ce qu'ils pouvaient dire aujourd'hui, en souriant vaille que vaille.

Niño, étourdi de fierté, accepta d'aller dans sa chambre et de se coucher tout seul. Florence et Georges restèrent dans la cuisine avec Lucia, qui faisait la vaisselle en fumant une cigarette. Et comment faisait-elle? Georges suivait avec fascination le trajet de la vaisselle et de la cigarette entre ses mains, qui jonglaient: l'évier, l'égouttoir, sa bouche souriante et qui entre deux bouffées, parlait, racontait avec grâce les événements de la journée. Les pièces de vaisselle changeaient de main, changeaient, la cigarette dans la bouche, une assiette maintenant, elle reprend la cigarette dans sa main gauche, dépose l'assiette de la main droite, la cigarette revient sur les lèvres, maintenant la casserole en fonte que Niño a fait brûler, ça prend plus de temps, la cigarette reste suspendue entre les lèvres, redescend, maintenant les verres à pied, un deux trois.

Tout en travaillant, Lucia racontait une anecdote particulière à propos des enfants. Elle se tourna et montra du doigt un petit bouquet qui était dans un verre d'eau sur la table, composé de simples fleurs de mauvaise herbe – certaines corolles flottant à la surface de l'eau car elles avaient été coupées trop court. Son langage à elle était aussi comme un bouquet: «Tu pilli» (ton fils) dit-elle à Florence, dans un mélange de nahuatl et d'espagnol qu'elle employait quand elle était émue ou amusée. «Quiere īnāmic a tu hija...» Ah ça, ça la faisait mourir de rire, que Niño ait envie d'épouser Suzanne! La petite! «La tepitōn pequeña!» (la petite petite!)

Elle racontait que, Niño voulant faire plaisir à Suzanne, elle l'avait emmené ce matin voir son frère à elle, qui s'occupait du jardin et lui avait montré comment cueillir des fleurs pour en faire un bouquet, et l'offrir. Elle montrait dans le bouquet les tiges qui étaient plus longues que les autres, parce que Niño avait fini par comprendre qu'il fallait les couper à la base au lieu de les décapiter comme une brute. Florence tressaillit en pensant à l'homme qui lui avait rendu visite cet après-midi, mais l'enthousiasme de Lucia la gagnait. Certainement, le visiteur de ce matin n'était pas le frère de Lucia, c'était tout différent. Florence et Georges se regardèrent, avec un certain embarras qui était au bord du rire : ainsi, il voulait épouser Suzanne… il faudrait bien un jour expliquer certaines choses à Niño… Avant que sa petite sœur finisse d'être un bébé il fallait clarifier la situation ! Georges tout de même se permit de faire une remarque sur un ton un peu plus sévère : «Et toi Lucia, qu'as-tu fait pendant ce temps ?» Lucia fit un sourire mystérieux et dit, en mettant un instant ses mains sur ses hanches : «Tzintamalli» (mes fesses)… elle aussi, elle avait un amoureux ! Georges se souvint qu'en effet il y avait une histoire avec un des hommes de son chantier, un de ces gars qui devait certainement avoir du temps libre ces jours-ci, grâce à la grève. Il sentit qu'on lui écrasait fermement le pied et reçut le regard plein de reproche que lui lançait Florence : «Mais laisse-la tranquille…», disaient ses yeux. La conversation reprit de plus belle, pleine de joie et d'oubli souverain.

Lucia avait fini la vaisselle. Laissant derrière elle une pyramide d'argent et d'os luisant sur l'égouttoir, elle vint s'attabler avec eux, parlant toujours, fumant, tiens Georges, tiens Florence, ils font ce qu'elle dit ce soir ils sont sages, elle a du feu, elle leur allume les cigarettes et les leur passe – mais d'où lui vient cette habitude ? Florence oubliait ses peurs, riait des récits de la jeune femme : les aventures de Niño et Suzanne dès qu'elle n'était pas là, tout ce que Lucia pouvait savoir, elle le voyait maintenant à travers la fumée. Et Lucia dérivait, ça lui rappelait son enfance : car tous les enfants sont semblables, n'est-ce pas, et même en pays nahuatl... Florence était d'accord, elle-même, en vacances en Virginie, quand elle avait cinq ans... Georges écoutait, souriait. Lui aussi voyait passer des choses, des lambeaux nuageux de son enfance dans les Vosges, mais il était trop absorbé pour interrompre ce flot de paroles, trop fatigué pour parvenir à exprimer ces visions.

Au bout d'un moment, il se demanda sans colère si Lucia savait quelque chose des événements qui avaient eu lieu avec les ouvriers : parce qu'elle semblait parler d'expérience, comme une mère qui connaît vos chagrins et qui veut vous changer les idées. Toutefois, il était idiot d'avoir des soupçons car sûrement elle agissait d'instinct, en sentant que quelque chose allait mal pour eux deux. Georges se sentait tout à fait devenu un enfant vis-à-vis de cette femme qui connaissait le pays mieux que lui, comme autrefois ses parents connaissaient avant lui les choses de l'âge adulte. Elle devait bien savoir ce qui avait lieu derrière la maison, dans cette ville et au-delà, et beaucoup d'événements qui se passaient sur le chantier – cela sans pour autant être complice, mais sans effort, par coutume.

Il désirait atteindre l'univers de cette femme mais il était désormais trop intimidé et la moindre question lui restait dans la gorge. Il avait l'impression désagréable d'être un Mauvais Inquisiteur, un fonctionnaire de la destruction qui n'oserait rien demander... Il pouvait seulement faire à cette femme un procès muet et à son insu, en guettant à la dérobée les signes de sa sorcellerie. Et il avait beau regarder, il se sentait de plus en plus salement exclu, incapable de trouver dans cette gaieté la moindre preuve valable, car de toute évidence ce que Lucia savait c'était comme on respire, sans penser à mal. Il ne pouvait pourtant pas empêcher les questions de se précipiter dans sa tête, et ses yeux de traquer des indices.

Que voyait-il de Lucia ? Enveloppée avec délicatesse dans un chemisier en coton imprimé de fleurs, aux manches retroussées, une petite femme en argile frais. Et quoi d'autre ? Son visage était très rond et très net, en certains points parfaitement tendu sur ses os. Les questions indiscrètes s'enchaînaient : ainsi, Georges devinait très bien à travers la tête de Lucia la forme de son crâne, et se prit à imaginer avec effroi le squelette sous la peau, avec les dents et le front, la cavité des yeux. Il se demandait si la blancheur de ses os était comme l'émail craquelé de certaines poteries ou plutôt celui de la vaisselle en biscuit, lisse et fragile. Et quel était le vrai visage, celui du dehors ou celui du dedans ?

En l'entendant rire, il tourna son regard avec précaution vers Florence, assise à côté de lui, et vit que cette enquête macabre ne pourrait jamais prendre fin, car elle aussi : le squelette au lieu de l'âme. Il fallait se résoudre à ne plus regarder à travers ces deux femmes ni à travers personne car il ne trouverait rien de plus que le masque de mort. Il attrapa doucement la main de Florence sous la table, une main de chair, et sentit peu à peu un regain de courage. Ce n'était pas de sa faute s'il ne comprenait pas les gens de ce pays, ce n'était pas seulement une question de peuple ou de contrée. Il y avait en partage un mystère insoluble qui ne se livrait pas aux mains d'un voyageur, ni même à celles d'un homme amoureux. Chacun contenait sa petite porcelaine intime...

Le lendemain, aucun ouvrier ne vint au chantier. Et le surlendemain ? Non plus. L'absence durait de plus en plus longtemps et la poussière s'était déposée le long des rails de transport, avait pris possession des sacs d'outils. Ils auraient espéré dans ces circonstances recevoir à nouveau une lettre, n'importe quelle déclaration de mécontentement ou de révolte, mais désormais ils étaient entourés d'un silence absolu.

Florence sortait de moins en moins. Épuisée par sa grossesse, inquiète, elle restait tout au long de la journée dans sa chambre en faisant seulement des incursions jusqu'à la cuisine pour prendre ses repas en compagnie de Suzanne et de Niño, qu'elle confiait à Lucia le reste du temps.

De son côté, Georges errait dans la ville. Sans attendre de miracle, il continuait de se rendre sur le chantier pour le diriger. Chaque matin, il descendait dans le tunnel pour voir s'il ferait une rencontre ou trouverait le moindre signe. Il restait un moment sous la terre et appelait, guidé par son écho, tous ceux qu'il connaissait, en vain. En ressortant de cet abri il était brutalement accueilli par la lumière. C'était la saison la plus chaude à Minas Blancas, et la plus sèche qu'ils aient jamais vécue dans le pays. Georges se promenait en oubliant ce qu'il cherchait. Dans les rues, il n'y avait plus le moindre souffle de vent et il sentait le désert lui pénétrer dans les poumons.

Jour après jour, l'enquête que Georges s'était promise se muait en balade. Il ne songeait plus à dévisager les passants afin de retrouver parmi eux les ouvriers de son chantier, et n'osait plus les interroger sur ce qu'ils savaient. Au lieu de cela, il s'arrêtait en toute occasion chez les vieilles dames pour se faire nourrir de galettes de fromage fondu, ou pour boire de la bière sous les porches en compagnie des hommes et des femmes, pour bavarder. Les raisons de travailler devenaient de plus en plus vagues à mesure que les ombres s'allongeaient sur les pavés parmi les odeurs d'huile et de linge, à l'heure fraternelle du mezcal. La marche du retour était de plus en plus longue, car il était allé aussi loin que ses forces le portaient, jusqu'aux villages environnants et au-delà, ceux qui semblaient tout près des flammes.

Sur les marchés, il n'y avait pas de mendiant car chaque chose avait une valeur, et se vendait. Trois sandales de corde faisaient un étal, ou bien quelques couteaux dépareillés, un bouquet de myrtes et de fougères que l'on pouvait acheter à la tige ou toutes ensemble, en négociant – et parmi ces feuilles sèches la jeune vendeuse avait rajouté quelques plumes de coq qu'elle trouvait belles et qui chacune avaient son prix. Georges regardait chaque étal avec le plus grand intérêt, repérant les spécialités des marchés, ceux où se regroupaient les marchands de grains, de fruits, d'animaux qu'on vendait vivants.

Dans un de ces lieux Georges fit un jour une curieuse rencontre. À l'écart des marchands, il y avait un petit muret de briques en terre crue, long de deux ou trois mètres, et d'où l'on voyait dépasser un chapeau. Un chapeau de paille, sur la tête d'un vieil homme assis – il se tenait parfaitement immobile, et seule la fumée de sa pipe semblait animer son visage dur et desséché, dont les rides striaient le visage comme la paille mêlée à la terre de son mur en adobes. Le mur ne le protégeait pas du soleil. Il semblait ne rien vendre.

Georges l'observait depuis une allée de fruits, il vit un couple qui venait à sa rencontre et parlait avec lui, semblant même négocier âprement quelque chose. Au bout d'un moment le vieillard se leva, et avec précaution retira de la crête de son rempart une dizaine de briques. Une à une, il les pesa sur une petite balance de cuivre qu'il gardait sous son tabouret et les donna au mari, qui les plaça dans un sac en toile et paya. Soulagé d'avoir trouvé une explication, Georges continua sa promenade et n'y pensa plus.

Quelques heures plus tard, alors que les marchands défaisaient leurs étals et pliaient leurs auvents, Georges revint sur ses pas et vit que le mur devant le vieillard avait disparu : au pied du tabouret il ne restait que trois briques. L'homme fumait toujours et ne bougeait pas. Georges vint le voir.

Il proposa de lui acheter ses trois dernières briques, mais l'homme refusa. Il leva son visage sans se lever du tabouret et lui dit en riant : « Sinon je n'aurai plus de maison ! » Georges rit à son tour, et l'homme fit un geste cérémonieux pour l'inviter à s'asseoir devant lui. Georges accepta, non sans avoir d'abord acheté deux bouteilles de bière au dernier marchand ambulant, ce qui plut à son hôte. Il se présenta, et apprit que l'homme s'appelait Borromeo, Borromeo Dios. Ils étaient seuls désormais sur la place, et buvaient tout en bavardant. Au bout d'un moment, Borromeo lui demanda s'il voulait toujours lui acheter quelque chose. Georges, qui pourtant ne voyait autour d'eux rien d'autre que les trois briques, acquiesça. Le vieillard fouilla alors dans une poche de sa veste et en tira d'un air gourmand une petite figure en argile qui représentait une femme nue. Elle souriait, elle avait les bras tendus au-dessus de sa tête et de très gros seins. Le vieillard la posa sur le sol : malgré ses amples atours, elle tenait parfaitement en équilibre sur ses mains, et entre ses cuisses potelées était creusée une cavité qui rejoignait son ventre, formant ainsi un petit récipient. Certaines parties de son corps, ses tétons, un collier, étaient soulignées d'un trait rouge légèrement plus sombre que sa peau. L'objet offrait un singulier mélange de délicatesse et de drôlerie… par ailleurs, de facture très semblable à ceux que Georges et Florence avaient trouvés auparavant dans le sous-sol de Mexico : impossible à dater, ce pouvait être le résidu d'un pillage – Georges demanda brusquement à Borromeo s'il l'avait volé. Borromeo lui lança un regard radieux et répondit que non. Mais il lui fit signe de le suivre.

En 1948 la ville de Minas Blancas était plus étendue qu'elle ne l'est aujourd'hui et ses limites se trouvaient à l'extrémité d'un plateau – un plateau aride mais dont l'élévation permettait à la ville de subir des températures un peu plus tolérables qu'alentour. Un chemin conduisait vers la pente nord de ce plateau jusqu'à une sorte de terrasse qui faisait face au désert. Au milieu de cette terrasse se trouvait un arbre. Ce n'était pas le genre d'arbres qui se tient debout comme un seul homme, mais plutôt un immense chapiteau dont la structure se ramifiait à l'infini. Avec ses branches paresseusement allongées en tous sens, il s'élevait presque en dépit de lui-même sur une dizaine de mètres. Sa large envergure lui permettait d'accueillir en grand nombre des chats, des paons, des lézards et des corbeaux, tout un bestiaire qui venait étoffer son feuillage dur et coupant avec des poils, des plumes et des écailles de toutes sortes.

Il y avait une foule énorme tout autour de cet arbre. Pas seulement des hommes, mais aussi des femmes et des enfants, des vieillards. Ils circulaient dans des allées qui semblaient se faire et se défaire sans arrêt, constituées de briques et de carreaux en émail qui s'échangeaient et se vendaient selon des taux mystérieux : une pile de carreaux jaunes contre un pan entier de mur en briques, un vert contre trois bleus. Apparemment la brique se vendait au poids, certains bleus à la pièce. Le rouge avait l'air beaucoup plus rare, il se trouvait seulement dans quelques coins isolés de la place, à des étals tenus par des hommes qui avaient une expression très digne et exposaient seulement une faible partie de leur marchandise. Il fallait s'asseoir, discuter longuement pour parvenir à regarder toutes les nuances qu'ils possédaient, faire son choix. Les marchands qui vendaient du rouge avaient l'air riche, ils étaient bien habillés, avec des chemises en lin et d'amples chapeaux, ils étaient propres et entourés d'un personnel aux ordres. Mais les autres, la plupart, avaient les pieds nus, les mains et le visage couverts de poussière, ils se faisaient aider par leurs femmes, leurs enfants, dans des allers-retours incessants entre le marché et l'arrière de la place, où se trouvaient les fours de cuisson. Ces fours vivaient sous la surveillance d'hommes armés.

Georges reconnaissait parmi ces hommes des ouvriers de son chantier. Certains s'agitaient gaiement derrière un étal, et semblaient avoir trouvé dans cette activité un destin meilleur que celui d'ouvrier, mais beaucoup d'autres travaillaient de toute évidence sous la contrainte des armes, à surveiller les fours ou transporter d'énormes quantités de briques. Des transactions et des livraisons avaient lieu sans arrêt entre la zone de fabrication et les négociants, entre les négociants et les acheteurs qui évoluaient sur la place, si bien que les allées que constituaient les rangées de carreaux et les murs de briques ne cessaient de se dissoudre et de se recomposer, pièce à pièce, dans toutes les directions. L'ensemble donnait l'image d'une gigantesque usine à ciel ouvert, une usine occupée par une armée mais aussi par la soupe populaire. Des rangs de gens misérables faisaient la queue pour aider aux fours, et se faisaient frapper s'ils répondaient mal aux consignes de travail. Georges voyait sans surprise tous ces hommes rassemblés, car il sentait sourdement qu'il était juste que la misère se ligue et s'organise. Ce qui l'inquiétait davantage, comme un signe d'une société gagnée par la panique, était la présence des familles entières, des enfants : comme si ce lieu de travail désespéré leur permettait également de trouver pour tous une forme de sécurité.

Certains surveillants patrouillaient à cheval, le fusil en travers du dos. L'un d'eux s'approcha de Georges et de Borromeo et mit pied à terre. Tendant la bride de son cheval à Borromeo, il vint serrer la main de Georges, puis en signe de complicité il le prit par l'épaule pour lui faire admirer l'étendue du spectacle. Le poids de cette fraternité virile incita Georges à exprimer son enthousiasme aussi vigoureusement qu'il le pouvait. Il lança un regard alarmé vers Borromeo, qui s'en allait avec le cheval pour le faire boire en contrebas. Georges dut se résoudre à contempler cette vaste activité en compagnie de l'inconnu.

Bientôt la main triomphante lui désigna ceux qu'on appelait les hommes-couleurs : au pied de l'arbre, un groupe d'hommes en tenue militaire, et qui discutaient avec animation. Puis son geste s'éleva vers les branches de l'arbre et Georges dut rassembler toutes ses forces pour soutenir la vue de l'éclosion hideuse : à chaque branche et par dizaines, la plénitude solaire, les contours luisants, qui faisaient ployer l'arbre. Frémissant à peine sous l'effet d'une bourrasque, c'étaient des têtes humaines qu'on avait accrochées là, dont les mâchoires pendaient, souriaient d'une gratitude éternelle.

Comme s'il lui accordait un privilège, avec la mine satisfaite d'un chasseur communiquant sa passion, l'homme tendit son fusil à Georges et lui fit signe de viser l'une d'elles – celle que tu veux, disait la main, accommodante. Et la voix qui accompagnait : « Après, vous pourrez partir. » Georges le regarda et l'autre répéta sa condamnation : « Après seulement. » Et il attendit.

Georges détourna la tête de la vision effroyable de l'arbre et ses yeux se posèrent à quelques pas de lui sur un enfant, un petit garçon de cinq ans à peine, qui était assis près d'une flaque de boue. Crasseux et solennel, il était passionnément occupé à modeler de petites masses de terre qu'il attrapait à pleines mains dans la soue originelle. Une fois qu'elles étaient bien fermes, grâce à l'addition d'un peu de poussière et de débris divers, il les déposait à côté de lui et les alignait, les entassait. Et de temps en temps, telle la justice divine il abattait son poing sur une des boules et se mettait à l'écraser dans la flaque pour qu'elle retourne à l'état de néant.

Cette vision accrut d'abord le malaise de Georges qui pensa que l'enfant avait l'âge de Niño, et sous la saleté un visage semblable. Mais peu à peu, ignorant les appels de l'horrible compagnon de chasse qui le pressait d'agir, ses pensées s'éclairèrent.

Il s'empara alors du fusil, et arma, en choisissant sa cible tout au bout d'une branche. Il voyait clairement les dents ouvertes autour de la bouche, le front large qui s'offrait… La tête vola en mille éclats qui tombèrent doucement à travers le feuillage. Les hommes qui étaient sous l'arbre le montrèrent du doigt en riant. Ce n'était rien de grave : juste un peu de terre inerte et d'émail qui gisaient maintenant dans la poussière, comme les fleurs d'un bouquet dans les débris d'un vase.

VIII. Une balle perdue

Quatre ans plus tard, le 5 juillet 1952, les quatre enfants Bernache s'amusaient dans le jardin de la maison familiale à Minas Blancas. Ils n'étaient pas tout seuls : il y avait avec eux Bah, l'opossum, qu'ils avaient récemment divinisé sous le nom de Bah-Noga, trois chiens (un dalmatien, un labrador et un caniche royal), et une tripotée de chats dont nul n'aurait pu savoir le nombre car ils étaient éparpillés dans les arbres.

Aujourd'hui était un jour particulier de l'année 1952, et les enfants avaient droit à un repos légitime, ayant accompli ce matin en toute dignité leur devoir de citoyens. C'était le temps de l'élection présidentielle, et un à un après le cours de mathématiques de ce samedi 5 juillet, tous les élèves de l'école primaire étaient allés mettre leur bulletin dans l'urne de la classe, ayant auparavant recopié d'une main sérieuse et appliquée le nom indiqué à la craie sur le tableau noir : « Adolfo Ruiz Cortines ». C'était le nom du candidat officiel du Partido Revolucionario Institucional, celui qu'il fallait dûment élire ce dimanche et pour lequel Mademoiselle Rosario Ortega, l'institutrice, apportait l'humble contribution de cette urne si précieuse remplie de billets en buvard rose et pliés en quatre, dont elle avait la clef, qu'elle garderait farouchement dans l'armoire des dictionnaires et des encyclopédies, fermée également (cette deuxième clef, elle allait la cacher chez elle dans son armoire à pharmacie), jusqu'à l'heure solennelle où il faudrait remettre cette récolte à l'organisateur local, le lendemain à vingt heures précises, pour que le futur élu ne manque pas d'être élu – avec l'aide des petits enfants et de la Vierge de Guadalupe.

Car la Vierge aussi avait voté. On racontait que quelqu'un l'avait vue le dimanche précédent sur les hauteurs de roche et de poussière de La Quemada, où seules les chèvres venaient : elle avait déposé sur l'autel croulant de la chapelle Sangre de la Piedra un linge où était écrit le nom du futur président, et le curé de La Quemada avait pendu ce linge en triomphe au fronton de l'église qui du jour au lendemain avait cessé d'être abandonnée en haut du monticule de pierres, et en réfutation formelle des mécréants il montrait le linge accroché au ciment flambant neuf, et dans les échafaudages du chœur encore tout en travaux, parmi les odeurs de sciure et de peinture fraîche mêlées à l'encens, il vendait désormais des cierges par dizaines et par dizaines, à tous les pardonnés qui revenaient enfin dans la voie du Seigneur, qui gravissaient la colline et malgré la chaleur se pressaient pour voir le nom écrit par la main de la Vierge, certains en priant, tandis que beaucoup d'autres riaient à n'en plus finir, et l'un d'entre eux ne riant pas vraiment (il ricana plutôt) prononça même ces paroles : *¡La revolución se murió, por lo tanto vive la Virgen!*

116

La Vierge de Guadalupe, qui était venue dans sa robe brodée d'or et son manteau bleu étoilé, avec son beau visage couleur de terre, ses paumes ouvertes remplies de fleurs, et qui les protégerait tous, les femmes et les enfants, les Blancs, les Indiens, les Métis, et même les cyniques et les sans-cœur.

Georges observait avec perplexité le déploiement électoral dans cette terre du nord, aux confins de la patrie et de la loi. Ce pays de désert… on ne pouvait pas dire non plus que c'était un désert de l'esprit, car il y avait ici des gens instruits, qui au-delà du cadastre agraire pouvaient comprendre un peu le commerce ou la politique, comme ils pouvaient sentir la liberté et la raison derrière les murs de leur foi religieuse. Mais pour cette population blasée par la Révolution et anesthésiée par tant de simulacres de démocratie, cette liberté n'était qu'un souffle de vent soulevant un peu de poussière sur un sol dur et sec. Cette poussière se déplaçait à travers la plaine et jusque dans les montagnes, elle se déposait sur les Grandes Idées dressées dans le paysage, et sur la volonté, comme sur des machines agricoles au repos, en s'insinuant dans leurs moteurs et en les statufiant d'une façon imposante mais vaine. Sous la présidence de Lázaro Cárdenas, le pays avait enterré la violence révolutionnaire, puis Miguel Alemán avait inoculé le capitalisme qu'il pouvait désormais cultiver sans plus de tracas idéologique. La modernisation du Mexique était irrévocable et lénifiante. La vie politique se confondait avec la croissance économique, et il y avait dans cet implacable progrès industriel, tranchant, étincelant et en acier, quelque chose d'absolument, de profondément bête. Ingénieur de cette grande affaire sans trop l'avoir voulu, Georges se vengeait parfois en pensant que, une fois lâchés aux quatre coins de cette contrée, les trente mille tracteurs américains récemment acquis par le Président Alemán devenaient comme un simple troupeau de bœufs, d'une race nouvelle, très performante, et qui broutaient.

Depuis qu'il avait été muté à Minas, Georges comprenait bien le dicton, probablement apocryphe mais d'autant plus juste, qu'on avait attribué à Porfirio Díaz, cette chère vieille branche de dictateur : « Ah, pauvre Mexique, si loin de Dieu… mais si proche des États-Unis ! » Il se le répétait de temps en temps, comme un refrain qui n'était pas idiot : « Ah, pauvre Mexique… ! » – il n'était plus très véridique que Dieu était absent, car la religion refoulée sous la Révolution avait repris ses droits avec beaucoup de vigueur, mais la deuxième moitié de la phrase semblait chaque jour plus pertinente. Elle était même incontestable. Si Georges avait pu contempler la région du point de vue des aigles royaux qui la survolaient chaque jour, il aurait vu à sa gauche des montagnes (la bien nommée Sierra Madre Occidental), à sa droite des montagnes (la bien nommée Sierra Madre Oriental), et entre leurs pentes fertiles, sous l'ombre portée de ses ailes, le désert qu'on avait nommé désert : le Chihuahua, un mot qui en nahuatl signifiait « zone aride et sablonneuse ». Ce désert s'enfonçait tranquillement dans les États-Unis ; son étendue informe traduisait dans la topographie ce qui existait dans la réalité : une zone de dépression hostile et lente à traverser, mais ouverte à tous les vents, qui permettait aux capitaux américains de passer au Mexique, et aux Mexicains de faire de plus en plus nombreux la migration en sens inverse. Qui plus est, le vent du capitalisme avait traversé la plaine sans porter avec lui la graine de la démocratie, mais seulement l'argent et l'argent seulement : depuis qu'Alemán était au pouvoir, les Américains pouvaient investir massivement au Mexique, sans pour autant que le suffrage universel et le débat démocratique aient pu franchir les portes du désert. Le Mexique devenait riche à millions mais ne progressait pas. La prospérité était devenue une arme redoutable pour négocier l'ajournement de la démocratie : l'industrie florissante prodiguait le bien-être matériel et passait du baume sur les plaies politiques, les mutilations morales. Dans les esprits dégoûtés par des années de violence armée, il était doux de laisser la place aux idéaux plus tangibles, et sereins, que proposait le Président Alemán : « À chaque Mexicain je veux donner une Cadillac, un cigare et un ticket de corrida ! » Ah mais bien sûr ! Qui refuserait ?

En ce 5 juillet 1952, il fallait reconnaître que c'était là un but suffisamment ambitieux, dont beaucoup pouvaient à peine rêver. Et c'était tout de même plus paisible qu'un pistolet, un crucifix et une place en prison.

Ainsi Georges pouvait se rassurer. Les enfants étaient en sécurité dans le jardin. Il n'y avait pas à s'inquiéter de cette lubie de l'institutrice, Rosario Ortega, qui les avait tous fait voter ce matin-là et qui apporterait leur vote dans la grande cagnotte électorale du lendemain. C'était une tricherie éhontée mais totalement inoffensive. De toute façon, il n'y avait pas ici de geste politique : voter ou ne pas voter était la même chose, donc l'intervention des enfants n'était qu'un petit larcin pédagogique. Paradoxalement, ces derniers s'étaient sentis promus par ce geste : ils avaient pu raconter à leurs parents qu'ils avaient élu José Preciado délégué de classe, et Adolfo Ruiz Cortines Président de la République.

Après avoir ramené ses enfants à la maison, Georges avait croisé Rosario Ortega, qui elle aussi rentrait de l'école. Il reconnaissait de loin sa silhouette déterminée et originale – toujours flanquée de pantalons, comme un homme, et portant des petits foulards de coton très haut sur le cou, noués bien nets comme une apostrophe, à la manière de l'actrice Maria Félix. Rosario Ortega, gracieuse comme un cow-boy du Chihuahua, était pourtant très belle. Ses mauvaises manières rendaient encore plus pénible ce constat d'infernale beauté. Une totale bonne femme de paysan si elle n'avait un jour eu le malheur d'apprendre à lire – et qu'est-ce qu'elle lisait ! Rosa, Rosario, tous les enfants l'adoraient, tandis que tous les parents la maudissaient – tous les parents à l'exception des pères. Un homme la tenait par la taille : Georges reconnut Juan Fidel Velásquez, le nouveau chef du Sindicato Libre de Los Albañiles de Minas Blancas, qui avait obtenu d'excellents résultats dans les négociations sur les salaires ces derniers mois, et recrutait depuis quelque temps, en plus des ouvriers du bâtiment, beaucoup de paysans. Il s'arrêta pour leur serrer la main à tous les deux, et discuter un brin. Il faudrait encore bien de la patience et de la ténacité jusqu'à ce que chacun dans ce pays puisse remplir son *itacate*, sa besace de nourriture pour la route ! Pour cela il fallait espérer que Cortines l'emporte, car lui au moins, il comprenait ! La belle en parlant de la sorte portait sa main sur la petite clef dorée de l'urne électorale qui reposait précieusement dans le col entrouvert de son corsage. Mais il fallait se faire une raison. Elle appartenait à cet homme, Juan Fidel Velásquez, qui appartenait à son syndicat. Et le syndicat, lui, appartenait au PRI.

Niño, Suzanne, David et Andrew avaient rapporté de l'école des chutes supplémentaires de buvard rose et les avaient déchirées pour continuer de voter. Ils débattaient. Fallait-il élire Bah-Noga ? Les papillons de vote s'amoncelaient au pied du séquoia (ainsi que le nommait Florence, mais c'était en fait un autre cyprès que les Indiens appellent *ahuehuete*), et leur quantité se montrait pour l'instant largement favorable. L'opossum Bah-Noga ayant une nature plutôt paresseuse, il suivait de loin cette agitation, en gardant son museau au frais dans son pelage qui le rendait aussi orgueilleux qu'une hermine. Mais malgré son air nonchalant, il écoutait avec beaucoup d'attention les propos dont il faisait l'objet, et qui lui permettaient de découvrir des choses extraordinaires sur lui-même.

Par exemple, en plus d'avoir toujours été un *marsupial* sans le savoir, Bah-Noga apprenait qu'il était une femelle, ce qui le troublait profondément. Et pour ces deux raisons combinées on lui enseignait que, à la manière des kangourous d'Australie, il devrait porter sa descendance future (un seul rejeton à la fois) dans une poche ventrale jusqu'au sevrage et que, en outre, il était doté d'un double vagin – cette dernière information le faisait vraiment rougir sous son pelage immaculé, bien plus que la gamine Suzanne qui prodiguait tout ce savoir à ses frères (le grand ténébreux et les deux petits, les jumeaux) sans frémir et d'un ton docte.

Puis les jumeaux montrèrent des signes d'impatience. Niño et Suzanne se retrouvèrent seuls sous le grand sequoia, tandis que leurs cadets partaient à toute allure vers le terrain de tennis.

La balle s'envola dans les airs et resta longtemps suspendue au-dessus du cadran vert menthe à l'eau dans lequel tournoyaient les deux enfants avec leur nez et leur raquette dressés, en priant pour qu'elle retombe un jour dans les limites raisonnables des lignes blanches. Les yeux écarquillés, la bouche ouverte, ils psalmodiaient des paroles ferventes pour que le petit astre à poils jaunes (qui n'était rien moins que la dernière balle de tennis de toute la ville) n'aille pas s'écraser dans les broussailles environnantes qui risquaient de l'engloutir à tout jamais, ou bien derrière le mur du jardin. Une telle catastrophe aurait signifié tout bonnement que la partie s'achèverait sans aucun vainqueur déclaré, ce qui semblait aux jumeaux Andrew et David la pire des possibilités : puisqu'Andrew avait gagné la dernière partie, David la pénultième et Andrew l'antépénultième (au-delà la chronique se perdait), l'enjeu cette fois était terriblement primordial. Si la balle sortait, elle pourrait se perdre dans un monde trop hostile. Ce terrain de tennis, qui était à lui seul un miracle de civilisation (une plaque de ciment peinte en vert pour suggérer l'idée de gazon dans cette nature aride) représentait aussi pour les jumeaux la limite du monde légal

– au-delà de laquelle il fallait constamment rassembler des autorisations de sortie et convoquer d'encombrants adultes pour les accompagner dans les rues de la ville, le désert environnant, le monde.

Beaucoup d'autres enfants, tous les autres enfants des autres parents, étaient pourtant autorisés à se promener seuls, ils allaient et venaient librement à l'école, jouaient au football ou flânaient chargés de commissions dans les rues de Minas. Mais, les Bernache, eux, jouissaient de la vie princière et subissaient ses inconvénients ; la beauté de la maison Bernache était connue de tous, et ses habitants étaient respectés et pas toujours aimés. Georges et Florence avaient estimé que la maison, et l'interminable parc qui l'entourait (et dont le terrain de tennis marquait l'ultime frontière), étaient assez grands pour qu'Andrew et David accueillent tous les amis qu'ils souhaitaient sans jamais courir le risque de courir les rues.

Pourtant Minas Blancas n'était pas un méchant endroit. C'était une ville tranquille qui voulait oublier les années révolutionnaires et prendre au plus vite le chemin de la prospérité – où un paysan avait dit un jour qu'il était prêt à « enterrer son champ » en échange d'un salaire d'ouvrier. Paix à tous ceux qui voudraient bien poser des câbles électriques pour Condumex ou aider la propagation du confort moderne pour Tubos de Aceros de México – paix à tous ceux qui aideraient ces compagnies à étendre leurs bras pacificateurs à travers le territoire national. Minas Blancas était sans malice. Ainsi on aurait pu parier que si la balle retombait dans la rue, un autre enfant, un camarade de classe, la renverrait par-dessus le mur. Dans le pire des cas elle rebondirait sur un chapeau qui allait la maudire.

Mais tant que la balle marquait midi au-dessus du terrain des Bernache, elle faisait planer sur les jumeaux l'ombre innombrable de tragédies qui leur glaçaient le sang. Elle pouvait retomber dans le faubourg de la ville et attirer sur eux la vengeance au couteau des marchands de drogue, qui se montraient sans pitié pour ceux qui les gênaient. Ou bien dans le désert, ils crèveraient d'insolation en allant la récupérer. Peut-être même irait-elle vers le nord jusqu'à la zone frontière où des patrouilles armées empêchaient les migrants de passer : et comment prouveraient-ils qu'ils n'étaient pas migrants, dans l'immense étendue de cailloux quand sauraient-ils qu'ils étaient bien en train de franchir la frontière ?

Et si ce soir de l'été 1952 leur balle victime d'un vent contraire prenait la direction du sud, pendant l'heure du repas à seulement quelques centaines de kilomètres de là elle tomberait dans l'assiette de sang fumant du Seigneur Gonzalo Santos, qui dans son pays de San Luis Potosí ne connaissait d'autre loi que la tristement fameuse règle des trois couteaux : *encierro, destierro, entierro* – la prison, l'exil et la mort attendaient les enfants si la balle quittait le jardin.

Niño et Suzanne se retrouvèrent seuls sous l'immense sequoia et se turent. Ils écoutèrent le géant qui murmurait à travers ses branches, et de temps en temps le rebond lointain de la balle de tennis. L'arbre semblait maugréer dans sa barbe d'épines et ne dire que des banalités, mais à mieux écouter il y avait aussi dans sa voix de vieillard quelques paroles complices et avisées. Pour preuve de son amusement, il laissa tomber dans la paume ouverte de Suzanne un des pignons joufflus qui ornaient sa crête, vert tendre et dont les écailles luisantes avaient commencé à se desserrer. Suzanne, blottie contre Niño, bien qu'elle n'ignorât pas que les cônes femelles fécondés restent trois ans sur l'arbre avant la chute, se tut et contempla longtemps le pignon ouvert au creux de sa main, ses écailles retroussées autour de l'indicible secret des graines. Elle pensa, mais ne prononça pas : « Ces graines comportent des ailes qui leur poussent. Grâce à ces ailes elles peuvent voler pendant de longues distances quand le vent les souffle. Ça s'appelle la némocorie. Ça leur permet de fabriquer des enfants d'arbres dans d'autres endroits. » Tout cela resta enfermé dans sa tête comme les graines dans le cône, le cône dans son poing refermé.

Georges alla voir un peu plus loin, sur la place du marché d'où provenaient les bruits d'une fête. En passant sous les guirlandes de papier bleu saphir et rose bonbon, il vit qu'il y avait sur la place, au milieu des effluves de maïs grillé et des gerbes de confettis, un groupe d'hommes singulièrement silencieux. Ils se tenaient devant un autobus couvert de banderoles électorales, orné comme un gâteau de mariage, qui les avait amenés ici et s'était garé en travers de la foule. D'où viennent-ils ? demanda Georges à une marchande de tortillas qui était venue dès l'aube pour tirer le meilleur

profit de l'affluence exceptionnelle. À midi ! répondit-elle,
tant la foule était bruyante. Oui, mais de quelle ville ? dit
encore Georges en les désignant. Au moins cinquante sacs
de farine depuis ce matin ! répondit-elle, transportée par ses
bonnes affaires. D'où viennent-ils ? répéta Georges sans se
décourager. Elle eut un air de perplexité. D'où ? dit-il encore,
en faisant alentour un large geste qui comprenait ensemble
les hommes alignés, les quatre points cardinaux, le Ciel
et l'Enfer. La marchande comprit, et haussa les épaules
avec mépris : Sonora – c'était l'État voisin, qui commençait
à des centaines de kilomètres de Minas Blancas, très loin à
l'ouest. La marchande pointa franchement la direction, puis
fit avec la main une sorte de moulinet monotone pour bien
montrer toute la distance qui la séparait de ce peuple : loin
là-bas, encore beaucoup plus loin à l'ouest, plus qu'on ne
pouvait s'imaginer.

Les hommes, hagards, et qu'on avait endimanchés, semblaient avoir des mains et des visages de terre, comme si
la poussière du voyage avait figé leurs expressions et leurs
gestes. Ils attendaient sans échanger une seule parole, formant
une file indienne entre le bus et une petite estrade qui était
dressée pour eux au milieu de la place, et où trônait une
énorme urne électorale en argent. Dans leur main, ils tenaient
un papier de buvard rose sur lequel était inscrit le nom du
prochain président, et un à un comme les enfants l'avaient
fait ce matin les paysans de Sonora étaient appelés à exé-
cuter leur vote, en échange de quoi ils pourraient garder leur
terre, être tranquilles. Georges resta longtemps sur la place,
près de la marchande de tortillas qui en vendait beaucoup,

à regarder la procession des hommes qui votaient comme des enfants. Mais à la différence des enfants, chacun d'eux savait la raison de cette cérémonie, et qu'en déposant son bulletin dans l'urne il déposait aussi sa dignité.

La balle suivante franchit le grillage mais ne roula pas loin. La journée était déjà fort avancée, sur la place du marché les hommes avaient presque fini leur vote – mais tant qu'il y en avait un pour la perdre, dans le jardin la partie continuait. Il n'y avait pas vraiment de règles : les points étaient comptés de deux en deux ou de cinq en dix, selon la vigilance de l'adversaire. La hauteur, longueur, force des coups étaient comptées, la lenteur à ramasser une balle pouvait être décomptée. Les jumeaux se disputaient toujours pour savoir qui irait la chercher : tant qu'elle ne leur causait pas de frayeurs en bravant les limites du jardin, cette question permettait d'interminables disputes. Elle avait le pouvoir d'anéantir les lois démocratiques habituelles, les tristes règles du chacun-son-tour et moitié-moitié qui régissaient le reste de leur vie et les ennuyaient terriblement. Ils pouvaient enfin les abandonner au profit de pures démonstrations de force.

Ils étaient fort petits mais frappaient fort. La balle suivante fut expédiée si loin qu'elle atterrit sur le perron de la maison. Après un quart d'heure d'âpres négociations, ils laissèrent leurs raquettes au milieu du terrain et décidèrent d'aller la récupérer ensemble. Cela leur permettrait de faire un arrêt à la cuisine. En fait, beaucoup de leurs disputes ne trouvant pas de fin, ils finissaient par partir à deux pour accomplir les tâches les plus infimes.

La balle suivante tomba dans un taillis juste en dessous du pin. À ce moment-là le taillis était composé d'arbrisseaux, de branches tombées et de deux enfants emmêlés qui se relevèrent précipitamment. Suzanne et Niño furent si surpris que l'arbre frissonna jusqu'à la cime. Et Suzanne, prévenant l'arrivée des jumeaux, s'extirpa de Niño et se jeta sur la balle qui roulait derrière l'arbre en criant : « On l'a, on vous l'apporte ! » Quand ils arrivèrent près du terrain, elle avait les cheveux pleins d'aiguilles sèches, et Niño un regard noir. Il reçut d'une moue méprisante la proposition de ses petits frères de venir jouer avec eux. Tandis que Suzanne démêlait une brindille coincée dans sa natte, et donnait des pichenettes aux fourmis attardées sur ses bras et ses jambes, Niño alla se retirer sur la hauteur inatteignable de la chaise d'arbitre. Une fois là-haut il asséna froidement à ses cadets : « Alézy jvourgarde », croisa les bras et ne parla plus.

De l'autre côté du terrain, Suzanne avait les joues enflammées, la bouche tremblante. David crut interpréter son énervement en lançant à Niño : « Tu n'as pas le droit de t'asseoir là ; les parents ont dit que c'était interdit. » Andrew renchérit : « C'est complètement interdit. » Mais Niño coupa court en prétendant que cette règle ne s'appliquait qu'aux plus petits – ce que personne ne pouvait vérifier en l'état. Suzanne s'assit en tailleur de l'autre côté du filet et invita ses frères à reprendre la partie.

La balle suivante resta à l'intérieur du court de tennis. Et aussi celle d'après. Les jumeaux jouaient désormais très doucement, pour ne pas déranger les mots qui se disaient silencieusement en travers du terrain. Ils sentaient aussi qu'en aucun cas il ne fallait s'éloigner. Quelque chose de tragique pouvait réclamer leur présence – comme témoins ou acteurs ? Aucun des deux ne savait. Pour la première fois de leur vie c'était à eux de surveiller, de surveiller en faisant semblant de jouer. Une conversation muette s'était engagée entre Niño et Suzanne, perpendiculaire à la partie de tennis. Suzanne avait de temps en temps une larme sur la joue et Niño tournait la tête d'une façon qui se voulait pudique mais ne l'était pas, comme s'il continuait à regarder ces larmes au loin dans l'ourlet humide d'un nuage, ou sur un caillou. Les mots continuaient de rouler à travers le terrain, croisant la balle de plus en plus nerveuse des jumeaux qui avaient peur, qui avaient du mal à contrôler leurs coups. Ils roulaient, imbibés d'eau salée, retombaient de la chaise d'arbitre en rebondissant, roulaient dans un bruit d'étincelles mouillées et repartaient en sens inverse. Soudain, la peur des jumeaux eut raison de leur volonté : David envoya un revers beaucoup trop long et Andrew, qui ne voulait pas interrompre l'échange, retourna la balle en hauteur, si haut qu'elle monta au-dessus du grillage, franchit le mur du jardin, s'éleva encore de quelques mètres et tomba contre les pavés. On entendit un ou deux rebonds, puis le silence de la rue dans laquelle il commençait à se faire tard : sept heures du soir, l'heure des familles attablées, l'heure où l'on ne trouvait plus les bonnes personnes dehors. Les jumeaux s'étaient insensiblement rapprochés autour du filet. Ils se tournèrent spontanément vers Suzanne pour demander son aide et virent qu'elle avait l'air égaré, complètement terrifié. Ils n'osaient pas faire face à la colère tout en haut de la chaise, et qui ne bougeait pas.

Alors Niño qui n'avait pas prononcé un seul mot de toute la partie dit simplement d'une voix souriante : « Pas de souci, j'y vais. » Et il sauta en bas de la chaise sans même utiliser les barreaux d'échelle, pour prouver immédiatement son caractère d'aventurier. On l'aurait dit ravi d'avoir trouvé enfin une mission qui convenait à son âge et à son rang.

Suzanne intervint d'abord timidement pour lui dire qu'il n'avait pas le droit de sortir. David et Andrew, qui d'habitude ne manquaient pas une occasion de jalouser les prérogatives de leur aîné, se taisaient, sans trop savoir quoi faire : ils étaient soulagés que leur frère se désigne à leur place mais ils craignaient un drame. Andrew suggéra de prévenir les parents ; David le reprit en disant que dans ce cas ils n'auraient plus de balle avant la prochaine occasion d'en acheter, qui pouvait être lointaine. Pendant qu'ils délibéraient, Niño avait déjà commencé à escalader le mur du jardin, en disant par-dessus son épaule : « Je vous l'envoie, je me dépêche », et Suzanne accourait derrière lui en criant : « C'est interdit ! Qu'est-ce que tu veux ? C'est interdit ! » Arrivé en haut du mur, il se retourna encore pour la pousser car elle avait commencé à grimper elle aussi, sans s'arrêter de parler, en disant à voix haute certains mots qui étaient passés tout à l'heure en silence mais n'étaient pas plus clairs dans l'esprit des jumeaux maintenant qu'ils étaient prononcés, elle lui disait : « J'aimerais bien mais je ne peux pas, tu comprends ? » Elle tomba et se fit mal, mais recommença à grimper sur le mur et cria dans la rue : « C'est interdit, tu comprends ? » Et dut protéger son visage avec sa main car la balle fusait dans sa direction et retomba dans le jardin. Alors Suzanne redescendit doucement et s'assit au pied du mur. Ils attendirent tous les trois, sans oser regarder dans la rue. Niño ne revint pas. Le lendemain soir, après la grande battue menée dans le désespoir par Georges et par Florence, on sut qu'il avait complètement disparu.

IX. Ce que l'on trouve dans un trésor

On les aide à traverser ? Georges était épuisé par ces dix jours de recherches. Ça ne lui avait pas appris grand-chose. Des témoins avaient vu un jeune garçon partir vers le nord de la ville à la nuit tombée. Un peu plus tard un ouvrier avait croisé aussi un très jeune homme à l'entrée du chantier ; mais il était tard ; il devait s'avouer que certains de ses ouvriers, sans être ses enfants, étaient vraiment très jeunes, et qu'on avait pu les confondre dans l'obscurité. Puis après quelques jours il y eut ces gens qui trouvèrent au bout des rails du tunnel un petit véhicule abandonné, du genre qu'on utilisait pour les liaisons de courrier. On en était là : l'enfant s'était servi du tunnel pour s'enfuir vers le nord. Alors c'est comme ça, on les aide à traverser ? Et c'est mon enfant qui fout le camp ?

Il n'y avait personne pour connaître entièrement le tunnel Pour retrouver un être vivant, homme ou bête égaré là-dessous, estimer quelle sortie du tunnel il pourrait emprunter, il fallait s'en remettre au savoir imparfait de ses experts – ceux qui étaient ses véritables maîtres, et qui gardaient aussi le plus jalousement ses impasses et ses zones d'ombre car leur survie en dépendait.

Les plus initiés étaient les hommes-couleurs, chargés de solidifier les parois à mesure que le tunnel progressait. C'est eux qui surveillaient la mise en place des charpentes, qui décidaient de les laisser crues ou de les transformer. Ainsi à l'embouchure historique du tunnel, la plus proche de Minas Blancas, ils avaient laissé une simple charpente en bois, comme si le plafond courait sur des béquilles pendant un ou deux kilomètres. Passé la première arche, cette vieille terre mal soignée exhalait encore la sciure et les éboulis, mais peu à peu l'ossature s'amplifiait et se changeait en solide carène de bateau. L'espace informe était peu à peu maîtrisé par le rythme lancinant des poutres, qui paraissaient infiniment semblables les unes aux autres – même si au cours de cette première période, en regardant de près les agencements du bois, on pouvait déjà déceler par endroits des accidents et des trouvailles, lire quand un ouvrier avait été pris par le doute et s'il avait souffert dans sa tâche, ou bien rêvé.

S'il s'était endormi, il arrivait que plus jamais il ne sache recommencer de la même façon. Ainsi, après ce qui avait dû être une très longue sieste, on était entré dans l'âge de fer : désormais la structure était de la même trempe que les rails, de sorte que le haut et le bas se confondaient sur des kilomètres. Durant cette phase s'étaient visiblement affrontés des partisans de la géométrie et d'autres de l'ornementation, les lignes pures et tranchantes contre les grillages flamboyants, par vagues successives et inégales jusqu'à ce qu'apparaisse enfin une véritable anomalie qui était au plafond un carreau de couleur. Grand comme une main et vert comme une feuille, accroché à l'angle supérieur droit d'une arcade.

C'était probablement une erreur, ou une protestation isolée. Mais cette tendance se manifestait à nouveau à quelques pas de là, de façon rouge vermillon. Et une fois testées plusieurs affirmations primaires on rencontrait les premières bribes de syntaxe, par exemple une combinaison de deux rouges près d'un bleu puis l'inverse, de deux bleus et d'un rouge qui s'en prenaient cette fois à la paroi. Plus loin, au niveau des rails, quelqu'un avait dû résister en arrachant certains carreaux qui laissaient un fantôme de ciment assez triste, mais la pousse reprenait avec davantage de vigueur au prochain virage. Au bout d'un certain temps la tendance céramiste s'était si bien imposée qu'on ne voyait plus du tout apparaître ni la charpente ni la terre et qu'on pouvait s'avancer sans crainte sous cette voûte totalement étanche et colorée. Quand l'ordre aléatoire s'était changé en formes et en histoires, on avait déjà totalement oublié qu'il y avait eu auparavant un autre monde.

On les aide à traverser ? Après la disparition de son enfant, Georges descendit à l'entrée et appela en vain à travers les quatre années de tunnel qui s'étaient écoulées depuis la première pioche. Il appela de toutes ses forces, en espérant que les parois porteraient son message au-delà de son souffle.

Comme personne ne répondait, Georges voulut appeler ses ouvriers. Il appela d'abord Grís, mais ne le trouva pas. Puis il voulut appeler les autres, ceux qui étaient baptisés de noms de couleurs : Azul, Verde, Amarillo ou Rojo, pour leur demander s'ils avaient vu son enfant. Georges appela ces noms au hasard, sans parvenir à se rappeler quel homme était derrière chacun, et n'obtenant toujours pas de réponse il s'assit sous le premier porche, le porche de bois. Après une longue rêverie il se releva et décida que le plus sage serait de continuer à creuser.

* * *

Ça avait dû les dépasser bien largement. Joshua lui-même, qui avait entre les mains une version réduite de l'entreprise sous la forme d'une carte, ne savait par quel bout dérouler le papier. Commençant au commencement il avait voulu s'emparer de l'angle inférieur gauche, pensant ainsi retenir de toutes ses forces ce qui devait correspondre en toute logique au sud et à l'ouest. Il s'était dit cela car il admettait désormais que le chantier Bernache, localisé aux environs de la frontière américano-mexicaine, avait progressé du sud au nord et à en croire ce que disait Grís, plutôt selon une diagonale sud-ouest/nord-est. Il était donc normal de commencer par saisir la carte par ce bout-là, mais encore ça ne lui disait pas pourquoi elle devait être si vaste, et compter un réseau de lignes aussi épais.

Au lieu de ricaner, il se demandait si le Mexicain, ou l'Indien, ou qu'importe ce qu'il était, qui l'avait mené dans ces combles aurait désormais l'indulgence de tenir l'autre extrémité de ce document excessif, afin de lui éviter la noyade. Non sans cesser de le taquiner, ne riant que d'un œil, Grís vint à son secours et l'aida à déployer les mètres surnuméraires de l'interminable carte.

Il fallut rapidement renoncer à l'étendre sur la table pourtant si vaste qui se trouvait au centre des archives pour offrir une planche de sauvetage aux malheureux chargés de trop de livres. On se mit donc par terre, en étalant l'immense feuille comme une embarrassante nappe de pique-nique faisant des sursauts rebelles à cause du vent. On la coinça le mieux possible, en choisissant finalement de dresser la table à la verticale pour gagner quelques mètres supplémentaires au sol. Mais les plis continuaient encore sur une large épaisseur, si bien qu'il fallut enfin renoncer à embrasser la situation d'un seul coup d'œil façon général d'armée – que Josh aurait jugée plus digne – et se mettre à genoux afin de déplier et replier petit à petit.

– Voilà! dit Grís d'un air satisfait, vraiment comme s'il était possible de prendre pied sur un point précis dans cette mer de papier.

– Voilà quoi? répondit Joshua d'un ton rogue.

– Eh bien, c'est là ce que je t'ai dit: Minas Blancas. Et il pointait en même temps l'amas du coin inférieur gauche.

– Et Livourne est là-bas! dit-il en pointant son index vers l'entrejambe de Joshua, car ce dernier avait essayé de caler avec ses genoux les plis infinis à l'autre extrémité pour pouvoir dégager la vue vers le sud. C'est tout au bout.

Pour l'instant Joshua n'avait pas assez de place pour vérifier. Il aurait fallu remballer l'extrémité sud, redéployer le nord pour trouver Livourne – en tout cas il n'y avait pas assez de place sur le sol pour regarder les deux à la fois. Alors Joshua se contenta de dire:

– Ah bon!

Et il essaya de se reconcentrer sur ce qu'il avait sous les yeux, et qui s'avérait déjà assez intrigant. Ainsi on pouvait constater que l'ensemble du plan était emmené par un axe principal extrêmement net, qui se prolongeait probablement de bout en bout, et qu'il comportait par ailleurs plusieurs autres lignes plus ou moins subtiles qui semblaient se ramifier ou parfois s'interrompre brutalement. Par ailleurs le dessin comprenait plusieurs degrés de couleurs et certaines traces s'étaient superposées à d'autres qui étaient plus claires et plus floues, comme si elles indiquaient des pistes anciennes, qu'on avait brouillées. Ce paysage exorbitant semblait donc cumuler sur une trame verticale une épaisseur temporelle, ce dont attestaient les dates indiquées à différents endroits de la carte. Certaines remontaient jusqu'à des âges antiques :

– Qu'est-ce que c'est que ça ?

– Ici c'est l'atelier olmèque du Xe siècle avant le Christ. Ils faisaient principalement des vaisselles.

– Et là ? (pointant une zone plus haut sur la carte, plus étendue.)

– Beaucoup plus jeune ! Mixtèque, Ve siècle après notre Jésus, tu vois ? Des ateliers mixtèques étaient en nombre, et plusieurs par siècle car ça vendait très bien.

Joshua était étourdi par ces découvertes. Il suivait du doigt le parcours principal du tunnel, et les artères secondaires où avaient été fabriqués les objets : Aztèques du XVe siècle, Mayas de l'an zéro, Toltèques… Il y avait des spécialités selon les galeries, par époque, civilisation, par type de poterie.

– Et pour le transport ?

– On ramenait tout vers l'arrière par les rails du tunnel. Et puis le responsable de New York payait le transport par avion. Parfois Florence et Georges s'y rendaient, parfois ils envoyaient quelqu'un pour surveiller le chargement. Vois qu'il y a beaucoup d'ateliers, mais on ne faisait pas un nombre si énorme d'objets, car il y avait aussi beaucoup de travail pour le creusement.

En effet, les indications s'enfonçaient aussi très largement en dessous de l'Histoire : on trouvait sous certaines zones du dessin des datations négatives à quatre ou cinq zéros. Le temps géologique s'était également immiscé dans la carte car il fallait repérer les qualités du sol pour adapter la méthode de forage.

Submergé par la carte, Josh lança à son camarade un regard alarmé. Il voyait les lignes en train de se concerter dans le coin inférieur gauche mais se refusait à admettre que ce groupe constituait tout juste une région liminaire de la carte. Ce petit amas de lignes que l'on pouvait clairement contenir sous le nom de Minas Blancas aurait pu être assez bénin, si seulement il s'était abstenu de proliférer au-delà de lui-même sur un nombre incalculable de kilomètres : marqués par les indications d'ateliers, mais aussi de noms de toutes origines, Jalisco, Monte Albán, La Virga Negra, la Rata, Grangère, Oldman, Souci – des noms connus ou inconnus, des noms propres et des noms communs. Grís les reconnaissait sans peine comme les étapes de son voyage.

« Quelle heure est-il ? », demanda Josh avec quelque inquiétude. C'était dimanche, et il était beaucoup trop tard pour se rendre à la messe. Josh n'en était pas personnellement contrarié, cependant il tremblait beaucoup à l'idée de voir dans l'âme de son ami le réveil affamé du Dragon Culpabilité. Mais en la matière, pour l'instant, rien. Grís n'avait pas exprimé le moindre scrupule religieux depuis qu'il avait annoncé son projet de voyage dominical quelques jours auparavant. Pour excuse, il ne connaissait aucune paroisse sur laquelle il pouvait se replier à Chicago. Il était trop vieux pour changer ses habitudes. Et de toute évidence il avait décidé ce jour-là d'ignorer totalement ses devoirs de piété... À moins que (Josh se perdait en conjectures), à moins que ce lieu où il l'avait mené ne soit en fait un genre de Cathédrale. À la réflexion, cela pouvait s'en approcher. Il y avait là assez de voûte pour élever ses pensées, assez de silence pour se recueillir. Josh se sentait déjà au bord de la prière.

Mais (le scrupule venait gâcher l'élan mystique) si cet endroit était un lieu de culte, alors Grís et Josh étaient à coup sûr d'affreux profanateurs. Après s'être extasié sur les compétences de Grís dans les choses du cambriolage, Josh sentait refluer le soupçon et la peur. Tout cela s'était passé si vite qu'il n'avait pas eu le temps de réagir ou de faire le moindre commentaire – c'est ce qu'il prévoyait de dire s'ils se faisaient prendre, et aussi qu'il ne savait pas que l'accès était interdit.

Pourtant, tout avait commencé dans le meilleur respect des règles de la civilisation. Samedi soir, à l'heure de la bière, Grís et Josh avaient fait sagement la queue au guichet de la gare routière de New York, pour prendre le bus qui avait un nom de chien : Greyhound. À bord du lévrier fantastique, Grís et Juan avaient traversé un pays de forêts et de lacs, ou ainsi apparu dans les rêves de Josh, et au petit matin ils étaient arrivés à Chicago. Après lui avoir accordé le temps d'un café, amer mais salvateur, Grís l'avait conduit à une station de train, pour gagner le sud de la ville. Il marchait d'un pas vif et déterminé, et dès dix heures du matin les deux hommes avaient eu l'honneur de faire l'ouverture du Pullman Factory Museum, installé dans les bâtiments mêmes des anciennes usines Pullman. L'entrée principale se trouvait devant ce qui avait longtemps été le bâtiment de l'administration, énorme nef de briques précédée d'une tour. Curieusement, la billetterie n'était pas à l'intérieur de ce vaste ensemble : il avait semblé utile, pour ne pas nuire à l'intégrité du lieu, d'installer à quelques pas devant le portail une guérite en plexiglas, juste assez grande pour contenir un homme assis.

Celui qui s'y trouvait était extrêmement vieux. Il portait une sorte de livrée bleu acier à boutons dorés, en hommage à ce qui avait dû être l'uniforme des grooms et porteurs de valise lors des grandes années de la Compagnie. Perché sur un tabouret, il semblait s'arrondir péniblement à cause de l'absence de dossier, ce qui lui mettait toute la tête à proximité de la fente par laquelle il recueillait l'argent et distribuait les billets d'entrée. Au moment de les empocher, Josh fut surpris de le voir soudain redresser son visage et regarder Grís avec intensité. Sa maigre tête, environnée de boucles grises et d'épaisses lunettes rondes, contempla avec avidité ce nouveau visiteur – puis replongea brusquement derrière la vitre sans une parole. Grís, qui ne parut pas remarquer cette apparition, conduisit Josh à l'intérieur du bâtiment. Alors qu'ils s'éloignaient de la guérite, Josh eut l'impression que le vieil homme jetait ses yeux à leur poursuite mais… il n'eut pas le temps de vérifier : Grís poussait déjà la porte pour entamer au pas de charge cette visite touristique si peu conventionnelle.

Le site était organisé de telle sorte que personne ne pouvait s'égarer ou manquer une étape. Autour du Lac Vista, un lac artificiel fréquenté par d'aimables cygnes, la vie de milliers d'ouvriers avait été sponsorisée et animée avec le plus grand dévouement par la Compagnie à la fin du XIXᵉ siècle, et aujourd'hui des panneaux fléchés guidaient les touristes d'un bâtiment à l'autre, et dans le sens des aiguilles d'une montre leur permettaient de passer d'un hangar au prochain hangar, de l'infirmerie à la cantine, de la chapelle à la salle des fêtes.

Grís ne s'intéressait pas au premier bâtiment. Bien que celui-ci soit fichu d'un genre de clocher comme une église, il ne parut pas émouvoir le fervent catholique, qui traversa la nef d'une seule traite sans prêter la moindre attention aux panneaux reproduisant les publicités de la compagnie dans les années 1930 à 1950, et leurs beaux slogans éloquents comme « Pour Noël : tous à bord ! » (décembre 1949), « Toutes ces choses merveilleuses arrivent seulement quand vous voyagez Pullman » (1950), « Toutes les 2 minutes et 48 secondes, un soldat prend un train Pullman » (1942), « C'est nous les gars

de la Pullman » (1943), « Chaque kilomètre est une fête »
et « Voilà ce que j'aime quand je voyage ! ». Non, tous ces
vitraux des temps modernes n'eurent pas l'hommage d'un
seul coup d'œil de la part de Grís. Il ne s'intéressait pas non
plus aux souvenirs du Magasin des Matières Premières, ni
de la Crèche, qui se trouvaient côte à côte. Il entraînait Josh
dans un manège frénétique, sans prêter la moindre attention
aux témoignages historiques de ce site désert, et il circulait
sans s'arrêter, entrant et ressortant à toute allure de chacun
des bâtiments qui entouraient le lac.

Enfin, au grand soulagement de Josh, le fracas d'un
immense portail métallique mit fin à leur course : ils étaient
parvenus à l'intérieur de l'Atelier d'Assemblage, corps
d'usine le plus imposant de tout le complexe. Sous le scin-
tillement innombrable de la voûte en briques, Josh fut ahuri
par une vision à la fois monstrueuse et charmante : devant
eux se tenait une roue de fête foraine absolument gigantesque, hérissée tout entière d'un système compliqué de
pistons. Pour la première fois depuis leur arrivée dans la
Ville Pullman, Grís s'arrêta pour lire une toute petite pan-
carte qui disait, comme une mise en garde devant une niche
de chien méchant, la chose suivante :

« Moteur à Vapeur Corliss : Reproduction Strictement Identique. Ce Géant de Fer et d'Acier fut présenté pour la première fois à l'Exposition Universelle de Philadelphie en 1876.
D'une hauteur de 21 336 mètres, il est actionné par une roue
centrale extraordinaire d'un diamètre de 9 144 mètres. Il pèse
650 tonnes et possède 4 pistons. Il a une puissance prodi-
gieuse de 1 400 chevaux. George Pullman acheta l'inimitable

moteur Corliss en 1880, et dut le faire acheminer à Chicago en 35 wagons. Après 30 ans au service du Progrès, il fut détruit et revendu sous forme de ferraille pour un montant de 8 dollars la tonne. – Cette reproduction a été réalisée grâce à l'aimable contribution de la Fondation Pullman.»

Elle était retenue au sol par plusieurs escaliers et, après avoir laissé Josh reprendre son souffle pendant quelques instants, Grís aborda sans hésiter le premier d'entre eux et se mit à gravir le long du monument. Josh le suivit. Ils parvinrent à une petite plateforme avec un tableau de bord, où devait se tenir historiquement l'ingénieur surveillant aujourd'hui remplacé occasionnellement par un animateur du musée. D'ici, Josh pouvait voir que la roue fendait le sol et descendait quelques mètres en dessous. Grís le fit asseoir sur un de ses rayons, actionna un bouton du tableau de bord, et le rejoignit précipitamment sur son perchoir. Par miracle (et pour la joie des démonstrations publiques du samedi après-midi), l'essieu était huilé, et il n'y eut pas de bruit. Josh sentit son estomac envahir sa gorge, et se souvint un peu tard qu'il détestait les manèges.

Grís n'était pas un excellent guide touristique, mais pendant que la roue glissait doucement vers l'étage inférieur, il se rappela les paroles d'un ouvrier de la Grande Époque et voulut les faire partager à son compagnon de monte-charge. Esquissant au-dessus de sa tête un geste circulaire comme s'il désignait l'ensemble de cette ville-musée, il murmura avec son accent espagnol qui rendait chaque mot lourd et blessant comme une pierre :

– Nous sommes nés dans une maison Pullman. Nous

achetons notre pain dans les boutiques Pullman. Nous envoyons nos enfants s'instruire dans les écoles Pullman, nous allons à la messe dans une église Pullman.

Il se tourna vers Josh d'un air navré, et ajouta :

– Et quand nous serons morts, nous serons enterrés dans un cimetière Pullman, et nos âmes seront damnées dans l'Enfer Pullman.

La roue s'arrêta. Ils étaient arrivés dans le sous-sol de l'usine.

* * *

Après la disparition de Niño, Georges et Florence avaient continué de se rendre en expédition à New York. Ils avaient laissé s'installer dans leur vie un deuil sans cadavre qui les rendait éternellement mélancoliques, mais continuaient de s'accrocher de toute leur énergie au projet du tunnel comme si leur travail forcené pouvait contribuer à leur ramener Niño. Ainsi, ils avaient l'habitude de louer ensemble un petit appartement au sud de l'Île de Manhattan, près de l'eau, et ils y préparaient une fois par an les transactions qui devaient avoir lieu avec Gabriel Gould.

Le 24 juin 1954, il faisait un soleil radieux. Florence cassa les œufs un par un pour les faire miroiter dans la poêle. C'était la dernière étape. Les choses prêtes étaient déjà sur table, une salade verte, des *bagels* grillés, un pot de fromage à tartiner et une tarte aux pommes. Elle servit les œufs et ils s'attablèrent ensemble pour partager un petit déjeuner qu'en manière de commémoration ils avaient intitulé l'Ambassade.

Quand tout fut consommé, elle mit sur la table un petit ensemble en ferraille qui ressemblait à une dînette de poupée, et ils commencèrent à fumer l'opium. Cela aussi faisait partie du lot d'importation. Comme la séance s'éternisait, le soleil n'était plus à la fenêtre depuis plusieurs heures et à la place, on voyait maintenant ce qu'on avait dans la poitrine, car le corps était une lanterne magique qu'on pouvait allumer en rajoutant du combustible. Allongés côte à côte, ils regardaient sur les murs les reflets que faisait l'opium. Regarde ! Toi et moi nous voyons en ombres colorées ce que chacun garde en son âme. Parfois elles se recouvrent et forment des bouquets plus sombres et d'interminables rosaces, mobiles comme la surface des fontaines, criblées de taches. Regarde ! et passe-moi un peu de fumée, qu'à mon tour je m'éclaire. L'appartement était si haut dans le ciel qu'ils se retrouvèrent seuls dans les nuées de lumières électriques.

Bientôt, il leur sembla que les eaux de l'Hudson étaient montées jusqu'à eux puis les avaient doucement attirés dans leurs profondeurs. Reposant tendrement dans la vase, ils contemplaient désormais sa surface enchantée sous les milliers de mètres d'eau qui recouvraient la ville depuis que la crue était montée dans Manhattan jusqu'au sommet des tours. C'était bizarre de sentir le fleuve à la place des rues, mais ils étaient en train de s'habituer au naufrage de la civilisation. Georges, qui s'était mis pour un jour à la langue autochtone, dit très clairement : *If we fish some fish before daybreak, then we could eat it*, et Florence approuva avec énergie, car elle aussi recommençait à avoir faim. Elle attira jusqu'à elle une couverture pour voiler la nudité de ses songes, et sortit sa tête et ses membres de cette marée de fleurs, ainsi que ses longs cheveux. Elle posa son regard de saphir sur le corps de Georges, qui était nu dans le lit du fleuve. Chaque parole qu'ils prononçaient se changeait en perles, et l'eau était constellée par ces mots anglais qu'elle était si heureuse de se remettre en bouche.

Les présents de la délégation s'étaient éparpillés dans la vase. En approchant un tube phosphorescent, elle vit que certaines poteries avaient été conquises par des grappes de pieuvres mauves que la lumière éparpilla. Dans un panier, ils avaient aussi apporté des masques, de la vaisselle et des bijoux dorés qui s'étaient emmêlés dans les algues. Ils étaient bien décidés à porter ces trésors à Gabriel Gould pour garantir le chantier qui devait à tout prix continuer. Ils avaient coutume de tout lui livrer en une seule fois, les objets en même temps que l'offrande de quelques sachets d'opium, le meilleur extrait de pavot de tout le Sinaloa.

Elle se recoucha contre Georges, et ils firent de nouveau s'envoler un peu d'or. Après, Georges saisit une des choses en argile, une coupe évasée qui représentait un sein de Coyoloqi, déesse de la lune, encore plein de sable, et le travail reprit. Enfin, Georges se leva et remit autour de son jean sa ceinture à boucle de corail. Il attrapa Florence par la main et l'emmena au comptoir de la cuisine, où il lui fit du café. Avant de le servir dans le joli bol en argile qu'ils venaient de pêcher, il vida quelques algues dans l'évier et l'essaya au sein de Florence, le droit, non, le gauche : il lui allait parfaitement, comme si elle avait été la véritable déesse qui avait servi de modèle. Le visage de Georges se troubla en croyant retrouver la matrice. Ça lui donnait un soupçon, dit-il. Secouant le sable et les coquillages de ses cheveux, Coyoloqi rajusta sa blouse à l'intérieur de sa jupe et éclata de rire.

* * *

– Et ces objets ? demanda Josh.
– Ces objets ? (Grís était d'une rêverie insondable.)
– Les poteries ?
– Elles sont là, dit Grís. Autour de nous.

Josh sortit enfin le nez de son exploration. Depuis qu'ensemble ils arpentaient ce territoire horizontal, il n'avait pas vraiment prêté attention à la pièce qui les entourait, trop absorbé par les plis de la carte et le conte hypnotique de Grís – qui depuis l'arrivée dans le sous-sol inhospitalier de la Pullman n'avait cessé d'évoquer le souvenir du chantier Bernache, ses aventures passées.

En détachant son regard de la carte, il commença à sentir les innombrables paires d'yeux qui étaient posées sur lui. Il se leva trop vite, et avant d'avoir pu identifier une de ces créatures parmi la foule des rayonnages qui l'entouraient, il eut la tête assaillie par le vertige et dut s'arrêter brutalement. Après quelques secondes sous le feu croisé de ces regards, la sensation disparut, il parvint à se remettre en mouvement, à s'approcher avec précaution, et il vit : des figurines d'animaux, ou des sujets humains représentant des activités de la vie quotidienne, religieuse ou politique. Que ce soient des bêtes ou des hommes, ils étaient tous sculptés dans la même terre rouge. Ils étaient dans différents styles méso-américains que Josh reconnaissait pour les avoir déjà rencontrés dans des musées : le visage plat, les jambes courtes, des séquences d'ornements ronds et pointus, des yeux très grands et un peu bridés. Certains avaient la tête scindée en plusieurs couronnes de plumes, masques et casques superposés, d'autres étaient des êtres lisses et élémentaires, avec des figures chauves de bébés.

Beaucoup de ces objets étaient creusés en leur milieu, pourtant on ne pouvait savoir s'ils devaient servir comme simples récipients, urnes funéraires, ou comme statues votives sans autre fonction que d'être adorées. Leur simple présence semblait anéantir la question de leur utilité : le fait d'avoir été créés en si grand nombre, dans une telle diversité de formes et de postures, les rendait légitimes. Alignées entre les montants métalliques et les néons, ces milliers de poteries ne faisaient rien moins que témoigner de l'existence des dieux et des hommes : tous les animaux selon leur espèce, tout le bétail selon son espèce, tous les reptiles qui rampent sur la terre selon leur espèce, tous les oiseaux selon leur espèce, tous les petits oiseaux, tous ceux qui ont des ailes et tous ceux qui n'existent pas, auprès d'opiniâtres humains qui pour l'éternité sur les étagères étaient chargés selon leur espèce de cultiver, chasser, coudre, cuire, jouer, mourir, monter à cheval et enfanter. Dans le dos d'une modeste jeune femme aux yeux et aux cuisses d'engobes gris, et qui tenait contre son sein un nourrisson emmailloté, Josh déchiffra une vieille étiquette qui indiquait : « Donation Gabriel Gould. – *Argile rouge.* – GG.786b. », et la voix de Grís derrière lui précisa :

– On les a fabriqués pour pouvoir continuer le chantier.

Pendant longtemps, on les fabriquait et puis on les faisait traverser.

– Qui exactement les fabriquait ?

– Les hommes-couleurs les fabriquaient. Moi j'en ai fait. Et puis les autres ouvriers du chantier.

– Tout le monde ?

– Ils en ont fait beaucoup plus après la disparition du gamin aîné. Les hommes sur le chantier avaient toujours fabriqué des choses comme celles-là, depuis le début, mais après on s'est organisés en la manufacture de ces objets. C'est comme cela qu'on a payé la tranquillité pendant qu'on n'avait pas encore livré le pétrole.

– Ça vaut quelque chose ?

– Cela dépend… Tu crois ? Qu'est-ce qui vaut quelque chose ?

– Puisque ce sont des faux ?

– C'était difficile de les faire. On nous avait amené certains modèles du chantier du D.F. où étaient les Bernache avant ça. Souvent si on les faisait mal, il fallait casser les pièces, recommencer. On se faisait crier. Et après il fallait les garder avec des soins pour les faire traverser sans dommage.

– Et vous les faisiez se mélanger aux vrais dans les collections ?

– Ils sont beaux ! Qu'est-ce que tu penses ? Ils sont vraiment là. Tous sont venus pour de l'argent. Ils ont été créés par des personnes réelles, de vrais objets qui étaient difficiles, tu appelles ça des faux ? Il fallait plusieurs jours pour les fabriquer, parfois plus d'une semaine. Alors, tu vois bien · ils ont été créés.

II

X. Quetzalcóatl (questions aux dieux)

Alors, où tu vas gamin ? Ils l'ont hélé comme ça, et il s'est arrêté près du désert en les regardant droit dans les yeux. Où c'est que tu vas ? Ou bien, je me rappelle pas exactement, c'était peut-être : tu crois que tu vas aller loin comme ça ? Et il a obtempéré, il s'est arrêté. Près du désert, il s'est tourné vers eux. Il était pas bien grand, quelque chose comme un mètre trente au garrot c'est pas pour se sentir menacé. Il les a regardés mais il a pas répondu à la question sur où il allait. Ils demandent jamais d'où ils viennent dans ce cas, mais ils se contentent seulement d'un : où vous allez ? D'où ils viennent ça nous intéresse pas : c'est leur problème. Nous on s'occupe de les renvoyer, c'est tout. Les renvoyer où ça n'est pas notre affaire. N'empêche que des fois c'est pas simple, ça peut nous mettre mauvaise conscience. Il y a ceux qu'on remet au Mexique à n'importe quel endroit du désert. Ils viennent rarement du désert pourtant, avouez que le désert c'est désert, alors on a du souci de les relâcher comme ça, sans eau. Sans compter qu'il y a ceux qui ne viennent même pas du Mexique : ils arrivent d'encore plus bas au sud, de pays que vous allez même pas connaître, où c'est la chaleur humide et la verdoyance. Mais on n'a pas le temps pour ces bavardages. On va quand même pas les inviter à partager une bière en parlant du paradis qu'est perdu. Il faut pas se leurrer en tout cas, personne vient du désert du Sonora, du désert du Chihuahua : c'est des conneries qu'on nous dit pour gagner du temps. Vous les remettez chez eux, c'est tout. Eh oui, sauf que le désert ça n'a jamais été chez personne. Alors si on voulait pas saloper le travail faudrait plutôt se renseigner pour savoir où les remettre pour les remettre bien à leur place, au lieu de les lâcher dans cette fournaise par manque d'eau, par manque de cœur avec seulement «rentrez chez vous». Moi j'aimerais les aider un peu mais il y en a tellement. On les met hors de l'endroit où ils doivent pas être. On essaye de pas blesser d'habitude, mais c'est les instructions : mettre dehors peu importe où.

Alors, où tu vas gamin ? Il s'est mis immobile devant le désert mais il a pas parlé. Il était vraiment pas haut, et malpropre comme sont les chacals avec le sable croûté aux endroits où il avait du pleur et de la morve, sous les yeux, autour de la bouche, sur les joues. Sauvage avec ça, méfiant et pourtant si petit gamin. On l'a appelé et vu son visage quand il s'est tourné et mis immobile devant le désert. Il a pas répondu à la question. Son pantalon déchiré et sa chemise n'en parlons pas, qu'était plus une chemise. Les genoux écorchés chez cet âge ça veut rien dire, mais aussi des bleus, des écorchures aux mains restées des travaux durs. Ils les prennent sans leur demander leur âge c'est certain. D'où ils viennent, c'est encore moins leur affaire, à eux.

Ils les font travailler, à certaines usines, parfois des agricoles à des bons kilomètres au nord d'ici, où ça pousse bien. Mais nous notre boulot c'est de les empêcher d'aller où ils vont, c'est seulement ça qu'on demande. Et en général ils ne savent pas, ou bien ils cachent leur jeu, sont fourbes, et notre rôle est de les sortir de là, de les mettre au désert côté mexicain, qui soyons honnêtes ressemble en tout point au désert côté américain, sauf qu'au moins c'est pas chez nous. Après ils se débrouillent mais je vous signale qu'ils ont pas d'eau. Un cactus ça nourrit pas son homme, à part peut-être les feuilles de yucca mais ça c'est ce que disent les bonnes femmes. Car il en vient aussi qui sont des femmes. Une fois elle était enceinte mais je préfère pas y penser. Un ventre aussi énorme, c'est pas un cas qui est prévu.

Je suis pas mauvaise personne je demanderais bien d'où ils viennent, me renseignerais à quoi ça ressemble là-bas et pourquoi ils ont la maladie de quitter. J'aimerais bien avoir le temps de faire plus connaissance, de discuter, histoire qu'ils sachent que le pays d'ici n'est pas forcément mieux, à ce que j'en sais. C'est pas joli au point qu'on se paye des voyages aussi terribles, je leur dirais ça si j'avais un peu de temps. Mais il y en a tellement… Vous imaginez ? Madame, asseyez-vous, je viens de faire du café, il est tout frais, voilà du lait, du sucre Madame, voyez, notre démocratie n'est pas pour chaque humain et statistiquement la fortune fait pas rage pour tout le monde, moi-même qui vous parle, chère Madame et cetera. Vous donc, racontez-moi plutôt : comment c'est par chez vous, les gens, les paysages ? La souffrance ? Ah la souffrance ! Mais vous savez nous aussi on en a, comme c'est intéressant, quel heureux hasard et quelle coïncidence.

Vous imaginez qu'on ait le temps avec tous ceux qui nous arrivent et qu'on doit renvoyer ? Là on tenait un gamin. D'où qu'il vienne un gamin ça mérite de la délicatesse non ? Dans un paradis j'aurais pris un peu de cœur pour le bavarder, lui demander où étaient ses parents, s'il pouvait les retrouver, je lui aurais offert du Coca comme aiment les gens de cet âge-là, on se serait mis à l'ombre tous les deux pour se raconter d'où on venait, comment c'était. Des fois c'est le temps qui manque, et des fois c'est le courage. On n'est pas dans de bonnes conditions pour ça, et ils sont pas trop coopératifs. Par exemple lui, un méfiant et malpropre, on connaît cette sorte, sauf qu'il avait les yeux très en flammes, j'aurais cru à une maladie. Avec son pantalon crevé, sa chemise pleine de bleus, sa peau déchirée par en dessous. Les yeux horribles. Devant le désert il a pas répondu à la question. Il a regardé. Il a attendu.

*　*　*

D'où il venait je ne sais pas, ça le regarde. Au milieu du désert, à quelques mètres de la route qui va à Santa Fe, moi qui vous parle et ma fille qui se nomme Kareen on a retrouvé un homme fait, d'une vingtaine d'années et qui semblait mort. Remarquez que ça arrive souvent qu'on retrouve de ces gars qui vont cherchant de l'emploi, qui n'ont plus leur tête à eux, juste des corps, des mains. Ils travaillent dans les usines ou les exploitations agricoles alentour, mais quand on n'a plus besoin d'eux ils se retrouvent en bien mauvaise situation, et la police n'a pas toujours des gestes tendres. Disons comme ça pour aller vite : ils doivent fuir, pas trop se faire remarquer, ou bien c'est les coups en manière d'avertissement, ou on les ramène de l'autre côté. Mais ce qu'ils veulent c'est rester, revenir. Attendre que de nouveaux emplois se débloquent. Il y en a qui sont jeunes, mon Dieu, jeunes. Mais je dis que celui-là c'était déjà un homme fait et bien fait, et que je n'en avais jamais vu en si mauvais état. Il n'est pas obligé de me raconter tout et je le respecte : il me dira s'il veut, quand il aura envie. Quand il aura repris des forces et qu'on pourra parler. On n'en est pas encore là, le pauvre homme. Je n'en avais jamais vu un qui était autant amoché. Alors d'ici qu'il respire normalement, qu'il se remette à manger, à avoir le goût de la parole, c'est encore loin. Donc je vais patienter avant de l'inviter à prendre un verre sur la galerie, à me parler avec un peu d'alcool. Pour l'instant c'est juste ombre et sommeil, ombre et sommeil, jusqu'à ce qu'il se répare. Moi qui vous parle et ma fille qui se nomme Kareen on a bien de la peine avec cet homme-là. Et je peux vous dire qu'on ne se vante pas de l'avoir chez nous car pour être autant abîmé il a dû sacrément contrarier quelqu'un que je ne voudrais pas avoir l'honneur de connaître. Peut-être un patron d'atelier, ou bien des gars de la surveillance à la frontière. Enfin, quand on revient de si loin, et tabassé comme ça, et tuméfié, il faut de l'ombre et du sommeil.

Quand on l'a retrouvé il était couvert de terre : il y en avait dans ses poches, dans ses souliers, et condensée sur tous les plis de son corps qui lui collait les yeux, et à l'intérieur de sa bouche. C'était comme si on avait cherché à l'enterrer vivant, et il s'en est sorti d'une façon que j'ignore. Collé de terre tout entier, prêt à s'abandonner aux flammes du soleil jusqu'à être humblement poussière, et un tas d'os. Mais son front était brûlant et il n'était pas réellement mort, même si on l'aurait cru sorti de la terre à cet endroit-là.

À cause de la terre on n'a pas vu tout de suite la couleur de sa peau, il aurait pu être un nègre comme moi qui vous parle et ma fille Kareen, ou un Blanc comme eux, ça ne faisait pas de différence visible. Tout couvert de terre, et Kareen a mis bien du temps à le nettoyer entier. Une éponge d'eau tiède, doucement parce que les plaies étaient salement ouvertes : alors peu à peu on a vu qu'il était pas blanc, pas noir. Pas beaucoup de poils et les cheveux lisses comme une plume de corbeau. L'éponge tiède a fait fondre la terre, et le rose des plaies on l'a fait sécher avec un peu d'eau de vie qu'on avait, faite à la chair de cactus. Seulement quand il a été tout nettoyé on s'est rendu compte que c'était un de ces hommes de là-bas au sud qui sont ni blancs, ni noirs. Quand il a été nettoyé, Kareen elle l'a trouvé vraiment joli. C'est son affaire, ma fille elle a ses goûts. Elle peut aimer les gens de la couleur qu'elle préfère tant que ça nous attire pas des ennuis. Nous on s'en tire pas mal, vu qu'on a une ferme qui nous appartient. Un Noir qui a réussi ce n'est pas une mince affaire mais c'est une autre histoire.

Ce que j'essaye de vous faire comprendre c'est qu'on ne voulait tout de même pas s'attirer des ennuis. Profil bas. Quand on l'a trouvé on l'a donc chargé dans le camion et ramené chez nous en vitesse et secret. Ombre et sommeil c'est ce qu'il lui faut, et puis que personne d'autre s'en mêle. Kareen s'occupe de lui, pour l'instant elle lui donne de l'eau à la petite cuillère. Il ne marche ni ne parle. Hier il a un peu ouvert les yeux, sous les sourcils en aile de corbeau des yeux tirés aux tempes, elle dit qu'il l'a regardée et que ses yeux sont vivants. Elle lui a dit son nom, Kareen, mais lui il faut le laisser tranquille car il n'a pas encore la force de dire quelque chose. Ombre et sommeil, en attendant. Plus tard on se mettra sur la terrasse. Bavarder, se raconter d'où on vient. Mais pour l'instant il faut qu'il récupère. Kareen s'occupe de lui, elle s'occupe bien de lui.

* * *

D'abord Red lui a demandé d'où il venait mais l'Indien n'a pas répondu. Alors il lui a demandé de jouer un truc qu'il avait appris par chez lui, pour voir. C'est en 1959 qu'on l'a vu débarquer, une sorte d'Indien. Je dis Indien mais il a jamais répondu exactement à la première question de Red donc ça ne nous dit pas tout sur ses origines.

Comme je l'ai déjà dit il ne parlait pas beaucoup, sauf pour dire qu'il cherchait un endroit où jouer. Le reste du temps il s'exprimait d'une façon à nulle autre pareille, à travers sa musique. Ça il ne reste aucune chance que vous l'entendiez car on n'a pas d'enregistrement : alors désolé pour le fait que vous ne connaîtrez jamais le bonheur. Il n'y a pas d'enregistrement. C'est très dommage, c'est un crime dont je vous demande pardon et quant à moi je m'en irai devenir fou. De toutes façons c'est un autre sujet, un sujet lamentable que je garde pour plus tard. Passons.

Disons qu'au départ on ne l'a pas accueilli tout à fait comme il se doit dans ce que je nommerais la bonne société. Ce n'était pas complètement de notre faute : dans ce temps-là, chez nous un musicien c'était un Noir. Alors quand on a vu débarquer cet Indien... ça nous a fait rire parce qu'on voyait déjà de toutes les couleurs de Noirs à la Nouvelle-Orléans, des Noirs noirs, des Noirs à moitié, des Noirs créoles, des Noirs blancs et des Noirs chinois, car on ouvrait le jazz aux enfants de la curiosité. Toutefois on n'avait jamais vu un Noir de cette façon : du genre indien avec un accent espagnol. C'était nouveau, pour nous.

Il demandait juste un endroit pour jouer, il disait : j'ai ma trompette, je peux vous montrer. Mais quand il a eu posé sa question Red a éclaté de rire, il a pris un ton méprisant et lui a expliqué que peut-être ils cherchaient un Indien pour nettoyer les chiottes au bar d'en face, mais que pour ça ils pourraient lui fournir les instruments. Qu'il fallait pas qu'il se donne cette peine de transporter son matériel. Et puis il a ajouté, un peu par vengeance : que chez nous on acceptait seulement les Noirs. Il a dit ça sans faire attention et je ne pense pas qu'il l'ait regardé en lui parlant, il était plutôt en train de faire semblant de s'occuper d'autre chose, par exemple il a toujours l'air très concentré quand il nettoie sa trompette et ne regarde pas les gens mais seulement démonte les pistons et met ses yeux dedans, comme un expert.

Pendant ce temps l'Indien était resté silencieux, avec sa mallette à la main comme une arme nucléaire. Il était encore infiniment jeune et dérisoire à l'époque, pourtant ses yeux tranquilles sous les ailes de corbeau n'étaient pas pour se faire désobéir. La musique restait enfermée dans la mallette et il continuait de se taire. À cause du silence et des battements de la musique à l'intérieur de la mallette, Red aussi a commencé à avoir peur. Il est devenu grave et au bout d'un moment il a essayé de lui demander calmement de quoi il jouait.

Il a toujours pas répondu. Au lieu de ça il a ouvert la mallette et extrait l'animal fantastique qu'on n'avait jamais vu dans cette ville, ni dans cette contrée ou ce pays. Peut-être deux ou trois boucles dans le cylindre, mais pas compact – long comme le buste, et j'ai compté dedans sept pistons : comme si c'était l'enfant bâtard d'une trompette et d'un saxe.

Il faut que je vous dise la couleur. Pas le jaune du cuivre ou du laiton, mais d'un gris vif comme le flanc d'un âne, froid comme la glace : de l'argent c'était, un instrument en pur argent – une bête que vous trouverez pas entre Saint-Louis et Nantucket, même si j'ai beaucoup voyagé.

Quelqu'un s'est mis à pleurer tout doucement. Ça venait du fond de la salle. Ou de dehors, derrière la porte, ou de l'estrade. Il y avait Dieu au comptoir, le cœur tordu sur son whisky. Une porte a claqué, et le souffle du ciel a enserré les murs de la baraque, la tempête peu à peu gagnant de l'ampleur. Pour pas être emportés, Red et moi on a décidé de s'asseoir. On s'est mis à comprendre que tout ça venait pourtant d'un seul endroit : l'œil du cyclone c'était ce pavillon d'argent et de chair, qui gueulait. Peu à peu ça a pris de la forme, comme plusieurs se répondant, car la durée d'un son accompagnait le suivant avant de mourir, parfois il tenait deux ou trois lignes à la fois, et une qui s'était éteinte revenait dans la nasse et repartait. La douleur accouchait de nuances de plus en plus tendres, jusqu'à ce qu'elle se sépare d'elle-même et devienne une seule note tendue dessous toutes les autres, parmi lesquelles le rire, l'amour et la joie, qui irradiaient du corps de l'Indien immobile.

Chez Red, on devait donner un concert le soir même. On lui a dit qu'il pouvait rester avec nous, s'il voulait. Qu'on allait s'arranger pour le loyer.

* * *

Sur la grande carte du chantier, Florence voyait que chaque semaine de nouveaux noms de lieux étaient inscrits, sans qu'elle puisse jamais savoir quelle main les avait tracés. Le baptême de telle ou telle galerie, de tel ou tel croisement ou atelier dans le tunnel lui semblait aussi lourdement déterminé et aussi arbitraire que la naissance des autres mots du langage. « Qui nomme les choses ? », pensait-elle en suivant du doigt un nom de femme qui avait été tracé avec soin sur le pourtour d'un puits, « Qui, le premier, décida que cela serait l'*eau* ou l'*enfant*, et cela la *terre* ? » Le bruit court, la rumeur enfle, le mot nouveau passe de bouche en bouche dans un baiser ou se partage dans un repas, il se tète au biberon et s'enfuit des lèvres des morts. Et quand il parvient jusqu'à nous, celui qui le premier l'a prononcé n'est plus – ou bien a-t-il jamais existé ? Sur la carte du chantier, Florence voyait naître avec émerveillement ces dizaines de noms qui n'avaient pas de père.

Elle s'extasiait de ces apparitions de toutes sortes, celles des villes ou celles des champs, poétiques ou triviales, nobles ou modestes et qu'on pouvait trier comme des fleurs, Jalisco, Monte Albán, La Virga Negra, la Rata, Grangère, Oldman, Souci. En toute circonstance il y avait toujours eu quelqu'un pour savoir y faire, et le nom choisi n'entravait jamais les croyances des autres mais excitait les imaginations, entraînait la naissance d'autres noms. Ainsi il y avait fort à soupçonner n'importe qui, par exemple la bande des ouvriers couvreurs qui parcouraient les entrailles du monde sans jamais être à court d'idées. Les hommes-couleurs relayaient souvent les vœux des ouvriers en matière de noms, ils ne leur refusaient rien et reportaient leurs désirs sur la grande carte qui était affichée à l'entrée des galeries ou circulait de main en main, quand ceux-ci ne notaient pas directement ce qui leur passait par la tête sans demander à personne de les autoriser. À travers ses galeries, ses escaliers, ses puits et ses carrefours, le tunnel bruissait d'innombrables noms car il se trouvait toujours quelqu'un pour vouloir rendre hommage, se souvenir ou espérer. Ces noms n'avaient jamais été écrits par hasard : on pouvait même repérer dans leur développement une logique assez ferme – « Je crois qu'il n'y a pas là plus de hasard que dans une tête de laitue ou bien une cathédrale », pensait Florence. C'est ainsi qu'elle scrutait la carte du chantier dans laquelle son enfant avait disparu. Elle l'interrogeait à titre de complice et de receleuse ; la carte continuait de répondre avec des mots étranges qui la plongeaient dans des abîmes de questions.

Parmi cette nébuleuse de noms, de toutes les langues

et toutes les allégeances, il y en avait un qui retenait terriblement son attention. Elle avait vu ce nom surgir et mordre sa conscience dès le lendemain de la disparition de Niño : *Quetzalcóatl*. Le nom du dieu aztèque, vois-tu cela ? Son corps de serpent était couvert de plumes vertes : ce petit tas de lettres s'était insinué près d'un puits, à la lisière de Minas Blancas. Et il reparaissait plus loin, à l'endroit même où on avait retrouvé les affaires de Niño : un livre, une maracas (où était la deuxième ?), une galette de maïs racornie. Épuisés par les nuits de veille et de recherche fébrile, Florence et Georges voyaient ce mot dans son corps de serpent couvert de plumes vertes, mais aussi avec un visage humain, un visage de dix ans brun et lisse, aux yeux tirés aux tempes sous d'épais sourcils noirs. Un enfant à plumes : c'était un signe de vie les incitant à garder espoir, à suivre la piste. Comment expliquer autrement qu'il soit apparu au moment exact de la disparition de Niño ? *Quetzalcóatl* : il était écrit en plusieurs endroits du tunnel, et certainement prémédité.

Quelle main l'avait tracé ? L'enquête de Georges parmi ses ouvriers ne donna rien. Ils se contentèrent de faire des commentaires mythologiques qu'il connaissait déjà et qui le plongèrent dans la perplexité. L'un d'entre eux se rappela que Quetzalcóatl avait offert aux hommes le maïs. Un autre qu'il avait créé le calendrier. Et qu'avant cela il avait créé l'humanité avec de vieux ossements de dieux ranimés par son sang. Puis il avait sacrifié ses frères. Vécu parmi les hommes et interdit les sacrifices humains. Puis disparu. L'exégèse n'épuisait pas le mystère. Quetzalcóatl avait toujours un corps de serpent couvert de plumes vertes et le visage d'un enfant. Il avait disparu.

En attendant, le mot récidivait un peu plus loin sur la carte du chantier, à quelques kilomètres au nord de la dernière galerie. Et quelques jours plus tard il s'aventurait aux confins de la zone dessinée et même, désormais : en plein désert, de plus en plus près des États-Unis, si bien qu'il devenait évident qu'il prenait de l'avance sur les travaux. Il montrait le chemin. Sans les contraindre il semblait dégager le mouvement qui sommeillait dans la nasse du tracé. Comme si l'enfant fugueur marquait sa route en semant des lettres derrière lui. C'était mal écrit, d'une main effectivement enfantine : Florence regardait les petites lettres se tordre et s'hérisser. Où vas-tu, Quetzalcóatl ? Son enfant Niño, qui écrivait sa route dans les habits d'un dieu. Cela bien au-delà de l'extrémité du tunnel, loin devant eux, et qui bientôt allait franchir la frontière.

XI. Ils attendent le pays

Ils sont venus par dizaines, ils se sont rassemblés ici même, à Minas Blancas. Ils ont apporté quelques vêtements, une casserole, ils ont pris seulement le nécessaire et ils n'ont pas beaucoup d'objets de valeur, à part sentimentale. Ils sont venus avec leur femme et leurs enfants, certains avec leurs vieux parents qui ne peuvent pas rester en arrière. Ils ont apporté de la lumière aux fenêtres, ils ont apporté des odeurs de cuisine, des chiens qui rôdent et veillent. Ils sont des centaines. Ils ont mis des éclats de voix sur le seuil des maisons, ils ont rajouté des maisons, ils ont mis des traces de pas dans les rues, ils ont jeté les ordures aux chiens. Ils ont donné des messes, ils ont balayé la place du marché et accroché des guirlandes, ils ont joué de la musique toute la nuit. Ils ont creusé des puits et des canaux au large des maisons, ils ont planté ce qui pousse malgré la chaleur, ils ont peint leur porte et leurs volets, et ils les ont ouverts. Peu à peu, cet endroit a pris le visage d'une petite ville. L'irrigation des champs de maïs a permis de nourrir tous ceux qui arrivent, et qui arrivent de plus en plus nombreux. Il y a du bétail sur les pentes du plateau, les rues du centre ont été pavées. La jolie place qui surplombe le désert, où se trouve l'arbre aux branches tendues sur le sol comme un chapiteau, où autrefois traînaient les miséreux, où des trafics de toutes sortes étaient organisés, est devenue un lieu de rassemblement et de célébration, de joie. Ils ont creusé un puits dans l'ombre de l'arbre, ils l'ont orné de pendeloques en émail, de bijoux, chacun a accroché dans ses branches ce qu'il avait de plus précieux. La margelle du puits qui est en dessous est pavée d'azulejos somptueux montrant la faune et la flore de tout le Mexique, des lieux lointains où ils sont nés, tout ce qui pousse, ce qui marche ou vole loin de Minas Blancas y est représenté. Pourtant nul n'ignore que de ce puits ne viendra jamais une seule goutte d'eau, car il ne sert pas à ça. Il ne plonge pas ses racines dans une nappe phréatique comme le ferait n'importe quel autre puits, non, il est un symbole : ses parois sont recouvertes d'une échelle, et par cette échelle on rejoint un chemin qui mène au tunnel, au tunnel qui mènera aux États-Unis. Ce n'est pas l'entrée principale, celle que les ouvriers empruntent jour après jour, mais c'est la porte à laquelle ils viennent pour partager leur espoir. Car le tunnel n'est pas encore terminé, il pousse lentement, il accomplit environ une dizaine de kilomètres par an et c'est cela qu'ils célèbrent et encouragent autour de ce puits, sous la protection de l'arbre couvert de bijoux. Le jour où ils pourront traverser la frontière est encore loin mais ils peuvent attendre, ici ils partagent le bonheur. Le temps passe sans qu'ils y voient la moindre hostilité car ils sont fortement occupés à vivre. Ils sont plusieurs milliers qui attendent.

LES HOMMES-COULEURS

Grís était chargé de porter le courrier. Et jamais il ne manqua à son devoir, sauf une fois – il faudra en parler. Pour l'instant, Grís assurait quotidiennement la liaison entre les ouvriers du tunnel et les familles restées à l'arrière ; et pour cette raison, il était également Confident Général. Car les ouvriers n'étaient pas tous égaux devant l'alphabet et il fallait bien qu'il puisse transmettre oralement les nouvelles. Aussi avait-il développé une mémoire hors norme. Il était lui-même un débutant sur le terrain des lettres, mais il en savait suffisamment désormais pour déchiffrer les noms de destinataires, et peu à peu ses capacités grandirent. Comme beaucoup d'autres hommes du chantier, les années de tunnel lui permirent d'apprendre la lecture. Ceux qui savaient prodiguaient l'enseignement à ceux qui ne savaient pas encore, de sorte que la connaissance se propageait chaque jour un peu mieux parmi les ouvriers. Ils travaillèrent avec le même esprit de compagnonnage au sein des ateliers de fabrication des émaux et des objets précolombiens. Grâce à la lenteur de sa croissance le tunnel amassait donc aux portes des États-Unis une foule de plus en plus lettrée et habile, qua lifiée dans l'exercice de plusieurs métiers. Et Grís concevait une grande fierté de sa mission car il était le témoin de ces progrès en même temps que des événements les plus intimes et les plus humbles : il communiquait les nouvelles de la vie, le carnet des morts et des naissances, mais aussi les problèmes d'argent, les rendez-vous amoureux. Il arrivait parfois que Grís soit chargé d'un message d'un genre particulier : une effigie ou un carreau peint de telle sorte que la

169

destinataire ne pouvait s'empêcher de rougir – tandis que son auteur dans le secret du tunnel riait d'avoir subtilisé dans le stock cet objet agréable.

Le chantier Bernache avait donc pris une tournure singulière. Le Mexique guérissait un peu mais continuait de fournir une quantité formidable de candidats à l'immigration qui affluaient à Minas Blancas. Et le tunnel continuait de progresser régulièrement vers la frontière, marchant plein d'espoir dans les traces de l'enfant disparu. Car Niño pouvait revenir – c'était le refrain lancinant des parents qui semblaient être la proie d'un sortilège. Il n'y avait aucun signe d'accident, aucune autre nouvelle : n'était-ce pas la preuve qu'il pouvait réellement revenir ? Car jamais cet enfant n'avait manqué d'amour.

Les Bernache ne songèrent pas à arrêter le chantier pour soigner leur malheur. Un projet de trop grande ampleur était enclenché. Chose étrange, ils virent qu'ils ne pourraient pas mettre eux-mêmes un terme à cette entreprise, mais qu'ils pouvaient pourtant la désirer, en devenir les auteurs. En fait le tunnel progressait sans que personne ne puisse l'arrêter, d'une façon qui engageait chaque participant comme un maître d'œuvre, sans jamais subir de mutinerie ou de désaffection. Ils avaient déjà creusé quatre années depuis Minas Blancas, ce qui représentait une cinquantaine de kilomètres, environ un quart du trajet nécessaire pour atteindre le Nouveau-Mexique. Il continuait d'affluer chaque semaine des dizaines d'ouvriers emplis par l'espoir de traverser la frontière en même temps que serait acheminé le pétrole.

De toute façon la chance s'acharnait sur eux. Tout semblait conspirer au bonheur du chantier. Il avait l'éternelle protection de l'oubli. Même la politique anti-corruption lancée par Cortines voulut le négliger : il y avait déjà pour les besoins de la propagande suffisamment de scandales à se mettre sous la dent. Tant d'autres situations à offrir en pâture aux journaux... Par exemple ceci : le ministère des Travaux Publics avait reçu un courrier de la bien nommée société Autopista Mexico. Voilà une société dont la presse eut l'occasion de rire pendant des mois. La société Autopista Mexico était dirigée par un ami de l'ancien président Alemán. Le courrier contenait une facture mirobolante pour le paiement d'une autoroute de cent vingt kilomètres de long. Jusqu'ici, rien d'anormal : n'est-il pas réglementaire de payer des travaux aussi phénoménaux ? Mais avant de débourser la somme revendiquée, le ministère s'autorisa à vérifier quel était ce projet dont il n'avait jamais entendu parler. En d'autres termes : où se trouvait cette autoroute, et faisait-elle bien ses cent vingt kilomètres ? Il s'avéra qu'elle n'avait d'autre existence dans le monde matériel que sur la facture. Autopista Mexico devint un bouc émissaire médiatique aussi longtemps que cela plut au gouvernement. De telles affaires, si elles étaient choisies avec soin et dénoncées à grand fracas, lui suffisaient pour s'assurer une réputation de probité et de rigueur, et permettaient d'acheter une certaine tranquillité dans d'autres domaines.

Ainsi la lenteur du chantier Bernache ne contrariait personne : il avait copieusement rempli les poches de quelques hommes du PRI, et la Pullman était assez riche pour attendre patiemment sa livraison d'or noir. Personne ne trouva urgent de démanteler ce chemin de fer imaginaire tant qu'il déguisait une transaction pétrolière bien réelle. Le chantier ne subissait pas de contrôle intempestif : il avait été cédé à la Pullman, et la Pullman le confiait à Gabriel Gould, heureux et silencieux tant qu'il pouvait s'alimenter au passage en faux objets d'art qu'il écoulait auprès de collectionneurs américains suffisamment désinformés – et ces gens-là n'étaient pas rares, il y en avait à profusion pour qui savait les débusquer. Chacun avait raison d'être satisfait : la Pullman, Gould, les autorités mexicaines mais aussi (et cela les autres l'ignoraient) la foule des ouvriers qui s'embauchaient pour raison d'exode.

Georges et Florence décidèrent qu'ils s'engageraient de toutes leurs forces dans ce chantier pour parvenir à en faire le projet dont ils rêvaient, qu'ils concevaient comme une route de la liberté. Les hommes qui rejoignaient Bernache avaient la certitude de parvenir du côté américain – et cela sans l'inconvénient notable de se noyer dans les eaux du Rio Grande, de mourir de soif ou de se faire abattre à la surface du désert. Ici au contraire on les payerait pour qu'ils arrivent libres – pour creuser, installer l'oléoduc, fabriquer les objets de la contrebande. La terre qu'on évidait pour créer le tunnel se retrouvait dans les mains de ces centaines de potiers ambulants. Les petits sujets en ronde bosse devenaient une production aussi importante que celle, en creux, du tunnel. Les faussaires cheminaient tranquillement vers les États-Unis.

Si les hommes de la Pullman ou ceux du PRI s'étaient rendus sous terre, ils auraient peut-être trouvé singulièrement grand le boyau destiné à abriter l'oléoduc qu'ils avaient commandé – ce tunnel haut et large de plusieurs mètres, boulevard luxueux pavé de céramiques bariolées, aurait peut-être frappé leurs esprits. Mais tels ces rois européens qui des siècles durant avaient depuis Madrid, Londres et Lisbonne gouverné le Nouveau Monde sans y mettre une botte, jamais les hommes de la Pullman ou du PRI n'y descendirent. Jamais ils ne déambulèrent dans les galeries constellées de couleurs, jamais ne prirent part à la fête du chantier Bernache.

* * *

Ingénieur aussi hydraulique que valeureux, Josh se penche sur la carte aux profondeurs insondables quand Grís, son espiègle camarade d'enquête, lui demande :

– Sais-tu pourquoi ces hommes avaient des noms de couleurs ?

Dans les plis océaniques du chantier, Josh était occupé à suivre du doigt les traces écumantes d'un mot, *Quetzalcóatl* : qui à intervalles irréguliers venait à l'assaut des rails, comme armé d'une machette à plumes. Ce mot avait attiré son attention à la lisière de la ville de Minas Blancas, et depuis lors il avait remarqué ses apparitions. Certes, il savait obscurément que celui-ci désignait une divinité aztèque – mais il aurait humblement souhaité connaître les motifs réels de cette collaboration du dieu avec une entreprise de travaux publics. D'autre part, il se sentait harcelé par une impression étrange. Même si l'encre et le papier ne permettaient pas clairement d'établir une chronologie, pour une raison cachée il avait le sentiment que les rails de chemin de fer avaient en fait été posés à la suite de ce mot, et non l'inverse.

Hypnotisé par ces quelques lettres hérissées de plumes, Josh sursauta quand survint la question de Grís. Non, il ne pensait plus aux hommes-couleurs, il était trop occupé par le serpent qui ondulait, le serpent à plumes, là sur la carte, et là, un peu plus haut, vois-tu ? Mais Grís ne se laissa pas envoûter. Il donna une grande claque dans le dos de Joshua, alluma une cigarette dont l'odeur aurait suffi à réveiller un putois largement décédé, et il reprit : « Les hommes-couleurs surveillaient le chantier haut. Les Bernache ont eu l'hypo-thèse que c'est eux, les hommes-couleurs, qui avaient enlevé Niño et qui le gardaient otage. Et qu'ils écrivaient son nom dessus la carte pour les lier au chantier jusqu'à sa termi-naison. C'était comme promesse de le rendre après, quand tout le monde serait échappé des pouvoirs mexicains. » Malgré l'argument du pétrole, ils préféraient éviter le moindre contrôle car il y avait dans ce sous-sol beaucoup plus d'hommes que nécessaire… « Tout ça était extrêmement long et traînant. » Grís conclut : « Un jour, depuis Minas Blancas cela faisait dix ans que nous étions partis. »

Les ouvriers, ce n'étaient pas toujours les mêmes. On ne les forçait pas à rester, et certainement personne n'était enre-gistré pour un travail ou une durée précise. Ce qui comptait était d'être à peu près payé en attendant la traversée. Ensuite, rien n'empêchait que certains retournent en arrière après quelques mois de service. Et même, on ne pouvait empêcher que les plus impatients, les plus téméraires quittent un jour le creux du souterrain pour aller tenter en surface de franchir la frontière, par leurs propres moyens. Dans ce cas, qu'ils gagnent les États-Unis ou qu'ils échouent, on n'entendait plus parler d'eux.

Mais il y avait ce groupe d'une dizaine d'hommes qui resta pendant toute la durée des travaux, et qui ne sortait presque jamais. Ceux-là étaient les chefs, ceux auxquels Georges avait dû prêter allégeance lors de la grève et qui avaient autorité sur tous les ouvriers. Depuis ce jour où ils l'avaient forcé à accepter leur présence, ils avaient pris possession du tunnel comme d'une forteresse, et ils n'en sortaient plus.

— Ils avaient des noms de couleurs parce qu'ils étaient dans une cavale.

— Ils étaient recherchés ?

— On ne devait pas savoir qui ils étaient, sinon on les aurait tous enfermés dans des prisons.

— Ils étaient dangereux pour les autorités mexicaines ?

— À cause des choses qu'ils cachaient.

— Et que cachaient-ils ?

— Ils cachaient des idées.

C'est pourquoi Georges et Florence sont chargés de garder l'entrée du chantier, à Minas Blancas. Ils remontent parfois le long du tunnel pour communiquer avec eux, s'informer de l'avancée des travaux et donner des instructions techniques, pour vérifier l'état des sols et adapter la structure. Mais le reste du temps ils reviennent à Minas et veillent à ce qu'aucune personne gênante ne pénètre dans le chantier.

Et peu à peu ils se prennent de passion pour le projet. Ils se mettent à collaborer avec les hommes-couleurs. Est-ce qu'ils pensent sérieusement qu'ils vont récupérer l'enfant en échange de ce zèle ? Ce n'est pas certain. C'est la passion qui les prend. Ils sont fiers de construire une voie de migration clandestine. Que leur cause s'appelle communiste ou bien qu'elle s'appelle autrement ne les émeut pas beaucoup —

— Pardon, Grís ?

Grís vient de prononcer un mot un peu honteux et n'a pas l'air d'y croire. Ces vingt dernières années passées aux États-Unis l'ont évidemment rendu sceptique sur ce thème. Pourtant, il répète courageusement le chef d'inculpation :

— Ah oui ! Tous des communistes, c'est pour ça.

Grís se reprend et corrige. Bien entendu, ce n'étaient ni de grands théoriciens ni des héros. Peut-être qu'en certaines années ils avaient été du bon côté du pouvoir, qu'ils avaient eu des périodes de grâce sous la protection du parti officiel. Certains d'entre eux étaient des syndicalistes, d'autres des paysans qui avaient gagné des galons de maire dans de petites villes et rêvé d'idéaux agrariens conformes à la doctrine officielle. On pouvait exprimer des doutes sur les raisons de leur engagement : parfois une vraie révolte, parfois il faut l'avouer un échec personnel au sein du Partido Revolucionario Institucional, ou un peu des deux. Des gens qui se demandaient où était passé le Revolucionario et constataient avec aigreur qu'il ne restait plus que l'Institucional. Dans le Mexique des années 1950, *communisme* n'était pas un mot très lettré, il ne reflétait pas une compréhension profonde de la politique. Si certains le traduisaient par des

notions complexes comme *Karl Marx* et autres théories phi-
losophiques élaborées, la plupart y lisaient simplement le
mot «Non» – ou même un geste très mal élevé. Un refus si
clairement assumé pouvait mettre une vie en péril : quelle
que soit la raison qui les animait, ces hommes avaient eu du
courage ou de l'inconscience d'entrer si catégoriquement
dans le champ des ennemis du pouvoir.

«Il y en avait même un, *Rojo*, qui disait qu'il était médecin.»
Le pauvre avait lu des livres socialistes pendant ses études
au D.F., et rejoint peu après une campagne reculée dans
le Sonora, *pour apporter sa science à ceux qui en avaient
vraiment besoin.* Peut-être aurait-il hésité s'il avait su plus
tôt que les paysans de ce village perdu, *ces fils de chiens*,
le dénonceraient à la police dès qu'il se présenterait contre
le candidat officiel aux élections municipales. À l'heure
de la traque et de la clandestinité il ignorait toujours quels
propos subversifs il avait bien pu prononcer, quelle insulte
au pouvoir lui avait échappé, quelle vaine utopie… Car ces
mots mystérieux, inventés de toutes pièces, étaient consignés
dans des registres inaccessibles.

À travers les paroles de Grís, il était parfois difficile de
discerner les angles de la vérité du halo d'émotions qui
floutait tous les événements, mystifiait les portraits. Parce
qu'il se mettait soudain en colère, un souvenir qu'il avait
commencé à raconter avec autant de dévotion et de respect
qu'un récit biblique pouvait être foudroyé. Au sein des cata-
combes de la Pullman, il esquissait cette société et ses tensions : la disparition de l'enfant Niño avait alimenté des

soupçons perpétuels à l'égard des hommes-couleurs, souvent rappelés à leur condition de parias et de hors-la-loi par les époux Bernache.

Chacun était présumé coupable et la vengeance pouvait s'abattre de façon imprévisible. Elle vint un jour sous les traits innocents d'une jeune femme du Sonora, qui était à la recherche de ce jeune médecin, Rojo. Bien sûr elle ne le nommait pas ainsi, mais disait à Florence : « Mon mari, Señor Alejo Vilegas, qui se trouve aussi être le père de mes deux enfants. » Et elle montrait une photographie où l'on reconnaissait le visage de Rojo sous les traits sages d'un médecin de campagne – une photographie de sortie de messe avec un costume propre et une chemise amidonnée comme il n'en avait sûrement pas portée depuis des siècles. Au début Florence fit semblant de ne rien savoir, et congédia froidement cette épouse éplorée. Mais la jeune Madame Vilegas revenait chaque jour, et Florence avait le cœur serré en la voyant attendre dans cette ville où elle ne connaissait personne, où elle louait une si petite chambre – et elle avait même emmené ses deux enfants. C'est pourquoi Rojo, qui officiait dans l'infirmerie générale du tunnel, vit un jour apparaître entre les étagères d'alcool et de charpie la délicate silhouette de coton brodé, les petits pieds chaussés de soie qui n'avaient rien à faire dans ces profondeurs – et sans se retourner un instant elle le mena par la main jusqu'à la surface du monde, et jusqu'à ce village du Sonora qui avait voulu sa perte, *parmi les chiens et les assassins*. Bien sûr il ne tarda pas à être arrêté ; car dans la vie supraterrestre les hommes-couleurs vivraient toujours à l'ombre des murs de

la prison Lecumberri, faite pour les traîtres comme eux qui
se mêlaient de dissoudre la société.

Était-ce de la part de Florence une vengeance, un avertissement fait à ceux qui se cachaient et dépendaient de sa
surveillance, ou bien avait-elle réellement eu pitié de cette
jeune femme et cédé à cause d'une faiblesse de son caractère ?
Ces questions venaient souvent étreindre la gorge de **Grís**,
l'éternel témoin, car il pouvait certes raconter ce qu'il avait
vu dans le tunnel, mais n'avait pas séjourné comme font les
anges dans l'intimité des cœurs.

XII. Des précisions sur les couleurs

Au regard de l'Histoire, la défense des idéaux les plus
nobles justifie les moyens d'expression les plus vigoureux.
Grâce à l'émission de gargouillis de plus en plus reten-
tissants, Josh a réussi à faire entendre sa cause et obtenu
grâce pour son estomac. À cette heure tardive, le site de
la Pullman est fermé aux visiteurs. Il n'y aura donc pas de
témoins de leur escapade. C'est que Grís n'a pas terminé
de lui raconter... Justement : il faut reconstituer leurs stocks
calorifiques avant de reprendre les grandes routes de l'exil.
C'est bon, d'accord. On remonte en silence, le feulement
discret de la roue, la traversée de la nef vers une porte
opposée : une porte minuscule pour une salle aussi grande,
et par laquelle le Grand Moteur Corliss ne peut sûrement
pas s'échapper. Courbant l'échine, resserrant sa ceinture
de trois crans, Josh retient sa respiration et franchit ce trou
de souris tandis que Grís, aussi menu que futé, se glisse
sur ses talons non sans avoir laissé dans l'entrebâillement
de la porte un discret morceau de brique pour la maintenir
ouverte.

C'est la lumière de six heures vingt-huit qui les accueille dans les jolies allées de briques rouges aux frontons de bois peints. Les voilà dans l'envers du décor, l'ancienne ville ouvrière encore habitée : depuis l'effondrement de l'utopie collective, il y a de cela bien longtemps, l'entreprise Pullman a dû laisser à la ville de Chicago l'usage de ces ruelles arborées. Au début du XXe siècle, les maisons abritaient encore des descendants d'ouvriers en camaïeu de blanc : Scandinaves, Allemands, Anglais, Néerlandais, Irlandais, Italiens étaient leurs aïeux. Cependant, Grís et Josh sont entrés aujourd'hui dans une ville noire : autour de la jolie église néogothique et méthodiste, c'est toute une communauté de la moyenne bourgeoisie afro-américaine de Chicago qui a trouvé refuge. Ce quartier leur ressemble : d'allure coquette et bourgeoise, mais héritier d'un lourd passé qu'ils ont courageusement adopté même s'il n'est pas le leur, celui de l'immigration européenne du XIXe siècle et des révoltes des ouvriers blancs. Ce village propret a été le lieu d'une filiation mystérieuse entre les luttes sociales, d'une succession miraculeuse entre les combats des Noirs et ceux des Blancs.

Au printemps 1894, la grève des ouvriers Pullman avait immobilisé tout le réseau ferroviaire de Chicago et une grande partie du pays, car les gares avaient massivement soutenu le mouvement. Les tensions raciales avaient alors été exacerbées : on embauchait des Noirs comme briseurs de grève. Quarante ans plus tard, la Pullman était pourtant devenue un creuset de la lutte syndicale des Noirs : porteurs de valises aux quatre coins du pays, ils étaient devenus témoins et victimes privilégiés du racisme. Dans de nombreux États la Pullman permettait volontiers de séparer les wagons des Blancs des wagons des Noirs, tout en acceptant sans remords que seuls des Noirs fassent le service dans les wagons des Blancs. Au fil du temps, les hommes en livrée avaient disséminé l'enseignement de leurs ancêtres blancs du foyer Pullman : ils avaient mis sous leur casquette la carte syndicale, ils s'étaient organisés. Par le réseau ferré de la Pullman et à ses dépens, ils avaient créé une des structures les plus puissantes qu'il y ait jamais eu de mémoire de syndicaliste. Malheureusement pour la Pullman, ce n'étaient pas des révolutionnaires, pas des faiseurs de troubles, des anarchistes ou des fous, mais des travailleurs rompus à la discipline de leur métier et de leur action militante : ils faisaient sagement, laborieusement le travail pour lequel on les payait... mais au lieu de se contenter de porter des valises, ils avaient porté la flamme des Civil Rights d'un bout à l'autre du continent.

Josh a cru qu'il pourrait dévorer son burger à l'abri de la Grande Histoire. Il se trompe. Dans le McDonald's local, l'unique restaurant du quartier qu'ils n'ont pas eu de peine à repérer malgré son subtil camouflage de brique rouge et de peinture verte, il se rend compte avec une certaine honte qu'il étale son ketchup sous le noble regard du héros de ce mouvement, Asa Philip Randolph. Qu'il engloutit ses frites près de celui qui fit l'accord de 1937 avec la Pullman, le premier contrat signé par un employeur blanc et un syndicaliste noir. Le double cheese-burger lui reste un peu dans la gorge tandis qu'il tord son cou pour lire les dernières lignes de la plaque, commémorant les formidables événements de

1963, quand les hommes de Randolph et ceux de Luther King marchèrent dans les rues de Washington pour réclamer l'égalité des droits dans le travail et la liberté de tous : l'union du pasteur et du syndicaliste, qui ensemble firent un rêve, et quelques grèves, et obtinrent l'année suivante l'abolition des lois racistes.

Josh repose les emballages mouchetés de graisse sur la table en plastique, et songe.

Il remarque qu'il est le seul homme blanc du restaurant. C'est dimanche… des familles sont venues avec leurs enfants de tous les âges, il y a des bébés dans des poussettes, que le biberon protège encore des méfaits du Coca ; des adolescents cachant leurs yeux frondeurs sous la casquette de baseball, parce qu'on les a interceptés dans leurs activités indépendantes pour les convier d'office au repas intergénérationnel. Des vieillards en baskets comme on n'en trouve qu'aux États-Unis, qui savent alléger leur dignité rhumatisante par des vêtements appropriés, qui sont tout prêts à accepter les coutumes modernes, pleins de curiosité bienveillante, et qui tiennent par la main des petites filles mi-jean mi-dentelle, couronnées de nattes et de ressorts multicolores. C'est le monde un peu pacifié des lendemains de 1964. Mais pourtant il est bien le seul Blanc de la fête. Malgré les sourires et les saluts chaleureux, n'y a-t-il pas dans ce statut exceptionnel une forme de reproche ?

– Et toi, Grís, tu es de quelle couleur ?
– Que veux-tu dire ?

Josh peut lire l'amusement, la somme d'ignorance feinte

qui luit à la surface de cette question en miroir. Vaillamment,
il décide d'insister :

– As-tu beaucoup de sang indien ? Est-ce que tes deux
parents étaient des Indiens ? Ou un seul ?

Pour Grís, l'embarras de Josh est follement divertissant.

– Ah, vrai ! Ma mère était pas blonde ! Et mon père n'avait
pas de poils aux joues.

Voilà qui est éclairant… Josh se sent prêt à se vexer. Mais
pour répondre aux curieux dans son genre, ceux qui s'entêtent
à demander des précisions sur les couleurs, Grís possède aussi
une espèce de charade. Elle provient d'un document de très
bon pedigree, un document de l'administration espagnole du
XVIIIe siècle, et commence de la façon suivante :

– Alors, comment tu nommes celui qui naît de l'union
entre un Espagnol et une Indienne ?

– Un fils de pute.

Immédiatement, Josh est rouge de honte. La réponse lui
est venue aux lèvres avant qu'il ait pu la censurer – cela
permet à Grís de reprendre la parole durablement :

– Toi-même. Maintenant, je fais les questions et les
réponses, parce que tu n'es rien de mieux qu'un anus de
fasciste plein de merde.

– OK, Grís. Vas-y.

– Espagnol plus Indien, égale *mestizo*, d'accord ?

– D'accord.

– Un *mestizo* avec une femme espagnole ?

– Un demi-*mestizo* ?

– Tais-toi. Un *castizo*. Une femme *castizo* avec un Espagnol ?

– Un *castrato* ?

– Tu dis encore un mot et je te raconte plus. Une femme *castizo* avec un Espagnol c'est un Espagnol.

– Ah, bon, ils peuvent donc se racheter?

– Pas toi. Idiot tu restes. Écoute. Une femme espagnole avec un Nègre?

Une lueur d'effroi traverse le regard de Josh, qui s'empresse de vérifier que personne alentour ne les a entendus. Puis il se met à murmurer:

– Tu dis: *Nègre*?

– Je dis ce que je veux. Alors?

– Je ne sais pas. Un *café con leche*, non?

– Un *mulato*. Un Espagnol avec une femme *mulato*?

– Je te fais confiance, Grís.

– Un *morisco*. Une femme *morisco* avec un Espagnol?

– J'abandonne.

– Un *albino*. Une femme *albino* et un Espagnol? Un *torna atrás*. Une femme *torna atrás* et un Indien?

– Vas-y.

– Un *lobo*. Un *lobo* et une femme indienne? Un *zambaigo*. Un *zambaigo* et une femme indienne?

– Non, j'allais te le demander… Et puis qu'est-ce que tu fais des couples homosexuels?

– Un *cambujo*! Un *cambujo* et une femme *mulato*? Un *albarazado*. Un *albarazado* et une femme *mulato*? Un *barcino*!

– Mais un *barcino* et une femme *mulato* alors?

– Un *coyote*!

– Très drôle…

– Mais si, un *coyote*, noir sur blanc! Je n'ai pas fini mais je termine là.

— Tu es trop bon, Grís.

— Ce sont les fils de Cortés : les administrateurs espagnols ont importé ce bel arbre généalogique depuis la métropole, car ils avaient usage de garder trace des unions avec les Juifs ou les Musulmans. Mais en terre d'Amérique, c'est devenu dur de garder les bonnes habitudes.

— Sans compter les Indiens musulmans.

— Et les Nègres juifs. Tu as raison… Si bien qu'ils ont tous fait comme toi.

— Quoi ?

— Ils ont laissé tomber.

Un dernier spasme de curiosité parcourt le visage de Josh, qui hasarde :

— De sorte que toi, tu es qui ?

Le sourire d'ironie tremble et se fige aux lèvres de Grís :

— Je suis qui je veux. Viens maintenant, je dois te raconter la fin.

Plus tard, ils replongent dans le sous-sol de la Pullman ; et tandis que la roue s'enfonce dans le sol de la nef, Josh voit le visage de Grís se couvrir de ténèbres.

XIII. À propos des risques d'incendies

L'enfant qui s'est arrêté devant le désert les regarde maintenant sans bouger. Il attend qu'il se passe quelque chose. Ce n'est pas lui qui arrêterait le silence, alors les autres en face font une tentative.

« Quel âge as-tu, gamin ? » C'est la première fois qu'on lui demande une chose aussi bête. Depuis qu'il est ici, il a toujours trouvé à travailler, et personne ne s'est jamais soucié d'une chose pareille. Il a cinquante, soixante, cent ans, l'âge du premier Mexicain à qui on a mis une pioche dans la main, ou un panier, ou un sac de grains, et à qui on a dit : creuse, ou ramasse, ou sème, est-ce qu'à celui-là, dont tous les migrants ont le visage car ils n'ont rien d'autre que leurs mains, on a demandé s'il était trop vieux ?

Alors, l'âge qu'il a, pour le travail qu'il fait, il veut bien qu'on s'en fiche. Pourtant on lui demande jusqu'à son nom. Il répond, par bravade, le nom d'un dieu mexicain qu'il a entendu prononcer par sa mère quand il était tout petit, il y a de cela bien longtemps : *Quetzalcóatl*, « Serpent à Plumes, Sir ». Ça ne les fait pas rire. Ils veulent des preuves d'identité.

Des preuves, c'est ça… Des preuves de l'existence de Dieu ou du Serpent à Plumes ? Et si c'est le même. Tenez : et à titre de preuve il leur donne une plume, une vieille plume de canard qu'il a là dans sa poche, va savoir. Ils ne veulent pas. Ça ne suffit pas. Il a aussi : quelques pièces de centimes, et des billets roulés en boule. Les pièces proviennent de l'autre côté, mais il les a gardées quand même. Une gourde verte, et toute gondolée. Une vieille galette de maïs racornie, recouverte de sable qui rayera les dents. Une dent de serpent qui est un talisman. Chaque fois qu'il trouve une nouvelle chose il la leur jette juste assez doucement pour que personne n'arrive à l'attraper, pour qu'ils soient obligés de se baisser pour la ramasser, et le manège commence à leur courir, ils s'énervent encore plus. Il a aussi (cette fois l'objet s'abat dans un bruit d'averse, un roulis clair et joyeux), il a aussi cette jolie maracas en bois, peinte de motifs verts et bleus – quelqu'un de gentil lui demande s'il n'en faut pas normalement une deuxième, de maracas, mais un autre qui doit être son chef le fait taire.

Pourquoi les fermiers ne demandent pas son âge et les policiers demandent son âge, pourquoi les policiers ne vont pas directement demander aux fermiers l'âge de leurs protégés ? Évidemment. L'enfant vient de rencontrer l'Histoire, qui n'est pas glorieuse en la personne des gars de la Border Patrol, néanmoins pas trop mauvais bougres et même pères de famille pour certains. Mais l'effort requis par la gentillesse finit par épuiser le groupe, qui s'impatiente. Alors ? Dollars, plume, gourde en fer, et autre chose s'ils veulent. Il a gardé le meilleur pour la fin, le dernier objet qu'il possède est le plus utile. Voilà : il tient le groupe au bout du pistolet, et dans le rapport on dira dorénavant que c'est quand même un grand adolescent, costaud, même s'il sera utile de signaler qu'ils se commettent dans le crime de plus en plus jeunes. On les appréhende pacifiquement mais eux ne songent qu'à tuer, brûler, meurtrir. Ce pays n'est pas à eux, ils ne savent pas investir dans l'amitié, ils n'ont pas d'éducation alors on se retrouve en moins de rien avec le plomb au cœur, le cœur qui cogne et se répand en dehors de nous-mêmes à force d'avoir voulu être trop tolérants. Le sang maintenant a coulé de telle sorte qu'il enveloppe totalement le corps du policier, sa chair massée contre le sable comme une très vilaine cicatrice, un bout de désert tranché à vif et qui suinte. Ils ne savent pas investir, ils visent juste au bon endroit pour tuer du premier coup et éviter les représailles. Ils sont entraînés, ah ça ! Sinon comment expliquez-vous le cœur ouvert du premier coup ? Désormais l'homme essaye de dire quelque chose mais la parole venue de ses entrailles ne parvient pas jusqu'à sa bouche, elle fuit dès qu'elle atteint la poitrine et s'épand en un liquide incandescent. Et le reste des mots découvrant ce chemin de liberté se précipite dehors en faisant une traînée de lave qui continuera de fumer longtemps après. Ils sont de plus en plus dangereux, armés jusqu'aux dents dès la nais-sance et se propagent sur le territoire des États-Unis comme un fléau. Ils se passent des armes par complicité et le désert c'est tellement inflammable, ça finira par nous attraper par les pieds, par les champs et les forêts qui bientôt auront les mêmes chevelures fauves et tordues de douleur, jusqu'à ce que le pays tout entier soit devenu un tas de cendres grises débarrassées des vrais Américains, foulées par des enfants sauvages, des dieux cruels et charognards, des animaux rampants au corps couvert de plumes. Il nous a même pas dit son nom, à part ces insanités de Kézako.

Après le meurtre, pas trop traîner, se dit l'enfant au pistolet, parce qu'il est pas temps qu'ils réagissent, se vengent, sortent les yeux de l'immense nappe de sang qui déjà déborde au-delà du grand cœur de celui qui avait demandé où était la seconde maracas, et par les semelles de leurs chaussures gagne tout le groupe réuni dans l'effroi comme un bouquet de roses, et le désert alentour et qui s'étiole. L'enfant court de toutes ses forces, car il n'a pas l'intention d'être renvoyé en arrière. Il est là parmi des milliers d'autres, pour faire sa route dans ce pays qui est déjà le sien. Il n'a pas d'âge, il est trop jeune pour ça.

Et après ? Après c'est l'errance. La patrouille a esquissé quelques pas pour sortir de sa stupeur et le pourchasser, puis ils se sont arrêtés sur un geste du chef, quand celui-ci a vu que l'enfant courait vers le sud. Vers le sud : la seule direction où il n'y aura pas de danger de rencontrer d'autres vivants, qu'ils soient ou non en uniforme. L'enfant court mais ne survivra pas. Ils le voient qui s'enfonce dans l'horizon de poussière jaune derrière lequel il n'y a plus rien. S'enfonce dans l'horizon et le lendemain se demandera ce qu'il va boire, ce qu'il va manger. Dans sa fuite, même s'il a eu le temps de ramasser sa gourde d'eau et puis sa maracas, l'eau sera bientôt écoulée autant que le sang en train de sourdre de la poitrine de leur camarade... et la musique, qui dit que ça nourrit ? Si on ne le rattrape pas, cela ne changera rien.

* * *

Georges et les hommes-couleurs avaient coutume de communiquer par l'entremise des ouvriers de l'approvisionnement qu'on envoyait par roulement jusqu'à Minas Blancas chercher des vivres à bord de wagons en fer de petite taille, suffisamment légers pour être tractés par des mules. L'écho de leurs sabots et le fracas des voiturettes contre les rails emplissaient plusieurs fois par jour les voûtes bariolées, et d'amont en aval on croisait en tout point du tunnel leur odeur âcre, une paire d'oreilles duveteuses. Un jour, l'homme qui se faisait appeler Jaune fit parvenir à Georges un message laconique, exigeant sa présence à l'extrémité nord du tunnel dans les plus brefs délais – *Danger mortel, présence urgente*, disait simplement le chiffon de papier arrivé par voie de mule.

C'était l'époque où le chantier comptait déjà d'innombrables kilomètres de galeries, quand les trajets des voiturettes reliant Minas et la pointe nord mettaient environ deux journées par les cahots des mules. Pour cette raison Georges et Florence faisaient rarement le déplacement jusqu'à l'extrémité, mais diffusaient plutôt leurs instructions en restant à Minas Blancas, dans la grande maison devenue pour tous un repère stratégique depuis lequel on pouvait envoyer des messages, où on pouvait se faire enrôler et rallier des équipes d'ouvriers. Ils étaient utiles à ce poste et il était donc rare que les hommes-couleurs convoquent les Bernache à l'avant des opérations, ce qui rendait le message d'Amarillo d'autant plus alarmant. Georges se mit en route sans tarder.

Dès les premiers kilomètres du chemin, Georges voulut s'informer de ce qui se passait à l'amont du tunnel et se rendit compte que l'information n'avait pas encore atteint la zone arrière, vivant dans l'insouciance. L'activité la plus dense se situait au nord, sur le front pionnier où il fallait encore chaque jour creuser et consolider dans un chaos de terre et de pierre, alors que le sud du tunnel prospérait en tirant parti de sa stabilité : dans cette région plus ancienne se logeait une grande partie de l'artisanat, comme la fabrication de poteries ou de carreaux qui devaient peu à peu être acheminés vers l'avant, sans compter les métiers périphériques, les petits étals de marchands assurant de loin en loin la vente d'outils ou de gourmandises. Tout en cheminant, Georges n'avait de cesse d'interroger les hommes qu'il rencontrait venant du nord, mais pendant la première journée il récoltait seulement des sourires innocents et des regards perplexes, une ignorance tranquille qui l'irritait au plus haut point. Trop orgueilleux, il pensait que celui qui répondrait « Je ne sais pas » à l'une de ses questions devait nécessairement se sentir accablé de honte, et se mettre avec zèle en quête d'une réponse en activant lui aussi la recherche, en demandant des indices à tous ceux qui pourraient l'aider. Au lieu de cela il rencontrait partout l'indifférence des ouvriers... la paresse s'était-elle emparée de ces hommes, ou quelque autre sortilège venu des profondeurs ? Alors qu'il s'arrêtait à l'écart des rails pour reprendre des forces, il trouva une meilleure explication : celle du bonheur, qui curieusement s'emparait des hommes de l'arrière, les tirait par la manche – comme ce marchand de tequila qui préférait lui offrir un verre et retourner à sa partie de cartes plutôt que de se fendre d'une contribution valable à son enquête. Face au confort relatif des hommes du sud, Georges était condamné à la solitude d'un chef inquiet et irascible. Il ne savait s'il devait s'offusquer ou se féliciter de voir des hommes de son chantier se montrer heureux d'une situation aussi précaire ; et en définitive la colère l'emportait, car il se sentait terriblement exclu de ces arrangements avec la gaieté. Ce soir-là, mais était-ce ce soir-là dans ce monde sans soleil, il se laissa donc glisser sans plus de protestations à la table des joueurs de cartes, allongea ses jambes fatiguées sous la table, son bras vers la bouteille de tequila, et perdit plusieurs dollars froissés contre un moment d'oubli. Gardé par sa mule imbécile, il s'endormit sans rêves dans sa charrette.

L'homme au masque de cendre le tira de son sommeil.

– On dit que tu recherches Amarillo.

– Il m'a appelé, dit Georges en lui montrant le billet de la convocation plié en quatre. L'autre était effrayant, les cils et les cheveux roussis, puant le brûlé, ses vêtements consumés laissant percer la peau entièrement recouverte d'une poussière de charbon.

– D'où viens-tu ? Que t'est-il arrivé ?

– Amarillo m'envoie. Ce sont les guêpes.

Dans la charrette qui les menait au nord des rails, dans un tunnel de plus en plus étroit, aux parois nues contre lesquelles s'effaçaient les visages assombris par la peur, Georges put

interroger longuement son compagnon de voyage et apprendre
l'histoire de ce départ d'incendie qui faisait désormais refluer
de nombreux ouvriers vers le sud : on croisait les groupes
qui s'empressaient en direction de Minas Blancas, il fallait
régulièrement s'arrêter pour les laisser passer par dizaines.
Tandis qu'ils progressaient dans le tunnel, le mystère s'amplifiait pour Georges, qui voyait s'évanouir les visages des
fugitifs dans l'ombre et la fumée, et écoutait les témoignages
d'effroi qui bruissaient de toutes parts, répétés et amplifiés
à son oreille par son diable de guide :

– Ce sont les guêpes !

Des raisons confuses se mêlaient dans les conversations, on
parlait de fuite de pétrole, de murs calcinés, de rails fondus.
La caverne qui abritait les hommes à l'extrémité nord s'était
effondrée, on ne comptait plus les blessés. Georges sentait
son cœur qui battait dans sa gorge, et dut entrer dans une
colère sauvage à quelques kilomètres de son but : un ouvrier
s'était arrogé le droit d'établir une barrière de péage en travers
du tunnel, et recevait une obole des malheureux qui fuyaient
à toutes jambes. Et tous accusaient les guêpes, des milliers
de guêpes furieuses qui portaient les flammes sur leurs ailes
et semaient l'incendie en attaquant les poutres, les vêtements,
les cheveux. Ils témoignaient tous de l'horrible miracle : leurs
ailes enflammées ne se consumaient jamais.

Étant parvenu à remonter la colonne de fumée, ayant
croisé dans l'ombre les derniers fugitifs, Georges fut soulagé
de voir que les charpentes en pin rouge qu'il avait préco-
nisées dans cette zone du tunnel avaient tenu bon : il avait
fait exprès de choisir ce type de bois, quasiment dépourvu

de résines, pour soutenir les voûtes avant l'installation des structures en métal et des couvertures de céramique. Visiblement cet assemblage avait fait son office et tenait bon contre les parois rocheuses – en certains endroits des poutres, les flammes avaient figé le tremblement doré des veines en une masse noire et invincible. Le bois exsangue s'était changé en plomb, et seuls de rares espaces étaient restés crus, témoignant de la nature de l'attaque sous la forme de mouchetures charbonneuses semblables à des milliers d'impacts de balles. Georges sentait encore l'odeur âcre de la fumée mais ne pouvait toujours pas distinguer l'origine du foyer – jusqu'à ce que soudain le passage d'un nuage de flammes vrombissantes le force à plaquer son corps contre une paroi. Il suivit du regard le vol incandescent qui après quelques mètres tomba tristement en une poussière de cendres. Un peu plus loin, il vit qu'il marchait sur un cimetière d'insectes, petites boules noires amassées sur le sol dans les débris de leurs ailes et qui craquaient sous ses pas. Ainsi, une armée de guêpes avait enflammé le tunnel nord et mis en fuite les ouvriers. Cependant il n'y avait plus de raison d'avoir peur : les pauvres insectes touchés par les flammes ne propageaient qu'un début d'incendie rapidement étouffé par les matériaux en place, et crevaient aussitôt dans un bruit de feuilles mortes, écrivant au charbon leur chemin d'agonie.

Pourtant la vision des ailes flamboyantes qui précédait leur mort avait suffi à répandre la panique dans la foule du chantier. C'est pourquoi il n'y avait plus d'ouvriers avec Georges en ce lieu du tunnel. Même son guide s'était enfui avec les autres. Seul Amarillo était resté : Georges le trouva

assis au seuil de la dernière galerie comme à la porte des
Enfers, le visage tailladé par la lumière maigre d'une lampe
à huile qui éclairait sa petite bible étalée près de lui sur le
sol. Amarillo se leva à son approche, il le prit par l'épaule
et lui montra quelque chose qui brillait au fond de la cavité.
Et dans la fumée qui se dissipait Georges découvrit le foyer
dérisoire de l'incendie : un simple nid de guêpes pas plus
gros qu'une tête d'homme, tissé avec les débris des humains,
paille et coton, d'une maille si serrée qu'on devinait à peine
à l'intérieur le grouillement frénétique des insectes. Mais
la cire d'un jaune d'or rayonnait comme un astre dans la
caverne, contre la poutre où elles avaient élu domicile.

Amarillo était un homme discret et courtois. Certains
racontaient qu'il avait été auparavant un bijoutier de grande
renommée dans la ville de Oaxaca, un bijoutier dont l'officine
obscure tapissée de velours absorbait les secrets de bonne
famille à travers les murmures et les éclats dorés du whisky
dans les verres en cristal. Oui, Amarillo s'était éclairé au
whisky, alcool de traître dans ce pays d'agaves, pendant des
années il avait recueilli la limaille d'or des familles à secrets
jusqu'au jour où il avait décidé d'en revendre quelques-uns
au chef de la police. Ce jour-là, et les jours qui suivirent le
cambriolage de sa boutique, le malheur ne peut se mesurer
en nombre de carats – car jamais il ne parvint à racheter
son fonds de commerce, à éloigner la misère qui s'était
abattue sur sa famille. Il ne resta que le souvenir des nuits
passées dans une geôle pour abjurer son témoignage, de son
commerce réduit aux débris de verre qu'avait faits sa vitrine
en éclaboussant le trottoir, et celui de sa femme disparue

précipitamment avec ses trois enfants qu'il adorait. Quoique bijoutier Amarillo n'était pas snob, il n'éprouvait pas de mépris pour l'existence, ni pour le manger ou le dormir, et il avait su s'adapter à la vie dans l'exil. Ne haïssant rien tant que la solitude, il avait pris goût au travail avec les équipes d'ouvriers et appliquait aux gros travaux de forage et de terrassement des habitudes héritées de son ancien métier : il pouvait résoudre par la beauté toutes les nécessités techniques. Les hommes de son équipe avaient une réputation d'orfèvres et d'ingénieurs de très haut niveau, un peu trop magiciens, inspirant la peur et le respect à cause de leur situation aux confins du tunnel, là où son extrémité s'enfouissait dans la terre – ce que beaucoup d'autres ne souhaitaient pas regarder en face. Ils laissaient derrière eux un chemin semé d'ouvrages étranges. Un signe effrayant de leur passage était cette promenade sous des clefs de voûte arachnéennes : des fœtus de plomb tenant dans le sol par des pattes trop maigres et trop chétives pour les lois de la physique.

Ces hommes habitués des féeries s'étaient tous échappés. Était-ce simplement à cause de l'astre en cire logé contre la dernière poutre ? Qu'avait-il de si particulier, cet astre jaune en forme de tête ? Il est bien vrai qu'il avait la forme d'une tête, pensa Georges en s'approchant tout doucement pour ne pas effrayer les guêpes qui continuaient de sourdre de ses orifices, de l'entourer comme un halo.

Comme Amarillo se taisait, Georges franchit le dernier mètre qui le séparait de ce nid : un espace infini grouillant de fumée et d'insectes. Alors il se mit à observer les guêpes qui faisaient traîner sur les parois leurs ombres louches et vacillantes. Il put les voir qui sortaient de leur antre par deux trous de la fibre logés dans les orbites d'un crâne – emballé d'un tissu si serré qu'il avait fallu un gouffre de secondes avant que Georges puisse reconnaître dans ce fouillis le masque désolé d'un frère humain. Sans aucun doute possible : un crâne humain. Certes il n'était pas rare de trouver dans les excavations des restes de toutes sortes d'animaux, principalement des chacals, ou les guirlandes lugubres que faisaient les squelettes des serpents. Il devait bien y avoir de temps en temps dans ces profondeurs l'offrande d'un corps humain. Cela n'avait rien d'extraordinaire, c'est pourquoi Georges essaya de surmonter l'écœurement qui le gagnait, à voir l'agitation frénétique des guêpes à l'intérieur du crâne. Quelque chose d'autre le troublait, qu'il ne pouvait identifier tout de suite en regardant cette simple boule qu'avait exagérément agrandie le travail des guêpes.

Le bras d'Amarillo enserra plus fort ses épaules tandis que le faisceau de la lampe descendait doucement en dessous du nid. Il comprit alors la raison de son malaise : un frère humain, c'était un bien petit frère humain, à voir le si petit squelette qu'on avait à moitié déterré à la base du mur. À première vue un enfant d'environ dix ans, pas plus d'un mètre trente. C'est pourquoi Georges essaya de toutes ses forces de ne pas entendre les paroles de deuil que prononçait Amarillo. Pourtant il percevait bien à travers le bourdonnement des guêpes les mots *ton enfant* qu'il disait et qu'il répétait, *ton enfant mort*. Et Georges très lentement se mit à genoux pour regarder de plus près ce qui s'appelait *ton enfant mort*, le tout petit squelette d'un frère humain qu'il aurait préféré ne pas connaître.

Mais le faisceau de la lampe était impitoyable, il appuyait désormais assez fort au niveau de la poitrine pour faire éclater l'ombre des côtes comme de faibles barreaux de bois sec. Et Georges vit que cet enfant avait à l'intérieur de sa cage thoracique, à la place où auparavant il avait porté son cœur, une jolie maracas en bois bariolé, vert et bleu. En voyant cet objet qui était si parfaitement inerte, en regardant le silence que faisait l'instrument de musique, il réussit enfin à entendre la phrase d'Amarillo qui disait, qui répétait : *Ils ont retrouvé ton enfant. Ton enfant qu'ils ont retrouvé, ton enfant mort.*

On ramena le corps à Minas Blancas. Dans un petit chariot tiré par une mule, à travers la fumée qui se dissipait en accrochant des lambeaux de cendres aux murs du tunnel, on ramena l'enfant qui était mort. La mule aussi semblait poudrée et douce, seul le choc des sabots lui donnait l'air véridique. À l'enterrement, de nombreuses familles étaient là, des familles qui attendaient dans la ville le moment de leur émigration. Toutes étaient venues rendre hommage au petit frère humain qui n'avait pu atteindre l'autre rive. Il était urgent de lui faire une sépulture : pour que son âme n'erre plus à la frontière. Ils firent l'enterrement afin de l'apaiser, et qu'elle n'attende plus jamais les États-Unis.

Ils le firent également pour régler leurs conflits avec les hommes-couleurs. Car si ces derniers avaient vraiment organisé l'enlèvement de Niño, ils auraient à tout prix fait en sorte que l'enfant reste en vie jusqu'à la fin du chantier ; la funeste découverte d'Amarillo établissait leur innocence. Les Bernache acceptèrent de se ranger à ce signe de paix, et de poursuivre le chantier en bonne intelligence. Enfin, ils firent aussi l'enterrement pour les autres enfants, pour qu'ils n'attendent plus en vain le retour de leur frère.

La mule toujours grise apporta le cercueil d'un mètre trente, et la ville de Minas Blancas se recueillit. Aux trois enfants qui leur restaient Florence et Georges donnèrent des habits de deuil, et ceux-ci ne firent pas de difficulté pour enfiler les costumes trop raides, la robe au col serré qui grattait, les souliers grinçants qui ne pouvaient pas courir. Il fut impossible de ne pas remarquer cela : pas un d'entre eux ne versa une larme. Ils semblaient n'être pas concernés par l'arrivée de la mule et du cercueil d'un mètre trente. On ouvrit la terre. Suzanne était pâle et sans plus d'émotion. Les jumeaux se tenaient par la main et avaient l'air de désapprouver tout ce qui se passait. Était-ce le nombre des années qui leur avait appris une telle indifférence ? On décida d'indiquer Niño Bernache sur le dessus de la pierre. En posant la plaque de cuivre sur la tombe, Georges éprouva un curieux sentiment de doute qui vrilla son âme dès la première vis, s'enfonça plus avant à la deuxième, à la troisième, et fut totalement rivé à lui lorsque la petite plaque de cuivre étincela bien d'équerre. On dit une prière. En se relevant, en retournant près de Florence, Georges attrapa son regard vide, parce que comme lui elle avait pensé que les os n'ont pas de visage et pas de nom. On dit encore d'autres prières pour Niño Bernache, les gens en avaient apporté beaucoup. Mais les deux jumeaux expertisèrent la maracas comme n'étant pas celle de Niño. Mais les yeux de Suzanne étaient toujours secs. Mais personne ne croyait que c'était lui dans le cercueil d'un mètre trente apporté par la mule.

XIV. L'Affaire Bernál dans les journaux

– Quel est votre nom ?

– Niño Bernál.

– Quel âge avez-vous ?

– Environ 25 ans.

– Vous ne pouvez pas être plus précis ?

– Je ne sais pas.

– Comment cela ?

– Il n'y a pas de papiers pour le début de ma vie.

– Pouvez-vous au moins nous indiquer votre lieu de naissance ? La date de votre arrivée aux États-Unis ?

Niño Bernál est né dans une campagne sordide au nord de Mexico, en 1941. Non loin de Zacatecas : le juge Garrett juge ce nom ridicule et en outre il ne lui évoque rien. Passons. En 1941 – ce que son père lui a dit. Arrivé au Texas en 1952 comme clandestin, Niño Bernál a commencé par travailler comme ça s'est trouvé, mineur et sans papiers, jusqu'à ce qu'on le chasse une première fois. Mais après il a pu avoir un visa, à partir de 1956. Il est resté pour aider dans des fermes. Et après ? Après, parfois le visa a été renouvelé, parfois pas,

«Ça dépend». Ça dépend de quoi ? «Ça dépend des années.»
Cet homme-là a le passé flou. Et que veut-il, comment ose-
t-il ? Voilà : il est marié depuis quatre ans à une femme américaine, Kareen Monroe. «Depuis quatre ans et trois mois.» Si
Niño Bernál a une idée très vague de son passé, cela ne l'empêche pas d'en avoir une extrêmement nette de son avenir.
«Pour la raison du mariage, on m'a dit que j'avais le droit de
demander à devenir citoyen américain.» Le juge Garrett se
retient de rire – ça, demander, il peut toujours… Lui aussi, il
a une question, d'ailleurs.

– Sauriez-vous me dire de quelle couleur est Mademoiselle Kareen Monroe ?

– Elle est noire.

Dans la salle d'audience, c'est comme si le silence assis
sur les bancs était en train de se faire chatouiller sous les
bras. On sent l'explosion d'hilarité gagner les gorges les
mieux élevées. L'histoire ne s'arrête pas là, avec ce détail
de la couleur. Mais c'est elle, Kareen Monroe, qui a recueilli
Niño Bernál alors qu'il venait d'être renvoyé une énième
fois à la frontière, en 1959. Et comme par hasard il prétend
qu'il était devenu, en même temps que clandestin, amné-
sique. Il dit qu'on l'a recueilli à moitié mort de soif près
de la route de San Angelo. Alors qu'il n'avait rien, c'est
cette fille qui l'a sauvé du désert. Lui a donné de l'eau et
un toit, et même une religion au nom de laquelle ils ont eu
le droit de se marier : c'est là que, pour le Juge Garrett, les
ennuis commencent. Car depuis 1948 et l'erreur grossière
commise par la Cour Suprême de Californie, on ne peut plus
empêcher les mariages mixtes. Si jamais une Église ne voit

pas les couleurs, qu'est-ce qu'on peut y faire ? On ne peut pas empêcher ces choses-là de se passer. D'ailleurs, qui parle de mélange, entre une Noire et…

– Niño Bernál, pouvez-vous confirmer que vous êtes un Indien ?

Ça se voit. Qu'est-ce qu'on voit ? Un homme d'une vingtaine d'années. La peau très brune : mais est-ce l'œuvre de la généalogie ou de la climatologie ? Ce sont de dures questions pour un juge par cent quatre degrés Fahrenheit à l'ombre, et même en degrés Celsius… Il fait si chaud : la lumière acérée que pourvoient les vitres tranche le cou à tous les membres de l'assistance sans discrimination, au juge, aux avocats, aux spectateurs tout autant qu'à ce satané ouvrier agricole, qui ne porte pas de chapeau mais un nom français, pardi ! Enfin, presque… le juge Garrett ne veut pas lui faire l'honneur de lui demander, mais ce patronyme lui rappelle un nom typiquement créole : Bernache. Il l'a croisé plusieurs fois dans son enfance en Louisiane. Le juge rêve maintenant, bâille aux corneilles – « bernache », un nom d'oiseau, s'il se souvient bien de ses rudiments de français. Absurde : un rudiment, ça n'inclut pas les noms d'oiseaux. Alors ? Alors une jeune amoureuse qui s'appelait comme ça, Colette Bernache, Colette Oie Blanche dans les marais humides et frais, parmi les joncs frémissants.

Rien à voir avec ce gars qui l'encombre décidément. Il a affirmé en premier lieu être « de sang indien à 50 % ». Maintenant il s'est rétracté, dit-il, pour des raisons culturelles : il prétend que là-bas au Mexique, c'est bien de dire qu'on est Indien, et pas seulement un descendant d'Espagnol, de la pure semence de brute conquistador. Mais c'est par hasard qu'il a dit ce chiffre de 50 %, en réalité il n'en sait rien : à sa connaissance, ses deux parents sont eux-mêmes issus de métissages innombrables.

La seule chose vraiment certaine : combien ce jeune homme est beau. Pas très grand, mais costaud, pas planté de travers et balayé des courants d'air comme de la mauvaise herbe, non, solide et vertical, déjà arbre centenaire. Il est sûr de son droit, il ne fait pas de concession au martyrologue. Il vous regarde dans les yeux : il n'a pas peur, il sait très bien pourquoi il est là. Pas de visage misérable et pas de plainte : il ne faut pas attendre d'aide de ce côté-là. Le juge comprend que s'il décide de faire de lui une victime, il sera seul responsable.

Le juge Garrett sait bien que dans les rouages de la justice américaine, un accident peut devenir un destin. Qu'une âme invisible peut être révélée à la une car elle se met à incarner toute une catégorie sociale. Il ne peut refuser la règle du jeu : à l'intérieur du cadre indépassable de la Constitution il n'y a pas de lois fixées d'avance mais une myriade de jurispru-dences qui dialoguent entre elles, se renversent, s'annulent, et permettent parfois au sort d'un seul homme de déterminer celui de milliers d'autres. Les visas de *braceros* qui dans les années précédentes avaient été distribués généreusement à la frontière s'étaient fanés en quelques saisons, mais en recueillant Niño Bernál dans le sein de la nation américaine, Garrett allait signifier à tous les autres migrants qui erraient derrière la limite de la clandestinité qu'eux aussi finiraient par être admis.

Alors, faut-il ouvrir la voie, dès à présent, à celui-là et à tous les autres ? C'est un problème compliqué pour la simple tête du juge Garrett, sous la perruque trop chaude par temps de frontière. Il sent comme un danger d'usurpation. Il peut refuser, mais à quoi bon ? Il y en aura un autre pour commettre l'erreur. Pour ouvrir une autre vanne. Et tout bien considéré : c'est déjà fait. Il faut déjà tordre la jurisprudence d'une façon considérable pour refuser à ce jeune homme ce qu'il demande. À Val Verde, à la 18e Cour de District, son prédécesseur a bien essayé de s'interposer, mais maintenant que ça arrive tout brûlant sur ses genoux à El Paso, en pleine Cour d'Appel, il ne voit pas trop ce qu'il peut encore faire.

On pourrait, certains jours, passer outre. Mais aujourd'hui c'est différent. Il y a la presse. Il y a une campagne politique de grande ampleur. On a flanqué l'Indien d'un avocat hors de prix. On a des intérêts à défendre.

Le juge regarde encore : autour de ce regard de grande bonté, le visage maintenant dur comme un masque. Celui d'un fermier, d'un ouvrier, d'un prince : un masque que vont se passer de main en main des dizaines de milliers d'hommes qui viennent après lui, qui seront bruns, ou noirs, ou jaunes, tous des Innocents qui se prêteront l'un après l'autre le masque de l'Indien. Pas de l'immigré mais de l'Indien : celui qui est déjà là quand on arrive, qui a le droit ancestral de vous précéder.

Heureusement, à ce moment du procès, un événement inattendu mit fin au désarroi du juge Garrett.

* * *

Dessous l'ancienne usine Pullman, parmi les allées de figurines muettes devenues les témoins de l'utopie Bernache, Grís fait tomber le verdict : « Tout cela ne leur rendait pas leur enfant. »

Josh, absorbé dans l'écoute du sexe en forme de récipient d'une jeune femme dodue et qui se tient la tête à l'envers, la laisse échapper de sa main, et elle éclate en mille morceaux sur le béton glacé. Creuse comme une caverne, sa voix à son oreille était aussi vaine et monotone que celle d'un coquillage, mais il la regrette déjà. Il scrute aussi les mille visages de terre qui ne disent rien des hommes qui les ont fabriqués. Pas un non plus qui n'ait été appelé à raconter l'Histoire devant les tribunaux, quand l'occasion s'est présentée le 24 mars 1964.

« Tous les deux ils allèrent au procès Bernál », dit Grís, le seul de tous qui soit doué de parole. Mais au moins Grís aime parler, Dieu sait ! « Pendant toutes ces années, Georges et Florence n'ont pas cessé de le chercher. » Il ajoute : « Tous deux étaient très *mécréants* – son œil est plein de désapprobation quand il prononce ce mot – mais bientôt ils recommencèrent à trouver des signes, et ils comprirent que l'enfant était vivant. »

Sur la carte générale du chantier, c'était toujours ce nom en langue nahuatl, ce *Quetzalcóatl* qui continuait de revenir bien après que l'enfant de la frontière eut été enterré. Ce nom qui était apparu en même temps que Niño avait disparu

le 5 juillet 1952. Écrit d'une main décidément très maladroite, qui pouvait être celle d'un enfant – mais il y avait
sur le chantier tant d'ouvriers qui savaient à peine écrire,
qui essayaient. C'était un nom tout délié dont les lettres ne
restaient pas en place sur une seule ligne mais semblaient se
tordre et sautiller comme si elles avaient suivi dans l'amas
des lignes et des graphes un petit cours d'eau capricieux.
Georges et Florence n'étaient pas très enclins aux dérives
religieuses et la mélancolie s'était emparée d'eux sans liturgie
particulière ; ainsi ils n'auraient pas su expliquer pourquoi ce
nom, qui ponctuait désormais la carte du chantier en de nombreux endroits, était devenu pour eux une source d'espoir.
Pourtant il en était ainsi : l'apparition se répétait pour eux
comme un miracle qui leur permettait de continuer à croire
que Niño était en vie et dont la notation (toujours sur le
même axe en direction du nord) guidait désormais subrep-
ticement le tracé du tunnel vers le Nouveau-Mexique, à
l'ouest du Rio Grande.

La presse voyage. Georges et Florence, qui croient sans
s'en rendre compte que leur malheur est assez important
pour figurer dans les journaux, ont pris l'habitude de lire
tous les titres qui paraissent des deux côtés de la frontière.
Cette pratique a commencé le jour de la disparition de Niño
et elle leur est restée, augmentant désormais leur désarroi
d'un sentiment de ridicule, de honte : alors que les journaux
bruissent de débats passionnés sur les Civil Rights côté
américain, ou bien côté mexicain de constats nerveux sur
le raidissement de la politique migratoire des États-Unis,

ils persistent à rechercher dans la marée d'encre une trace de leur enfant. Ironie du sort, leur superstition coriace finit par leur être favorable, en apparence du moins : Niño doit avoir 21 ans quelque part lorsqu'un matin de février 1964 ils voient son nom écrit presque en toutes lettres dans un journal texan.

Il est arrivé sur la table du petit déjeuner avec les autres journaux, comme toujours empilés aussi haut que la cafetière et grouillant de petits caractères noirs hérissés de cornes et de pattes, refusant obstinément de s'unir pour former un énoncé cohérent ou optimiste avant que le café ne soit entièrement bu et la lumière du matin entrée dans les esprits. Pourtant ce jour-là Florence a découvert à travers les dernières brumes du sommeil un titre qui l'a émue aux larmes, et ainsi elle tient le journal à bout de bras pour mieux voir la page déployée devant elle, essayant de ne pas trop trembler de crainte que les lettres ne tombent et ne s'enfuient parmi les miettes. Mais elles sont là qui se tiennent côte à côte dans un bel alignement, bien qu'elles présentent un léger défaut d'organisation : sur la première page du *Texas Daily* on lit Niño B-e-r-n-á-l, et non Bernache. Il a « environ 25 ans » un peu plus vieux qu'il ne faudrait, mais si peu.

Au-delà de la joie de cette découverte, Florence comprend vite que ce Niño-là n'a pas beaucoup d'amis parmi le lectorat habituel. Le journaliste enrage que sa demande de naturalisation ait été portée jusqu'à la cour d'appel d'El Paso. Il s'ingénie à collecter les éléments prétendument flous de sa biographie, il ne manque pas de mentionner qu'on ne sait pas exactement son âge car le suspect affirme n'avoir pas eu d'état civil lors de sa vie au Mexique. Il continue : on sait seulement que, arrivé en territoire américain lorsqu'il était encore un jeune adolescent, il a obtenu un certain nombre de visas épisodiques pour travailler dans des exploitations agricoles de la frontière, sombrant régulièrement dans la clandestinité quand les quotas d'ouvriers autorisés s'amenuisaient. Mais aujourd'hui il a pour ainsi dire pignon sur rue : cela fait cinq ans qu'il travaille dans la même ferme, sur la rive est de Lake Linda, avec des papiers en règle. À l'origine de sa demande de naturalisation il y a son mariage avec Kareen Monroe, la fille du propriétaire de cette ferme. Un homme habile que ce Niño Bernál ! Un homme de goût, aussi : voyez la robe excessivement fleurie toujours au 2ᵉ rang, décolletée avec du tulle et des broderies en veux-tu en voilà ! Largement décolletée, de jolis nœuds soulignant ses épaules dénudées, un air boudeur et fier. Le tulle : jusque dans sa coiffure. Elle est présente à chaque audience, la tendre épouse. Par ailleurs, il n'y a pas à dire : elle est vraiment de couleur noire. Noire aux mains, aux bras et à la tête, et même les cheveux crépus, noirs.

Surtout, l'épouse est tellement belle que l'affaire s'enflamme. Son visage apparaît maintenant dans tous les journaux. Ceux qui sont réputés les plus racistes se font piéger : ils cèdent à la tentation de montrer en une la jeune personne posant fièrement sur le perron néo-classique de la cour d'appel d'El Paso, entre les élégants pilastres en marbre qui encadrent le portail – ils n'omettent pas de se rattraper avec l'aide d'une légende désobligeante, mais la voilà quand même qui fait vendre comme la manne, cette semaine il leur a fallu tripler le tirage et réquisitionner une presse supplémentaire pour livrer les trois cent mille portraits de Kareen Monroe aux Texans avides, et dédouanés moralement par le commentaire : *Kareen Monroe en robe de bal, attendant que son mari soit reconduit à la frontière.* Dès lors, allez démêler l'affaire judiciaire des replis du joli jupon.

Les journaux en oublient même de publier le portrait de Niño Bernál, purement et simplement. Nulle part on ne reproduit le visage de celui qu'on décrit indifféremment comme *mexicain*, *indien*, ou *sang-mêlé* – ce qui alimente encore davantage l'imagination de lecteurs donnant mille figures chimériques à cet être qui réclame désormais sa place parmi eux.

Georges et Florence voient le nom du garçon multiplié à l'infini dans les pages desséchées des journaux et qui se perd peu à peu, bientôt devenu illisible comme une nervure de feuille morte dans un tas de feuilles mortes, mais ils distinguent aussi le visage de plus en plus net de la jeune femme comme un camée précieux. À sa vue le doute s'installe en même temps que l'espoir. Pourquoi ce nom hispanisé : Bernál ? Et pourquoi un enfant de Florence demanderait-il la nationalité américaine qu'il a déjà ? Peut-être que ce nom n'a rien à voir avec le petit dieu fugueur – et dans ce cas il mérite pleinement d'avoir sa chance auprès de cette femme si proprement bourgeoise, cette Kareen Monroe dont la vertu, la droiture semblent aussi évidentes que sa couleur de peau :

« Oh non, celle-là n'aime pas les aventuriers ! Je t'assure que c'est une personne *matter of fact* », déclare Florence en découpant son beau portrait avec le soin de couturière qui semble dû à sa belle silhouette : belle sans doute et banale, et qui fait mentir toute l'histoire imprimée.

Enfin, le 12 mars 1964, le *Texas Daily* se vend à 372 987 exemplaires, avec une double page de publicité pour les lessives *Tide* où un charmant caniche attaché par les oreilles sur une corde à linge s'exclame : «Blancheur Extrême, Moi Aussi !» Ce numéro expose un rebondissement de l'affaire aussi inattendu que satisfaisant. Le journaliste exprime les enjeux d'une manière fort édifiante, dans les termes suivants :

«Monsieur Niño Bernál, un fermier mexicain de sang indien marié après un long concubinage hors mariage et plusieurs années de travail clandestin sans autorisation avec Miss Katherine Elda Monroe, femme de couleur et de mauvaise réputation, était sur le point d'obtenir la naturalisation américaine au mobile de son mariage. Ce méfait aurait bien pu être réalisé si l'éminent shérif d'Horizon City Sir Ronald Francis Foster, ayant pris connaissance de l'affaire dans les pages de notre humble publication, n'avait contacté *in extremis* la vénérable cour d'appel d'El Paso afin de dénoncer cet homme abominable comme le meurtrier présumé d'un garde-frontière. Ce meurtre horrible, inqualifiable et de sang-froid a été commis au mois de juin 1953. Le criminel précoce avait alors été identifié auprès de son dernier employeur comme un certain Niño Bernache, et non Bernál, mais le signalement de l'adolescent de race indienne qui s'était enfui sans se rendre après avoir perpétré ce crime navrant semble en tout point correspondre avec celui de Monsieur Niño Bernál, qui se serait donc en outre rendu coupable de port d'arme à feu en dessous de l'âge légal. Cette découverte, qui sauve notre État *in extremis* de l'intégration d'un ennemi dangereux, *a fortiori* de couleur sombre, a eu lieu quatre heures avant que cet Indien d'origine mexicaine n'obtienne effectivement sa naturalisation, après une lutte judiciaire beaucoup trop longue et lambinante qui lui avait scandaleusement permis d'exprimer ses revendications jusqu'à la cour d'appel du Texas.»

* * *

Le lendemain de la parution de cet article, la cour est réunie pour procéder tranquillement à l'exécution. Elle s'apprête à suspendre la procédure de demande de naturalisation de Niño Bernál ; et confiera à un autre tribunal le soin de lui organiser le procès qui lui est dû, en tant que criminel. Tel est le programme de cette journée glorieuse qui commence à 10 h 25 quand le juge Garrett, s'extirpant d'une poignée de main très chaleureuse avec le journaliste du *Texas Daily* dont nous venons de découvrir la littérature engagée, pénètre tout seul dans la salle d'audience – et depuis son siège sur la tribune, passant sa tête en triomphe dans l'encadrement des piles de dossiers qui ornent son bureau, salue la foule venue au rendez-vous.

Car il y a beaucoup de monde dans cette salle d'imitation classique : la pierre blanche et toute neuve impose sa discipline à la foule avide de sacrifice, heureuse de se congratuler comme à l'église pour les belles vertus qu'elle entretient dans ses foyers. La voûte en berceau, les pilastres harmonieusement répartis tout autour pondèrent la ferveur, distribuent régulièrement en abscisses et en ordonnées les élans spirituels trop véhéments, sans pour autant les contenir tout à fait. On sent que l'atmosphère est mûre pour les évanouissements, les pâmoisons, la distribution des sels comme à l'époque des corsets trop serrés. Il est vrai qu'ici les femmes ne sont pas pour rien dans la production d'électricité atmosphérique. Beaucoup d'entre elles ont toujours couvé des ambitions scarlettohariennes qui les poussent à se produire en public dès que possible, sans pour autant disposer de la beauté requise… mais qu'importe la beauté : elles ont la foi. Leur nature marâtre et mégère les sublime, en quelque sorte, rendant d'autant plus remarquable leur potentiel transcendantal. Leur postérieur couvert de drapements sobres, de beige à noir, crème pour les originales, repose sur les bancs de la salle dans une éternelle tension : prêt à bondir en cas de scandale. Les chemisiers sont heureusement agrafés au-delà des atours et en deçà des bajoues, à la juste hauteur. Toutes ont par correction et coquetterie des collants de nylon du meilleur effet malgré la chaleur qui les fait adhérer en gros film de sueur – il fait 40 °C, comme l'a déjà remarqué le juge Garrett en s'asseyant dans sa robe et sous sa perruque. Il est 11 h 15. Elles sont prêtes.

À 11 h 20, on note la venue d'un policier qui apporte au juge Garrett un télégramme qu'il lit en haussant les sourcils puis en laissant s'épanouir visiblement les coins de sa bouche : sa surprise suivie de contentement suscite beaucoup de curiosité dans la salle. Mais il garde jalousement l'information en attendant semble-t-il un moment propice, et peut-être des renseignements supplémentaires.

Il y a aussi des hommes, bien sûr. Ils sont les époux des dames : des commerçants, au détail ou en gros, des agriculteurs dans des exploitations plus ou moins gigantiques, des ouvriers et des chefs d'atelier dans des usines de pièces détachées ou des chaînes d'assemblage. Eux, ils ont des objectifs plus bassement matérialistes. Ils ne cherchent pas tout à fait à sauver la morale, plutôt à être présents pour évaluer les risques qui pèsent sur leurs activités, pour prendre la température, comme ils disent, savoir de quelle couleur seront leurs futurs employés ou patrons. La découverte du passé meurtrier de ce plaignant devenu prévenu est une bonne péripétie, inespérée… Mais combien de temps les murs de ce tribunal vont-ils encore tenir debout et endurer la charge continue de l'immigration ? Le prochain Hispanique qui prétendra à la nationalité américaine, dans de telles circonstances, pourra-t-on l'éconduire à son tour ? Penses-tu ! Ils viendront et s'assiéront à leur table, maintenant qu'on ne peut même plus compter sur une bonne ségrégation des couleurs. Alors les hommes regardent et sondent eux aussi les murs de blancheur néoclassique, les ornements de stuc de la statue-justice, le bureau de marbre du juge dont le marteau a un gland en feuille d'or, les fameux pilastres tout autour au garde-à-vous – et ils doutent : cet examen sommaire suffit à établir que toutes ces fanfreluches ne ressemblent pas du tout à du solide. Ils repèrent au passage dans la foule de leurs congénères mâles ceux qu'ils nomment *outsiders*, les gens des cercles politiques, d'El Paso à Washington, qui sont venus faire du lobbying pour que ce procès périclite. Ils leur lancent les regards de haine qu'ils méritent.

Ces *outsiders* ne sont pas très nombreux. Ils se sont réunis au premier rang, selon leurs habitudes de bons élèves héritées du kindergarten, quand leurs parents bourgeois leur vantaient l'horizon radieux des universités qui portent des branches de lierre aux lettres de leur nom, l'hygiène exaltante de leurs salles de sport et les délices de leur dining hall. Ils ont tellement aimé cette expérience que désormais ils voudraient la faire partager à tous. Depuis ce temps-là il semble qu'ils ont toujours été au premier rang, munis de serviettes en cuir et de cravates. Ils se disent progressistes : ils savent mieux que d'autres de quel côté il faut voter – il faut reconnaître qu'ils ont sur le papier des idées généreuses. Ils ont l'air grave et pénétré, quand ils replient les vastes feuillets de leurs journaux importés de la côte est ils découvrent leur front également froissé, leurs yeux tamponnés d'encre. Ainsi Niño Bernál, ce cher martyr, ce fermier bien sous tous rapports, s'est transformé du jour au lendemain en meurtrier prépubère : eh bien, ce prodige ne leur a pas fait très plaisir. Même s'ils sont entraînés pour improviser des stratégies, ils n'ont pas pu sortir une seule idée valable de leur dernière cellule de crise. Une preuve de cela, c'est que leur chef, l'Avocat, dont c'est pourtant le métier, ne parle plus. Et maudit en silence son client, ce salaud de Mexicain, ce menteur.

À 11 h 45, le juge Garrett fait signe à l'avocat de venir à lui et lui dit quelque chose dans l'oreille. Par une curieuse coïncidence, ce qui déplaît fortement à l'avocat semble plaire fortement au juge. Cela doit avoir quelque chose de commun avec le télégramme, pensent les malins. Ils ont raison. En regardant l'avocat par-dessus ses verres de lunettes, Garrett prend l'air magnanime d'un bourreau qui laisse le choix des instruments à sa victime. Suite à une intense grimace de mépris effectuée par celle-ci, et qu'il interprète abusivement comme un «oui», Garrett se lève pour annoncer qu'il y aura dans ce procès un deuxième témoin, en plus du Shérif Foster. Ce deuxième témoin, qui dans sa voix semble aussi être un hôte de marque, viendra pour dire s'il reconnaît le prévenu comme étant le jeune garçon assassin qu'il a connu au Mexique peu avant son méfait.

Il y a en rose et noir Kareen Monroe qui se tient droite sur ce banc dont elle semble désormais l'évidente proprié-taire – elle a beau être haïe par de nombreuses personnes dans la salle, aucune n'ose lui contester l'attribution de ce deuxième rang, à chaque début de séance chacun fait place pour la laisser passer, sans même se rendre compte de cet hommage muet. Elle tient par le bras son vieux père qui semble subjugué par sa beauté, qui se tourne vers elle à tout moment pour lui sourire – et elle est bien la seule à le voir sourire, car dès qu'elle ne le regarde plus il défait son visage et reprend les traits de la souffrance. L'idée qu'un si grand malheur puisse s'abattre sur cette enfant chérie lui est insupportable. Et il lance des regards effrayés en direction des autres «gens de couleur», assis loin d'eux car la salle est encore quadrillée par la géométrie raciale. Pour défier cette logique d'intimidation, beaucoup d'autres Noirs du pays, qui ne seraient jamais venus six mois auparavant, ont décidé de montrer leur solidarité avec le vieil Adam Monroe. En même temps ils viennent mettre à l'épreuve ce que les dernières semaines de combats politiques leur ont offert. Ils ont une expression de sérieux et de concentration absolue, comme des scientifiques venant tester un matériau très spécial dans un environnement nouveau : un matériau précieux et fragile qu'il faut manipuler doucement et qui contient tous leurs espoirs – leur dignité, qu'ils sont venus exposer à l'atmosphère corrosive de ce tribunal pour la rendre plus épaisse et plus dure.

Il n'y a pas de migrants mexicains dans la salle : même si c'est leur destin qui est à l'ordre du jour, leur communauté est encore trop marginale pour se manifester devant la justice. Niño Bernál est en quelque sorte orphelin de sa propre communauté.

À midi pile, le juge Garrett annonce le début de l'audience. Il souhaite d'abord faire une annonce. Il explique qu'on commencera sans le deuxième témoin, qui n'est pas encore arrivé. Mais qu'en attendant sa venue il a l'honneur de faire connaître l'identité de cette personne très fiable. Elle est en charge d'une filiale mexicaine de l'illustre entreprise Pullman. Elle emploie des centaines d'ouvriers mexicains, elle veille à leur donner une vie décente sur place, de leur côté de la frontière. Et a fait savoir qu'elle pouvait reconnaître Niño Bernál.

Celui-ci est amené dans la salle par un policier. Son costume sombre et sa chemise blanche, qui devaient initialement lui servir à marquer la solennité de sa requête, sont froissés par la nuit passée en prison. Il a dû desserrer sa cravate pour dormir, et apparemment on ne lui a pas laissé le temps de la remettre en place avant de lui attacher les mains : donc elle pend devant le col de sa chemise ouverte. C'est probablement l'apparence qu'il mérite pour rendre compte d'un assassinat commis dans son enfance – «*Dès* son enfance», pense la majorité du public, effrayée par cette vocation précoce.

L'assassin a justement les yeux humides d'un enfant qui a trop pleuré. Ses menottes ont été attachées dans son dos, ce qui lui donne l'air de cacher quelque chose d'un air exagérément sage. Ses lèvres tremblent, et il fait des efforts violents pour ne pas se tourner vers sa femme. Il compense cette tension par un balancement imperceptible, d'un pied sur l'autre, et de la tête, il semble hocher la tête et soulever ses pieds l'un après l'autre au rythme d'une inaudible berceuse imprimant dans son corps ce mouvement perpétuel. L'air d'être un enfant n'est pas pour lui rendre service en cet instant. Il persiste à tourner le dos à la salle. Aux femmes en tailleur noir et crème. À leurs maris chefs d'atelier ou employés. À l'avocat qui reste coi. À l'enfant invisible et morveux qui s'est glissé au premier rang, qui est si petit que ses pieds nus ne touchent pas le sol et se balancent insolemment tandis que sur ses genoux maigrichons repose l'arme du crime, si lourde qu'il lui faut la tenir à deux mains pour qu'elle fonctionne – de temps en temps il la soulève et la braque dans le dos de Niño Bernál toujours agité du mouvement de berceuse, et bien qu'elle ne soit pas chargée l'enfant fait le geste de tirer en criant « Pan ! » dans ses oreilles – mais Bernál est seul à entendre ces provocations et ne veut pas davantage se faire remarquer, c'est pourquoi il reste sans réagir ou se plaindre et garde son dos tourné pour ne pas voir les spectateurs, l'avocat et l'enfant, et surtout pas son épouse Kareen Monroe, la très belle femme assise au deuxième rang qui par fierté a gardé la robe armée de tulle et attend qu'il la reconnaisse ou lui fasse un signe. Il ne supporte pas de penser qu'elle peut voir dans son dos ses mains attachées.

Le juge lui résume en des termes pédagogues l'impasse dont il l'invite à s'extraire :

– Monsieur Bernál, ce tribunal c'est vous-même qui l'avez fait appeler. Pour qu'il vous accorde la nationalité américaine.

Le juge guette dans le visage de Bernál un signe d'approbation qu'il ne peut obtenir, et à défaut, continue :

– Selon la procédure régulière vous avez fait l'objet d'une enquête biographique. Ainsi vous avez été amené à reconnaître que vous avez erré dans notre pays sans autorisation alors que vous étiez encore un adolescent. Que vous avez travaillé dans différentes exploitations, tantôt en situation régulière, tantôt en situation irrégulière. Puis que vous êtes arrivé dans la famille Monroe après avoir été battu à mort, de sorte que vous avez perdu la mémoire de certains faits.

Il regarde alors la famille Monroe avec un air de profonde pitié, comme s'il les plaignait d'avoir donné refuge à un usurpateur et un bandit. Mais de ce côté non plus il semble que la complicité n'est pas au rendez-vous, et n'obtenant pas la reconnaissance qu'il espérait, il poursuit :

– Cette remarque a attiré notre attention. Car faute d'avoir de la mémoire vous semblez avoir beaucoup de bon sens : nous avons retrouvé la trace d'un assassinat commis en 1953 par un adolescent ayant presque la même identité que vous. Le shérif Ronald Foster a déjà témoigné de votre ressemblance avec cet adolescent.

Affichant finalement des ambitions plutôt modestes, le juge Garrett conclut :

– Ce crime remet en cause votre procédure de naturalisation. Avez-vous quelque chose à ajouter pour votre défense ?

Le jeune homme répond précipitamment :

– Oui, j'ai quelque chose.

Puis il se tait. Il tente en effet d'attraper quelque chose dans sa poche mais les menottes l'en empêchent. Il recommence à se balancer doucement d'un pied sur l'autre. Il semble réfléchir, ou se moquer. Une larme coule sur son visage et de nouveau à cause de ses mains entravées il doit faire un mouvement très pénible avec son épaule pour l'essuyer. Cette maladresse semble provoquer en lui une colère immense. Pourtant il reste muré à la salle, de sorte que personne ne peut voir s'échapper la dernière larme de sa vie, née dans un regard humain mais qui vient dessiner une balafre sur la surface d'un masque. Le masque parle :

«Monsieur le juge. Je n'accuse pas, je veux vous dire les raisons pour pas me souvenir de certains épisodes de ma vie. C'est vrai que j'étais errant pendant beaucoup d'années. Depuis tout môme. Ce que je vais dire n'est pas pour accuser, mais j'essaye juste de répondre à la question de la mémoire, comprenez s'il vous plaît. Vous me demandez de me souvenir de quelque chose que j'ai pas fait, je comprends parce que j'étais un enfant pas trop en règle mais j'étais pas méchant, c'est ça que j'essaye de vous dire et je m'en souviens très bien. J'ai dû beaucoup me débrouiller, et se débrouiller n'est pas toujours réglementaire je le soutiens, mais j'ai pas tué. J'ai mené la même vie pendant des années, de l'enfance jusqu'ici, je dois vous dire que cette vie n'était pas très différente quand j'avais ou quand j'avais pas mes papiers. Ce qui changeait était les lieux, parfois des manufactures par exemple des pièces détachées de voitures, mais aussi beaucoup d'agriculture et dans ce cas il y a des saisons, on est en règle quand ça pousse et pas le reste du temps. Je me souviens avec précision de tout ça et même que j'ai pas tué personne. J'ai ma mémoire presque jusqu'au dernier moment, quand j'ai eu des problèmes bien réels avec des policiers j'étais beaucoup plus vieux que quand j'étais enfant alors vous voyez que ça n'a pas de rapport.

Je n'aurais pas raconté cette histoire si vous aviez pas demandé après ma mémoire, alors soyez certains que je raconte pour dire et pas pour accuser. Les policiers. J'étais alors comme employé dans un élevage. Puis vient la période creuse et ils m'ont renvoyé. Et à ce moment-là j'ai eu vraiment du mal à retrouver de l'embauche, j'ai encore pas mal traîné ici et là à la journée. Le temps que j'avais des papiers était de plus en plus vieux quand les policiers m'ont vu pour le contrôle. Je voulais pas me faire chasser et je reconnais que j'ai beaucoup protesté, et peut-être insulté. Alors c'est vrai qu'il y a de ma faute dans la bagarre qui a suivi.

On m'a retrouvé dans le désert avec un nombre de blessures mais je ne saurais vous dire exactement ce qui s'est passé car j'avais perdu connaissance. J'ai reçu des mauvais traitements, je ne dis pas ça pour accuser monsieur le juge mais parce que je crois que les policiers n'ont pas voulu me garder dans la cellule en l'état c'est pourquoi j'étais dans le désert. Ils voulaient pas que j'aie l'air d'être de leur responsabilité à cause de la figure qu'ils m'avaient faite. Je vous demande pardon pour ne pas me souvenir mieux des circonstances. Et pardon à ma femme, je voulais jamais lui raconter ces choses. C'est le père de Kareen qui m'a trouvé. J'étais moche. Il m'a fallu du temps pour récupérer. Après j'ai travaillé chez lui. Il avait besoin de moi car les exploitations noires ne pouvaient pas avoir de quotas de *braceros*. C'est comme cela que j'ai rencontré ma femme. Je voulais pas qu'elle sache tout ça. Je lui demande pardon. »

Pour la première fois, le masque se tourne vers la salle ; son regard semble chercher la jeune femme dans la foule mais il ne la trouve pas. Elle est pourtant assise à la même place que d'habitude, elle tente de lui sourire mais il ne la voit pas. Il continue de fouiller du regard cette salle bondée qui lui semble vide. Et en effet tous se taisent, comme des absents.

Le silence est rompu par une voix au fond de l'auditoire, portée par une femme blanche que personne n'a remarquée auparavant. Elle n'est pas, comme les autres femmes blanches, en tailleur et engoncée dans sa vertu. Depuis le début de l'audience elle est assise sur les bancs noirs sans que personne ne remarque ce contraste choquant pour la bonne raison qu'elle-même ne le voit pas. Une fois debout, elle se laisse regarder. Elle leur a tendu un piège grâce à son accent américain parfait qui les a tous fait se retourner en confiance, une grammaire impeccable qui ne laisse pas deviner toute sa perversité :

– Il faut absolument empêcher cette erreur judiciaire, a-t-elle dit avec autant de propreté et d'assurance que si elle s'était exclamée : « Nous irons ce week-end à Cape Cod car il fera beau », dans cet accent de pure Nouvelle-Angleterre qui ne souffre pas de contradiction.

Pourtant elle porte une blouse étrangement brodée et une quantité de bracelets qui ont fait un tintement remarquable quand à la fin de sa phrase, elle a baissé son bras. Malgré ses lèvres désormais closes, sa silhouette entière semble faire du vacarme à cause des couleurs imprimées en tous sens et du charivari de ses bijoux qui lui donnent l'éclat impénétrable d'une icône en blue-jeans. Elle s'avance tranquillement dans l'allée centrale et s'arrête devant le juge Garrett. Elle lui fait un signe muet et celui-ci sans réfléchir baisse sa nuque épaisse et approche d'elle son visage luisant, sur un frémissement infime de sa main chargée de bracelets il lui tend son oreille. Tandis qu'elle y murmure des mots parfaits, lisses, précis, fabriqués en Nouvelle-Angleterre, le visage du juge Garrett devient de plus en plus pâle. À la fin de la confidence il a un sursaut de conscience professionnelle et se lève pour rendre publique l'identité de cette femme. Car c'est elle l'envoyée de la Pullman. Pour se donner de l'autorité il lui prend des mains le passeport qu'elle lui tend et qui dit son nom : « Florence Bernache ».

Il a fait un effort surhumain pour s'acquitter convenablement de cette présentation malgré les remords et la crainte qui désormais tiraillent en tous sens le derme épais de son visage. Et il s'apprête à commenter le deuxième document qu'elle lui a présenté mais elle le lui reprend pour le montrer elle-même à l'audience : de sa main enchantée elle déplie la feuille sur laquelle sont inscrits un nom avec une date, une date marquée d'une croix. Le juge a bien lu cela, mais les autres voient seulement qu'elle tient haut la feuille de papier qui tremble un peu.

Elle s'approche doucement du jeune Niño Bernál, elle met la main sur son épaule et regarde longuement à l'intérieur de ses yeux noirs et totalement indifférents. Elle n'y voit pas la moindre trace du petit dieu fugueur. C'est pourquoi elle se tourne vers le juge Garrett et lui explique :

– L'enfant qui s'est rendu coupable de cet assassinat à la frontière, et que vous recherchez, vous ne pouvez pas le condamner parce qu'il est mort.

C'est exactement ce qui est écrit sur le certificat de décès qu'elle montre ici même, portant la date où l'on a exhumé et ramené le petit corps d'un mètre trente empli d'une maracas. Et à l'adresse de la salle elle précise, avec presque de la compassion pour cette foule de malheureux qu'on a trompés :

– C'était mon propre fils. On l'a retrouvé mort il y a presque dix ans.

Ceci met fin au procès. Le lendemain, les journaux locaux oublient d'annoncer que Niño Bernál a été relâché et qu'il rentre avec sa femme dans leur propriété agricole pour vivre la vie banale à laquelle ils ont aspiré. Il n'y a nulle mention du fait qu'il ait obtenu la nationalité américaine. Quelques semaines plus tard, quand le parlement américain votera la fin de la ségrégation, cet enfant ni blanc ni noir de l'isthme d'Amérique deviendra un citoyen indifférent dans un pays où tous les citoyens ont des droits égaux.

* * *

Tu crois que dix millions d'êtres humains sont visibles à l'œil nu ? Le voyage qui ramène Georges et Florence à Minas Blancas traverse les sentiers innombrables de l'immigration, sans pourtant que la foule et les bruits ne leur parviennent. À dos de désert on ne voit rien du paysage. Il est nu, aussi lisse et brillant qu'un silex – si on se penche et le ramasse il ne dira rien du foyer qu'il a engendré ou de la bête qu'il a saignée, il se taira comme un autre caillou. De même l'humanité traverse ce désert sans laisser aucun témoignage évident, et ce n'est que par exception au régime du silence qu'elle vient parler devant un tribunal – car la peur vit sans bruit. Crois-tu que finalement Niño Bernál aurait mieux fait de se taire, lui aussi ? Comme il fait chaud elle ouvre la fenêtre mais n'entend toujours pas les dix millions qui se pressent tout autour. Dix millions, c'est-à-dire cinq millions d'officiels depuis la deuxième guerre mondiale et cinq millions qui ne sont pas entrés tout de suite sur les registres, ont afflué doucement malgré les retours infligés chaque année par les opérations de chasse aux clandestins. Aucun n'est visible à la surface de ce désert de fin d'après-midi, assassiné par la lumière qui l'empêche de susciter le moindre visage, ou trace de pas. Le ruban d'asphalte devant eux est également traître, en apparence il les conduit sagement chez eux, ils remarquent pourtant que personne d'autre n'y navigue, attendent en vain qu'une silhouette bardée de sacs s'élève de la nappe de pétrole que la route forme par mirage à l'horizon.

Où sont-ils ? dit-elle en plissant les yeux pour scruter la brume de chaleur qui les entoure. Et s'ils existent, ont-ils quelque raison d'espérer ce pays qui les jette en prison ? Florence laisse flotter ses pensées qui quelquefois passent à l'état de mots mais le plus souvent demeurent en suspens dans la voiture, jusqu'à ce qu'à nouveau elle ouvre la fenêtre pour mieux respirer, et les chasse. Georges qui est au volant ne laisse pas échapper le moindre commentaire.

À la nuit close il écarta la voiture sur le parking d'un motel qui subitement avait pris forme à côté de la route – un léger renflement du terrain ayant rendu auparavant insoupçonnables ces quelques alvéoles en béton brut d'un seul étage, strictement alignées. Dans la chambre le monde sensoriel redevint d'actualité, premièrement grâce aux odeurs de vieux textiles synthétiques imprégnés de cigarette, de poussière et de graisse autant que de motifs géométriques à prétention indienne, puis grâce à l'eau chaude derrière l'écran de plastique bientôt saturé de vapeur et vite rendu à l'obscurité. L'instant d'après Georges délivrait Florence de tous les vêtements sales dans lesquels elle s'était endormie, et avec d'infinies précautions ranimait la flamme rouge à l'intérieur de sa poitrine et se l'administrait à son tour en se frottant contre elle, de sorte qu'ils retrouvèrent l'un et l'autre les contours tremblés et moites dans lesquels ils se reconnaissaient. Puis il s'était retourné pour ne pas qu'elle le voie pleurer. Il avait replié son bras, posé sa tête contre son poing, et malgré le rempart que formait son dos elle percevait toute l'émotion des derniers jours qui parcourait sa chair, des tremblements doux et désordonnés qu'elle tentait d'absorber dans les paumes de ses mains. As-tu jamais cru que c'était lui ? Cette question avait le ton d'un reproche, mais elle ne s'en rendit compte qu'au moment où elle eut à son tour interrogé le silence. Qui ça : l'enfant ? Ce qui ouvrait des abîmes de tristesse car il était bien évident que *l'enfant*, l'enfant qu'avait été Niño était perdu pour toujours. Il était mort. Ou bien il ne restait de lui qu'un adulte qui vivait quelque part, les avait fuis volontairement, et oubliés. Cet adulte, voulaient-ils à tout prix le retrouver ? Une autre question qu'ils ne prononcèrent pas.

L'homme mystérieux qui avait été leur enfant habitait cette nuit où dix millions d'êtres humains étaient invisibles. Il avait disparu, tout comme disparaissaient pour leurs familles, quand elles ne pouvaient pas les suivre, les ouvriers qu'ils aidaient à traverser en construisant le tunnel de la Pullman. Entre deux passages de voitures qui firent sur la planète un écho métallique, une ironie traversa leur conscience en laissant une grande bavure de fuel et de caoutchouc brûlé : la disparition de Niño, c'était le châtiment qu'ils méritaient pour leur complicité dans l'évasion de centaines d'autres, pour encourager la grande fugue des enfants du Mexique.

L'aide qu'ils prétendaient apporter était suspecte, trop hasardeuse à bien des égards : alors que les migrants rompaient les liens de leur pays natal, rien ne prouvait que de l'autre côté ils trouveraient une vie meilleure – c'était même tout le contraire, à en croire ce qu'ils avaient vu cet après-midi. Le tunnel n'avait pas encore atteint la frontière que déjà toute l'entreprise semblait grevée de doutes. En fermant les yeux ils sentaient leurs orbites saturées d'une lumière spectrale qui empêchait de distinguer le visage de Niño parmi des milliers d'autres qui parcouraient les siècles.

Dans leur chambre de motel collée au désert par une lame de bitume, ils tendaient l'oreille à l'infini mais le bruit des voix s'évaporait sous l'effet de la chaleur. Le sable ne retient pas longtemps la forme des pas, ni l'air la trace des corps qui le traversent ; de sorte qu'il y avait peu de chances de retrouver l'enfant. D'ailleurs, comment allaient-ils le reconnaître parmi la foule ? Il n'était pas seul dans ce désert. Au matin rien n'indiquerait qui étaient ces migrants, ni où ils allaient, toutefois en se laissant dériver parmi eux sans même hisser les draps du lit, en se laissant mouvoir par son propre souffle fraîchissant les zones de sueur dans les replis du corps, on pouvait percevoir leur existence fugitive. La nuit était peuplée de voyageurs. Il y avait ceux à qui on avait accordé un visa de bracero et ceux à qui on l'avait refusé, et qui venaient quand même. Il y avait les migrants solitaires, rapides et légers, tenant pour seul bagage leurs deux mains, et les familles les rejoignant dans des bruits de casseroles. Mais même ainsi chargées et aussi peu discrètes, on ne les voyait pas au grand jour et elles abandonnaient à peine quelques cendres, quelques ordures et quelques excréments à l'endroit du campement. Certains qui avaient traversé pendant de longues années ne laissaient pas plus de vestiges. À cinq cents kilomètres à l'ouest, cinq siècles auparavant, les missionnaires avaient convoqué les Indiens pour construire le long de la côte une route de civilisation : afin qu'ils apprennent la foi chrétienne tout en la propageant. De ce Camino Real conçu pour accueillir les rois des mondes anciens et futurs il ne restait aujourd'hui que quelques murets en terre crue ignorant le chemin qui les avait reliés, assis chacun autour d'un puits qui ne reflétait plus le regard des convertis venant quérir l'eau et la foi, ni même celui de Dieu. Ces murs en pointillés étaient trop éloignés les uns des autres pour se connaître, ni reconnaître comme un langage secret les fleurs de moutarde jaunes semées de l'un à l'autre, une coquetterie des moines qui désormais poussait comme de la mauvaise herbe. Tous les chemins avaient été construits avec la même inconséquence, alors qu'il y avait pourtant bien du monde à chasser dans cette nuit, des talons rouges qui claquaient sur des pavés en or, une cape floue et rayée d'une épée au-dessus d'une jument alezane. Mais comment les retrouver quand la grand-route était si dissolue ? Derrière les voyageurs du détroit de Béring les glaces s'étaient rouvertes. Les eaux de la mer Rouge se refermaient. Un enfant avait eu soin de laisser derrière lui des miettes de pain qui s'étaient envolées dans des gorges avides, un autre avait répandu ses propres os que les charognes finissaient de sucer.

Aussi insaisissable l'adolescente en jeans qui enroule ses jambes au haut tabouret du bar de la station-service et commande un Coca. Puis le boit à petites gorgées avec une concentration intense pour que les bulles qui étoilent la surface lui évitent de croiser le regard des autres consommateurs – qui se demandent ce qu'une jeune personne si correcte peut faire dans des vêtements à ce point dégueulasses. Pourtant un reste de vernis corail sur ses ongles suggère un passage récent dans la civilisation. Elle porte des baskets qu'elle a dû préférer un jour aux chaussures de ville mais dont elle a certainement marre désormais. Sue, Suzanne, Susanna – elle a plusieurs prénoms selon la bouche de celui qui l'appelle, mais depuis quelque temps n'en utilise aucun. Elle se replonge encore dans les bulles de Coca ; quand par hasard elle les relève, ses deux yeux en gardent le pétillement délicieux, ils ont le même effet effervescent, en bleu. Son corps presque immobile sur le haut tabouret à vis a quelque chose de brusque et rapide. Une bizarre mômette qui parlait parfaitement espagnol quand elle a dû demander son chemin, dira-t-on au policier de la frontière côté américain chargé de la ramener à ses parents par le blond de sa queue de cheval – mais c'est en vain, car elle est une comète.

Le lendemain, se réveillant de la nuit au motel, Georges et Florence eurent envie de téléphoner à Minas Blancas pour annoncer leur arrivée. Lucia ne répondit pas au téléphone, seulement les jumeaux qui semblaient étonnamment sages et peu loquaces, se bornant à demander l'heure de leur arrivée. Bien sûr Georges et Florence demandèrent à parler également à Suzanne, mais apparemment ce n'était pas possible, car elle était sortie avec Lucia : « Au jardin », non, « Au marché » – cela sans qu'on puisse distinguer lequel des deux, tenant le combiné ou faisant écho, avait dit quoi – les réponses dissonantes des jumeaux qui d'habitude mentaient d'une seule voix auraient dû avertir les parents que quelque chose n'allait pas, ou du moins susciter des soupçons. Mais la hâte de les embrasser tous, en vrai, leur fit minimiser cette fausse note.

En rentrant ils trouvèrent que Suzanne n'était ni au jardin, ni au marché, mais « partie ». Lucia avait passé la journée précédente à battre la ville et ses environs pour essayer de retrouver sa piste. En quelques heures de fouilles abominables et vaines elle avait saccagé la maison qu'elle avait administrée et rangée avec tant de soin pendant quinze ans. La seule pièce qui restait intouchée était la chambre de Suzanne, que la propreté et l'ordre inhabituels avaient suffi à préserver de la dévastation : Lucia était demeurée impuissante face à une telle capacité de discipline et de préméditation dans la cruauté. Ainsi gardée, la chambre de jeune fille avec coiffeuse, rideaux fleuris et stars du jazz donnant aux murs des reflets gris argent avait déjà l'apparence de piété naïve d'une relique sainte au milieu d'une ruine.

Lucia parlait toute seule au milieu du salon. Elle parcourait la pièce en tous sens pour redresser les meubles, ranger les documents et les objets qui s'étaient écoulés des tiroirs et écroulés des étagères, mais le fouillis de ses gestes, ses mains cherchant une prise, ses épaules rehaussées brusquement pour ramasser un châle imaginaire, car sa colère s'était changée en fièvre, semblaient mettre davantage de chaos dans la pièce. Elle faisait les questions et les réponses, dans son volubile langage de fumée. Elle disait : jeune fille de dix-huit ans, jeune fille à qui on n'avait jamais rien interdit. Alors que des études prochaines à Mexico : la ville où elle était née ! Alors qu'elle était si joyeuse, et jolie. Jolie ! Elle répétait ce mot à travers ses pleurs, comme si jolie tout d'un coup était un argument pour ne pas s'enfuir. En fait c'était sa tendresse de nourrice qui revenait sans frapper. Avait-elle manqué de quelque chose ? Alors ? Avait-on oublié de l'aimer ? Elle parlait sans arrêt, comme pour se protéger de la colère des parents qui ne venait pas – car il leur semblait trop que cet événement à lui seul était doué de parole, et ce qu'ils entendaient alors murmurer dans leur tête était en train de les rendre fous.

Il n'y avait rien à faire de mieux que ce que Lucia avait déjà entrepris depuis la veille : interroger, chercher des témoins dans les environs de Minas Blancas. Il n'y avait rien à faire qu'attendre et être bêtes d'impuissance. Ce qu'ils firent en conduisant encore toute la nuit dans les alentours, n'importe où et en vain. Ils avaient les yeux écarquillés sur le désert, et dans la lumière des phares ils croyaient voir à tout moment des silhouettes fragiles et sans bagages. Mais ces voyageurs étaient des fantômes, ou les ombres furtives des nopals qui disparaissaient aussitôt dans les sables.

XV. La terre dont nous sommes faits

Le tunnel abritant les chagrins des hommes et leurs espoirs croissait continûment. Au ventre de la terre ils vinrent se réfugier, cachés de l'accablant soleil ils pouvaient en paix façonner leur destin. La cavité qu'ils avaient ouverte dans le secret du sol était nourrie par leur présence, le dépôt continu de leurs pas, le flux et le reflux de leurs pensées. Ils avaient heureusement ménagé derrière la paroi une galerie réservée à toutes les excrétions. La terre ouverte par les outils prenait une respiration nouvelle ; les restes de nourriture et les déchets corporels, qui dans ces profondeurs n'avaient pas de moindres puanteurs ni de moindres vertus, avaient contribué à transformer sa population microbiologique, sa faune et sa flore. Entre Minas Blancas et la rive du Grand Fleuve, dans l'étendue revêche de pierres et d'épines, on vit les agaves pousser d'énormes tiges à l'assaut du ciel morne et fiévreux, comme pour crever son œil unique. Pourtant ces fleurs doucement arrimées dans les sables tremblaient de tout leur corps dès que le moindre souffle venait les cha- touiller ; le reste du temps elles se tenaient bien droites le long de l'invisible route qui conduisait au nord. Sous le pied des agaves, l'humanité imparfaitement heureuse continuait de rejeter de la terre et des excréments, tandis que l'épaisse vapeur de ses rêves se condensait au long des céramiques glacées de la voûte.

Il fallut du bleu. La fresque en émaux ne manquait pas de rouge, ni de blanc, de jaune, dont les composants nécessaires étaient en profusion. Les motifs rouges, astres, organes, et certaines fleurs, étaient largement représentés grâce aux immenses quantités de fer que l'on pouvait récolter en chemin, et qui servaient à fabriquer les rails aussi bien que le pourpre et le vermeil. Mais on manquait cruellement, pour faire la voûte céleste et les êtres marins, du cobalt essentiel au bleu. On envoya donc régulièrement des hommes dans l'ouest du pays, chercher jusqu'à la côte les précieux minerais qui servaient à la coloration du tunnel. Ceux qui partaient au Sonora mettaient plusieurs semaines à trouver les matériaux avant de revenir. Ils les achetaient parfois dans les énormes usines chimiques qui bordaient le rivage, ou bien à des marchands miteux qui étaient à leur compte dans les zones sauvages de l'arrière-pays et qui, n'ayant pas les moyens de raffiner les gisements, livraient des éclats bruts qui ressemblaient comme un caillou à un caillou. Tous ces voyages conféraient au chantier une ampleur formidable, puisqu'il se nourrissait et étendait ses ramifications aux quatre coins du pays. L'uranium des étoiles provenait de Oaxaca, le chrome des arbres d'aussi loin que la pointe du Yucatán, et le sélénium, le manganèse de certaines bêtes fantastiques était acheminé depuis le Guerrero. Mais toujours le bleu manquait, et il fallait envoyer de nouveaux émissaires vers la côte du Golfe de Cortés.

Tous ces échanges étaient essentiels au bon fonctionnement du tunnel. Sa croissance dépendait de la livraison régulière des matériaux de construction, de même que sa survie exigeait l'organisation des rejets produits par cette intense activité de terrassement – qu'il s'agît des rejets terrestres ou des excréments. En fait, les vastes volumes de terre produits par le forage du tunnel ne posaient pas de problème particulier. À part la portion qui était prélevée et recyclée pour la fabrication de carreaux et de poteries, ils étaient tout simplement ramenés par wagons jusqu'au nord de Minas Blancas, vers de vastes zones dépressives où l'on pouvait les déverser. Le traitement des déchets humains était plus complexe car il risquait bien davantage de trahir les proportions inattendues que prenait le chantier, et parce que des dérives sanitaires auraient suffi à condamner le rêve. Pour cette raison, on comprend qu'il est indispensable de dire ici un mot sur le système de traitement des déchets qui fut mis au point par les Bernache dès les années 1950.

Malgré l'humilité apparente de cette contribution, c'est peut-être là leur réalisation la plus importante, celle qui permit que le projet se développe sans suffoquer ou se flétrir. La galerie que nous avons évoquée plus haut, et qui longea fidèlement le tunnel jusqu'à ce qu'il eût atteint sa longueur maximale de deux cent trente-cinq kilomètres, était peu large, d'une hauteur d'environ cinquante centimètres tout au plus et elle était pavée de carreaux en terre crue qui lui garantissaient une parfaite étanchéité. Toute l'intelligence du système était de s'adapter parfaitement aux conditions locales : au lieu de l'eau, ressource trop rare, on utilisait celle dont on manquait le moins – c'est-à-dire le sable. Et au lieu d'un flux d'évacuation, on favorisait l'étouffement et la pétrification des matières. Chaque fois que le chantier marquait une nouvelle étape, on fabriquait de nouvelles latrines avec des litières de sable, et tous les jours le contenu de ces litières était vidé dans la galerie, par son extrémité la plus avancée. Pour des raisons stratégiques, il faut également préciser que cette *rigole* d'évacuation avait été ménagée au-dessus du plafond du tunnel principal, et non en dessous. On y hissait le contenu des litières par un système de paniers et de poulies. Et dans un deuxième temps, il était aisé de récupérer la matière ancienne, devenue sèche, par la partie arrière du tuyau. Si une étape de la construction durait trop longtemps, et si la cavité se saturait de déchets au-delà de ses capacités, il fallait pouvoir briser le tuyau en quelques coups pour faire tomber les substances déshydratées. La récupération des matières était facilitée par le fait que la galerie des déchets n'avait pas des parois parallèles : sa structure n'était pas proprement tubulaire mais constituée d'un chapelet régulier d'alvéoles en pente, le point le plus bas de cette pente correspondant à un espace du plafond marqué d'un repère en céramique verte. Quand cela devenait nécessaire, on désimbriquait ce morceau, et par le trou formé on faisait glisser le contenu dans des seaux. Ce nettoyage se faisait à la nuit tombée, afin de pouvoir vider et étaler les substances dans les sables du désert sans que personne, âme solitaire ou militaire, n'en soit témoin. En général, ces restes imprégnés de sable se confondaient tout à fait parmi les étendues rocheuses, ou bien ils tombaient rapidement en poussière.

* * *

Vient l'époque où ils sont près du but. Mais l'autre pays qu'ils approchent, et qu'ils cherchent depuis si longtemps, ne leur ouvre pas des bras feuillus et tout chargés de fruits, ni même ne leur présente un front loyal ; il ruse et se dérobe. Ocre ou rouille, le sable n'est jamais autrement que du sable et jusqu'à l'horizon, faisant douter de l'au-delà. Est-ce au moins un endroit que celui-là ? Il semble que le tunnel nous ait conduits en un lieu qui n'existe pas : de temps en temps, nous autres, les hommes autant que nous sommes, nous sortons pour regarder ce qui nous entoure, et parmi le règne des cailloux c'est la preuve de nous-mêmes que nous cherchons si fébrilement. D'ailleurs, on attendrait en vain le piège d'une patrouille, la logique comptable d'une barrière de douane ou bien les murs d'une prison. Ici, nous sommes encore bien loin des cultures qu'on protège, si elles germent, des villes qui brillent, si elles respirent. C'est un espace qui a déjà trop de lui-même pour se garder ; qui lève et répand sa propre poussière, sur son lit de poussière. Dans cette fournaise, tout semble fait de la même matière : et les dépôts d'ordures laissés par le tunnel sèchent et disparaissent parmi les autres monticules.

Un jour que Grís fait la corvée d'ordures, il aperçoit sous la lune une silhouette furtive, vêtue de bleu, et reconnaît Azul. La même chose se passe le lendemain, l'homme bleu semble sortir de l'horizon et disparaît derrière un rocher, par un accès au tunnel que Grís ne connaît pas.

Azul est rentré d'un séjour sur la terre, dont il a rapporté d'étonnantes nouvelles. On est arrivé dans le sol de l'homme appelé Abundio Comada : au-dessus du tunnel, c'est sa propriété qui s'étend, ce bien de peu qu'il a pu arracher à la Révolution. Azul, qui ne sortait jamais, va maintenant tous les jours dans sa propriété. Avec le *vieil assassin*, comme le nomme Georges Bernache, il refait le monde : ils redistribuent la terre aux indigènes, apprennent à lire à des milliers d'enfants va-nu-pieds et sans-culottes, renvoient le Bon Dieu par-derrière les nuages.

Pourtant Abundio Comada n'est pas un rêve. C'est un très vieil homme corpulent, qui sent le tabac, l'alcool, la sueur, et qui porte un chapeau de paille plus hirsute encore que les poils blancs qui dépassent autour de son crâne, par l'entrebâillement et les emmanchures de sa chemise crasseuse. Jamais on n'a vu un vieillard aussi mal soigné ni aussi mal élevé ; le grand âge ne faisant rien à l'affaire, il rit, il rote à table avec ses invités, et quand il est sur son cheval on ne sait jamais lequel des deux a pété le dernier. C'est un homme dégoûtant que le désert n'impressionne pas : il le traite sans ménagement, sans le silence respectueux, l'inclinaison de tête, l'étonnement mystique qui s'imposent aux autres humains. Il ne craint ni la chaleur, ni la solitude. Il dit qu'au firmament les anges ont brûlé leurs ailes, et qu'ils se saoulent, qu'il lui arrive parfois de les ramasser ivres morts dans les pierres. Il abrite les animaux les plus pathétiques, dans son chenil se trouvent des coyotes adoptifs parfaitement impotents qu'il fait survivre au bouillon de poule. Il fabrique son propre mezcal, il élève des vers de terre pour en mettre le plus possible dans le fond des bouteilles. Il appelle ce mezcal *bière de terre* et le boit comme tel, comme de la bière. Son corps compte d'innombrables cicatrices, *plus que d'étoiles au ciel et de pierres au désert*, il se blesse tout le temps mais se soigne tout seul. Le dernier médecin qui est venu le voir, il y a peut-être des siècles de ça, a cru mourir d'asphyxie. Il prétend qu'il est trop vieux pour se laver, que cela lui attaquerait la peau et pourrirait les organes. Il fait ses tortillas lui-même, il crache dans ses mains avant de les manger, pour enlever le goût de cailloux. Il n'est jamais malheureux, jamais méchant.

Pas rancunier, voyez comment. Après avoir servi pendant trois décennies la cause de la Révolution, il avait perdu son domaine, deux cents hectares au nord du Guerrero. La Révolution, devenue respectable en fauteuil ministériel, embarrassée par ce *chien de garde puant*, voulut lui suggérer de se mettre en exil, mais désormais rompue au vocabulaire administratif et aux techniques diplomatiques elle lui proposa *en manière de dédommagement une aire équivalente dans la zone septentrionale de l'État du Chihuahua* – façon de le repousser poliment en dehors des frontières. Mais c'était méjuger de la rouerie d'Abundio Comada, et de son goût pour la provocation. À la surprise de tous, et au grand embarras de ses bienfaiteurs gouvernementaux, il accepta sans tergiverser.

Enfin, pour prouver à tous sa bonne humeur définitive et son pardon à toutes les idéologies, il mit à l'entrée de ce bout de désert un panneau gigantesque écrit en langue d'États-unien, qui affirmait avec une fierté feinte, comme si cette terre n'accueillait que sur invitation expresse et qu'elle eût charrié de l'or : *PRIVATE PROPERTY*.

Ainsi, en suivant furtivement les pas de son compagnon bleu sous la lune, Grís découvre que ce lieu de nulle part appartient. Bien sûr, dans ce pays horizontal et sans repli, grâce à l'indiscrétion de l'astre nocturne, Azul découvre vite sa présence. Mais loin de se fâcher, il éclate de rire. Et l'invite avec lui à partager la table et la conversation d'Abundio Comada.

C'est Comada en personne qui vient leur ouvrir le portail.

– Vous êtes seuls tous les deux ?

– Oui, répond Azul, moi et mon ami Grís.

– Personne d'autre ?

Comada insiste, il a l'air déçu.

- Bernache ne veut toujours pas vous rencontrer.

– Et pourquoi ça ?

– Il dit que vous êtes un assassin.

– Un assassin, moi ? Il éclate du rire de ses dents cariées. Tu lui as dit que je n'avais pas égorgé un homme depuis au moins trente ans ?

– Je lui ai dit que vous aviez enterré vos armes en même temps que Pancho Villa.

– En 1923 ?

– En 1923. Que vous aviez arrêté la Révolution et que

vous ne la ferez plus. Il dit qu'il n'en croit rien. Que vous recommencerez au moindre signe. Que vous êtes agité.

– La mule. Entrez.

On raconte qu'Abundio Comada est immortel. Ça n'est pas vrai. Pourtant, dans l'ombre du perron Grís fut bouleversé par ce visage qui malgré le halo de son chapeau et de sa barbe semblait près de se décomposer, tant il était grêlé par le souvenir de la variole. Le dos de sa main, posée paternellement sur son épaule, portait les mêmes traces, et toute sa peau tannée par le soleil était, entre les touffes de poils blancs, comme un talus de boue sur le point de se défaire après l'averse. Statufié vivant, il l'était également à cause de ces traces infâmes, car peu de gens avaient jamais survécu à cette maladie et on disait que les rescapés ne devaient plus la craindre : sur leur corps elle reconnaissait son œuvre criminelle et s'enfuyait comme à la porte d'une maison marquée d'un signe.

Il les fait asseoir dans la cuisine, tandis qu'une silhouette blanche et édentée s'agite tout autour, moud le café, le verse devant eux dans des bols en grès ébréchés, abat sur eux une carafe de mezcal. Cette femme s'appelle Asunción, au cours des semaines suivantes ils apprennent à la connaître puis à ne plus faire attention à elle, à la laisser s'effacer dans l'oubli qui est son élément.

Il n'y avait pas d'autre personnel sur le domaine de Comada, uniquement cette servante qui semblait rescapée d'un dix-neuvième siècle de bigotes en robes de dentelles, renfermant dans les plis de ses collerettes, manchettes et jabots autant de poussière sainte et âcre qu'un vieil encensoir. Elle était grande et très maigre, on distinguait à peine ses yeux jaunes dans son visage, à peine son visage fripé dans le flot de dentelles défraîchies qui l'entourait, si amplement fossilisée qu'elle semblait faite pour ne jamais mourir. Son rôle était de préparer les repas quand quelqu'un venait rendre visite à Comada ; et d'autres fonctions de veille, et de soin, que nous expliquerons plus tard. Elle avait la manie de se signer et de demander pardon à qui mieux mieux au Doux Seigneur Jésus, mais Abundio, qui sur ses terres faisait appliquer rigoureusement les principes de la liberté d'opinion et d'expression hérités de la Révolution Française, disait : *Je la laisse croire, elle me laisse boire.* Il disait aussi : *Allez porter vos chevaux à mon valet. Il faut que j'en parle à mon intendant. Mon curé dira une messe en la mémoire de vous. Mon régisseur ceci. Mon contremaître cela…* – et c'était toujours et encore de la vieille Asunción qu'il voulait parler, la pauvre étant multipliée selon les fantaisies de son maître, à ses dépens, en une innombrable domesticité de fantômes.

Dans la lumière desséchée d'un jour de juillet, Azul et Grís sont assis à la table de Comada mais aussi bien d'autres hommes du chantier Bernache, qui peu à peu ont entendu parler de lui et viennent s'imprégner de sa voix.

Dès les premières rencontres, Grís est fasciné par les paroles qui sortent de ce visage, s'échappent dures et coupantes de ce masque de poussière.

Comada est un hôte de mauvaise odeur mais de bonne humeur. Il est courtois, prévenant, attentif, on pourrait dire de

lui qu'à l'exercice de la conversation il est un gentleman. Oui,
Comada est quelqu'un qui parle, dont les propos voyagent et
se transmettent bien au-delà des limites de son domaine.

Avec lui, les hommes du chantier évoquent les rigueurs
de ce voyage interminable ; et écoutent parler la voix de la
Révolution, qui les galvanise et les console. De plus, Comada
surveille le désert et sait bien des choses. Tel compagnon
qui a conduit ses pas à la surface, pour traverser à l'air libre,
Comada l'a vu, Comada l'a nourri, lui a offert un toit pour
une nuit ou pour longtemps – certains arrivent en si piteux
état. C'est Asunción qui les veille, les soigne silencieusement
pour qu'ils reprennent des forces avant l'horrible traversée.
Parfois la traversée de l'éternité : c'est encore Asunción
qui plante une croix et un épis de maïs sur les petits tertres
alignés derrière l'étable, quand Comada rentre du désert avec
le corps desséché d'un malheureux, d'un inconscient, d'un
rêveur qui n'est pas parvenu à destination. Par une sordide
ironie du destin, Comada est devenu la vigie silencieuse
de l'émigration mexicaine : lui qui voulait transformer le
Mexique de l'intérieur, le faire devenir meilleur, le voilà
devenu le complice de ceux qui s'enfuient. Son aide aux
fuyards c'est l'aveu d'échec de la Révolution ; chaque jour
il fait sa pénitence.

Au début il ne demande rien aux hommes du chantier,
mais bientôt il insiste pour rencontrer Bernache. Il est fasciné
d'apprendre qu'il y a aussi une femme dans cette aventure.
Il veut leur dire quelque chose, il a une information précise
à leur apprendre à tous les deux. Mais il continue de dire
Bernache, comme si c'était un commandement unique à

deux têtes. Il s'esclaffe : *c'est la Révolution souterraine.* Il insiste : *amenez-moi Bernache.*

Sur le chantier, les hommes sont de plus en plus distraits. Ils rêvent au milieu d'un coup de pioche. Ils mettent du rouge sur les fresques, et des cavaliers moustachus qui délivrent des paysans affamés. Georges et Florence voient tout cela d'un mauvais œil. Ils se seraient bien passés du soutien de celui qu'on appelle le Couteau de Pancho Villa. Ils méprisent ses invitations. Mais le phénomène devient de plus en plus préoccupant. Il y a une hémorragie d'ouvriers. Et d'autres problèmes, qu'ils n'avaient pas prévus.

Les voix sont à la table de Comada. Depuis quelques jours le cercle ne s'interrompt plus. Comada persiste, à ceux qui arrivent il pose toujours la même question : « Est-il venu avec vous ? » Et dans le choc de la vaisselle qu'on sert et qu'on dessert, le bruit des pas qui vont et viennent en quête de récits pour survivre au voyage, Comada demande encore et encore :

– Est-il avec vous ?

– Non il n'y est pas.

– La mule.

– Il paraît qu'on a un malade sur le chantier.

– Vous l'avez vu ?

– Non, mais Azul oui.

– C'est vrai ?

– C'est quelque chose à la peau.

– Une fièvre.

– Combien d'hommes as-tu tués dans ta vie, Abundio ?

– Ce n'était pas pour le crime imbécile.

– C'était pour Pancho Villa.

– Je ne sais pas. Beaucoup. Est-ce qu'ils sont là ?

– C'était pour Obregón.

– Pour la Révolution.

– Vous n'êtes pas triste ?

– C'était pour se défendre.

– Si, je suis triste. Alors, qui m'amènes-tu ?

– Il ne pouvait pas faire autrement.

– Mais tu ne peux pas mourir, Abundio !

– Je peux. Je l'ai fait bien des fois.

– On dit que c'est contagieux.

– Est-ce que Bernache va enfin venir ?

– Est-il vrai que tu as survécu à la variole ?

– C'est ça, c'est la peau.

– Des taches d'un certain rose.

– Comme des dartres. De haut en bas.

– Et des boutons, une fièvre.

– Est-ce qu'il y a d'autres malades ?

– Ces choses-là se répandent.

– On ne peut pas le garder sur le chantier.

– Dites-lui que je peux le guérir.

– Lui il craint rien.

– Il connaît des remèdes.

– Bernache viendra pas.

– Dites qu'il s'amène à ma table.

– Les traces du péché, à l'intérieur des joues.

– À l'intérieur des mains.

– Oui. Et l'Enfer en dedans, une fièvre qui est terrible.

– À l'intérieur nous avons de la fange.

– Chacun d'entre nous.

– Parle pour toi, enfant de putain.

– A-t-il reçu la communion ?

– Je ne sais pas. Il dit qu'il ne veut pas mourir.

– Bernache, il ne veut pas qu'il meure.

– Il se bat. Il dit qu'on ne peut pas l'abandonner comme ça.

– Qu'il ne va pas le laisser crever.

– Au milieu du désert, ça lui séchera ses plaies.

– Tais-toi, fielleux, sac à boue.

– Est-ce que Bernache va venir ?

– Combien sont passés cette année ?

– Cent mille arrêtés et reconduits.

– Octavio n'est pas là ?

– Combien de morts ?

– Quatre cent mille sont passés aux États-Unis.

– Est-ce qu'il va mieux ?

– J'ai quelque chose à dire à Bernache.

– Il crie mais n'entend plus les voix amies.

– Dites-lui, mais il faudra qu'il se déplace.

– C'est la variole. Des boutons plein la peau.

– Un deuxième qui l'a eue. Une femme, à ce qu'il paraît.

– Et Octavio, est-ce qu'il lui reste une chance ?

– Asunción, ouvre la porte aux visiteurs et dis-leur bienvenue.

C'est qu'ils ne viennent pas seuls.

Comment cela ?

Il y a deux malades avec eux.

– Tout le monde est mon invité.

– La variole.

– Ils guériront.

– On vient vous demander un service.

– Deux malades.

– Vous pouvez nous les garder ?

– La variole.

– Madame, je suis heureux de voir que vous êtes venue aussi.

* * *

Dans le secteur des anges, la partie du tunnel qui était à une centaine de kilomètres de Minas Blancas, en C3 sur la carte, et baptisée ainsi à cause de sa voûte recouverte des plumes et des ailes de tous les oiseaux de la création, un homme s'était écroulé à l'intérieur de sa peau maculée d'ocre et de fuchsia, en criant que les insectes de la terre l'attaquaient. Les ouvriers de son équipe eurent le plus grand mal à le maintenir au sol pour qu'il se repose sous l'amas de couvertures qu'ils lui avaient aménagé et surtout, pour qu'il ne s'enfuie pas à travers le tunnel en transportant ce mal horrible qui commençait à crever la surface de sa peau, à travers les taches de couleurs faisant des rejets brûlants qui s'écoulaient sans trêve. Un camarade fut dépêché à l'amont du tunnel. Tandis que le corps de ce messager était frictionné d'alcool, enveloppé de flammes vives comme une robe de derviche et son crâne entièrement rasé, les membres du secteur des anges installèrent des barrières de part et d'autre des lieux qu'ils avaient fréquentés depuis les deux dernières semaines. Le messager partit sur le dos d'une mule qui fut également roussie à l'alcool, et dans son armure de chiffons javellisés traversa le tunnel pour annoncer le malheur. En chemin il croisa Grís qui faisait une tournée de messages et fut chargé d'éloigner les ouvriers de la zone infectée en leur annonçant un rassemblement à Minas Blancas.

Quand les Bernache parvinrent auprès du malade, ses cris d'horreur s'étaient tus ; un ulcère purulent envahissait sa bouche et ses paroles restaient englouties à l'arrière de sa gorge où elles s'infectaient. Il fallut mille précautions pour parvenir à allonger Octavio sur une civière : son dos et son ventre étant également recouverts de pustules qui au moindre contact le faisaient hurler de douleur, Florence fit en sorte qu'il reste sur le flanc droit comme elle l'avait vu faire aux alcooliques qui ne doivent pas vomir sur eux-mêmes. Georges fit mettre à la file indienne les membres du groupe, en faisant asseoir à l'avant ceux qui semblaient déjà faibles, pris de fièvre. Il possédait une cinquantaine de doses de vaccin antivariolique, il y avait vingt personnes dans le groupe. Un wagon de réserves alimentaires parvint à eux, avec assez d'eau pour une quinzaine de jours. Il restait donc trente doses de vaccin, moins deux que Georges et Florence avaient prises avant de s'engouffrer dans le tunnel, moins deux qui furent données aux hommes chargés du ravitaillement. Une faible quantité avait suffi sur un groupe circonscrit et localisé, mais il était impossible de faire face à une épidémie répandue tout le long du tunnel ou dans la ville de Minas Blancas. C'est pourquoi ils choisirent de concentrer les risques et les mesures de prévention sur la Maison Bernache, dont tout le personnel fut immunisé : on installa le variolique dans la chambre de Niño et la propriété fut mise en quarantaine. C'est Florence elle-même qui avait demandé qu'on emploie la chambre de Niño – « Dans ces conditions il ne reviendra pas », avait-elle ajouté pour se convaincre. Le travail reprit dans le tunnel, avec plus de lenteur toutefois car le secteur infecté avait été bouclé, ce qui compliquait les allées et venues des ouvriers. Les anges du C3 avaient replié leurs ailes et attendaient en dormant ou en jouant aux cartes qu'apparaissent au dos de leurs mains, dans leur bouche ou en travers de leur poitrine les premiers signes d'inflammation, ou bien qu'on les laisse à nouveau circuler librement. Chaque jour qui passait sans manifestation nouvelle de la variole, la peur déclinait, mais à la place on entendait de plus en plus le chant sempiternel de l'ennui, oiseau sadique qui s'était camouflé dans les émaux de la voûte et que malgré des tentatives multiples nul n'était parvenu à attraper pour le plumer et l'avaler.

Pendant que ses compagnons s'évertuaient dans cette chasse interminable, la fièvre d'Octavio ne passait pas. Le médecin du chantier, celui qui avait remplacé Rojo, venait tous les deux jours pour entailler les plaies les plus enflées, mais la peau continuait de mûrir et de sourdre un liquide enflammé qui laissait des cratères desséchés et noirs jusqu'à ce qu'à nouveau elle se soulève et rougeoie. Florence avait grand-peine à l'alimenter, il lui fallait des heures pour qu'il puisse ingérer la purée nutritive d'avocats, de cacao et de tomates qu'elle lui préparait tous les jours, mais pourtant tous les

jours elle était au rendez-vous : un sentiment de culpabilité
la poussait au chevet d'Octavio depuis qu'elle l'avait installé dans cette chambre et elle prétendait entendre ses
mots comme une mère qui seule sait déceler le langage de
son enfant parmi ses borborygmes. Autour de la chambre où
s'épanchait sans cesse le corps du malade les autres habitants se terraient, et attendaient. Au bout du dixième jour,
Lucia tomba dans les escaliers.

Elle était secouée par la fièvre. Ses mains couvertes de
cloques avaient laissé échapper la théière brûlante qu'elle
portait au malade et on la trouva qui grelottait en bas des
marches, au milieu de sa jupe inondée. Malgré ses protestations on l'installa de force dans la chambre de Suzanne, et à
ce moment Georges dut se résoudre à l'invitation de Comada.

Il y avait une journée de voyage entre Minas Blancas
et le domaine du cacique. Dès le lendemain il fit préparer
une camionnette. Florence donna des ordres pour que les
chambres soient désinfectées après leur départ. Le linge et
le mobilier brûlés. Sur sa demande les deux malades furent
transportés dans le véhicule à même leurs matelas. Si elle
avait pu elle aurait probablement demandé que les deux
chambres elles-mêmes disparaissent de la maison, que les
souvenirs à leur tour soient passés à l'alcool et brûlés, afin
de stopper la contagion du malheur.

* * *

Abundio porta lui-même les deux malades dans des
chambres. Il les porta l'un après l'autre en les serrant contre

lui, dans une étreinte si ferme et si confiante qu'elle semblait supprimer leurs tremblements de fièvre. Il les recouvrit de couvertures en laine et en peau, hissa leur dos sur de nombreux oreillers et en tenant leur tête comme à des nourrissons il leur donna à boire du chocolat brûlant, en toutes petites gorgées qui semblaient chacune une victoire sur le chaos.

Georges et Florence étaient assis silencieusement, eux aussi occupés à laper et à boire le chocolat qu'Asunción avait servi. Ils avaient les joues creuses, les yeux agrandis par les cernes. Après une heure, Abundio vint s'asseoir avec eux. Sur le bois de la table posant ses mains grêlées pour preuve de son ascendant sur la mort, il leur dit que les malades allaient s'en sortir. Puis sans se retourner vers la vieille dame auréolée de dentelles, il ajouta : « Disparais, Asunción, et laisse-moi avec mes invités » – sur quoi l'antique servante disparut, comme avaient disparu sans un bruit tous les autres convives.

Le projet des Bernache avait intrigué le vieux révolutionnaire pour des raisons politiques, mais néanmoins il semblait se mêler à cette curiosité une motivation toute personnelle inscrite dans le visage de Florence, à qui il demandait à tout propos si elle se sentait bien. Il arrivait qu'il lui saisisse les mains et les regarde avec attention, étalées dans ses paumes brunes et sèches elles ressemblaient à l'intérieur trop tendre d'un coquillage, et les frottant avec ses pouces il voulait y détecter à temps le moindre signe de maladie. En général il était satisfait de cet examen ; cela ne l'empêchait pas de recommencer quelques minutes plus tard, et de la regarder en s'excusant de quelque chose qu'il était seul à voir, comme un expert ou un magicien scrutant des signes dissimulés sous la peau et connus de lui seul. Cette surveillance avide de l'état de Florence ne l'empêchait pas également de poser d'innombrables questions sur l'avancement du chantier, et un curieux duel politique s'engagea entre lui et Georges quand d'un air d'ironie, Abundio lui demanda : « Alors Bernache, c'est vous qui faites la Révolution ? » – et devant sa perplexité éclata de rire. Puis ayant cru saisir une ombre sur le visage de Florence il ajouta : « Quand on s'y prend de cette façon, amis, enfants, ceux qu'on aime s'en vont à leur tour. » Il dit qu'il méprisait leur projet. Qu'organiser la fuite des gens était une œuvre de traître parce qu'elle empêchait d'entreprendre le changement à l'intérieur du pays. « Le changement dont ce pays a besoin. » Puis il se tut et au bout d'un moment, comme si une autre voix, eau vive, avait traversé l'épaisseur fossile de sa chair il ajouta : « Quand on ne peut rien changer pourtant il faut s'enfuir. » Georges reconnut que c'était vrai, qu'il pensait aider avec des moyens de fortune et qu'il aidait des hommes à commencer une vie nouvelle dans un autre pays parce qu'il ne voyait pas comment il pouvait agir sur place. À son tour il passa à l'attaque : et lui, l'homme de la Révolution, trouvait-il un bénéfice noble dans la pratique du coup d'État, le règne armé des généraux ? Avait-il recueilli quelque récolte miraculeuse au-dessus des charniers ? Pensait-il qu'il pourrait redistribuer la terre en y plantant des cadavres et les cadavres des riches étaient-ils beaucoup plus nutritifs ? Aveux d'échec, trancha la voix de Florence fraîche et douce, aveux d'échec car il est impossible de rien changer en prenant la fuite ou les armes. « Il

faut se résoudre à neuf mois de grossesse, et apprendre
à déféquer dans les lieux adéquats avant d'apprendre à
lire, ce n'est pas possible plus vite que ça ou à l'envers. »
Ils la regardèrent qui souriait, avec une lueur d'ironie dans
les yeux, mais sans méchanceté ni colère. « On ne peut rien
d'autre qu'avec lenteur – et encore ce n'est pas toujours
assez », conclut-elle en souvenir de ses enfants.

C'est pourquoi Abundio Comada, visiblement ému par
cette conversation, voulut raconter une histoire. Mais auparavant il appela Asunción qui servit ce qu'elle appelait
le repas de pierres – composé de mets qu'elle seule savait
repérer entre les croûtes de roche, cultiver dans cette terre
écorchée, des mets si rares que séparés les uns des autres ils
n'avaient pas de nom. Les épines et les peaux ayant coûté
tous leurs efforts à ces maigres organismes, la plupart étaient
demeurés sans goût et sans odeur. À moins qu'ils aient
concentré toute leur folie dans l'effusion d'une teinte sur-
naturelle, une variété inouïe de violine ou de jaune et restaient fades, ou bien dans la production d'un sucre délicieux
et gardaient une chair transparente de larve. Dans ce repas il
semblait que la vie avait rusé. Au dessert Asunción s'éclipsa
et dit qu'elle allait rendre visite aux malades. À ses invités
bien repus, oublieux du mal qui rôdait à travers la maison,
Comada fit cette remarque : « Asunción a eu la variole avec
moi il y a bien longtemps, de sorte que maintenant elle est
hors de danger. »

Puis il baissa la voix, comme si en profitant de son absence
il allait trahir le passé de la vieille dame ; mais le récit qu'il
commença était tout autre : « Ce sont deux compères dans

257

une rue en pente, à Guanajuato. » Cette phrase ressemblait à un piège mais il fut impossible à Georges d'identifier ce qui amusait tant le vieux cacique, clignant à travers la fumée d'un cigare ses yeux si pâles qu'ils devenaient presque invisibles quand ses paupières s'ouvraient. « L'air est tiède en ce dimanche après-midi où il n'y a rien à faire qu'humer le temps, se promener et jouir de l'existence. » Florence de son côté était concentrée ; inaccessible aux signes de détresse ou d'amour que lui lançait Georges, elle écoutait. « Pourtant l'un d'eux, je ne sais plus lequel, pleure et titube car une migraine terrible lui bat le crâne. Malgré la fête où ils vont pour s'égayer, malgré la danse et le vin il continue de souffrir, à chaque mouvement il sent sur ses épaules comme un coup contre une enclume. Il se plaint sans cesse. » L'instant d'avant fermés et ridés comme deux coquilles de noix, les yeux d'Abundio à nouveau disparurent : « Alors pour le guérir son compagnon lui décharge son pistolet dans le crâne. »

Après ce récit il les regarda, et laissa le silence s'installer dans les reliefs du repas et la vaisselle vide, un verre traversé d'un rayon de soleil aussi fin qu'une lame, le crâne luisant d'un animal qu'ils ne se souvenaient pas d'avoir mangé. Il eut un sourire d'assentiment quand Asunción revint parmi eux, et annonça à l'assemblée qu'Octavio était mort. Il semblait parfaitement satisfait de cette nouvelle, offerte à ses hôtes comme un morceau de choix. Sa silhouette massive et blanche s'était hissée contre la fenêtre et il les toisait d'un air de profond mépris, tenant ses mains croisées devant lui, qui semblaient prêtes à tuer. Malgré la peur qui engourdissait sa bouche, Florence parvint à demander des nouvelles de Lucia. Échangeant un regard entendu avec Asunción, Comada répondit qu'elle se portait mieux, qu'elle allait s'en sortir – au ton de sa voix on aurait pu penser que cet événement était l'effet de sa propre volonté. Il ajouta : « Vous êtes arrivés trop tard, vous avez méprisé mon invitation » – et la mort d'Octavio parut soudain la conséquence d'un ordre d'exécution qu'il avait secrètement donné depuis cette table. Il continua :

« Je vous ai fait appeler pour tenter de guérir les malades, mais ce n'est pas tout. Vous traversez mon territoire. Vous ne voulez pas me saluer. Vous pensez vous enfuir sans payer de tribut. Cela ne peut arriver. C'est dans votre intérêt d'avoir ma protection. Beaucoup de voyageurs croisent le désert qui m'appartient. Ici la terre vous paraît nue et sans mémoire mais moi je tiens le compte des événements, je connais mes possessions et possède un peu les êtres qui viennent ici, tant qu'ils sont ici. L'année dernière, quatre cent mille personnes ont franchi la frontière. La moitié ont été ramenées en arrière. Quelques-unes sont passées par chez moi. C'est ce que je voulais vous faire savoir à propos des voyages. Votre tunnel ne m'impressionne pas car ce genre de travail je le fais tous les jours depuis plus de dix ans.

Puis j'ai autre chose. Je devais vérifier vos figures. Je vous ai appelés à cause d'une gamine. Une fille d'à peine vingt ans, une gringa du genre de Madame, qui a son visage. Pour cette raison je vous ai bien observée jusqu'à la moelle et je peux vous dire avec certitude que c'est bien la vôtre et qu'elle est vivante. Elle ne l'était pas trop quand elle est arrivée mais elle a beaucoup bu, et dormi, et quand elle est partie elle allait mieux. Elle a laissé quelque chose que je vous donne comme preuve si vous ne me croyez pas.»

Il se tourna vers Asunción : «Asunción, ma vieille, amène-nous s'il te plaît le cœur de la jeune Suzanne», et la servante alla ouvrir les bras grinçants du vaisselier qui trônait à l'autre bout de la pièce, couronné d'un rang d'assiettes en porcelaine biscuit et or. Beaucoup de bric-à-brac sentimental s'entassait sur ses étagères, une foule de vierges en pied ou en médaillon, des croix, des couteaux et des jouets d'enfants, cavaliers en paille, poupées de chiffon souriantes et fatiguées qui avaient dû causer des drames aux fillettes auparavant sous leur escorte. Avec beaucoup de soin Asunción extirpa quelque chose qui disparut dans ses manches de dentelles et l'apporta à Comada, qui le garda un instant entre ses mains à la façon maladroite d'un géant réchauffant un poussin. Dans sa paume crevassée c'était une chose vraiment risible : une boule fluorescente et poilue qui n'était pas même un volatile mais seulement une balle de tennis, et sur laquelle étaient inscrites au stylo feutre et en lettres bâtons les lettres du nom : Suzanne, et juste en dessous d'une écriture plus mature : Niño. En la faisant passer entre leurs mains Georges et Florence gardaient l'espoir qu'elle pourrait leur livrer un message moins naïf, pourtant la balle restait totalement creuse, elle n'offrait rien d'autre que sa peau moisie et jaune, amollie par le temps.

* * *

Le lendemain la fièvre de Lucia a nettement diminué, et elle peut se lever pour assister avec les autres à l'enterrement d'Octavio. Comada les mène tous à l'arrière de sa maison, vers un espace à ciel ouvert qui sous un climat plus banal aurait été un jardin mais qui ici est un cimetière. Ils regardent les tombes maigres qui couvent dans l'air embrasé, et quand celle d'Octavio se referme, ils écoutent les paroles de Comada qui rend hommage à ses hôtes :

« C'est ici le cimetière des migrants. Je l'ai improvisé, au début il n'y avait qu'une seule tombe, puis deux. Cette année, quatre cent mille hommes ont passé la frontière. Mais certains échouent là.

Ce cimetière, il renferme ceux qui n'existaient pas. Avez-vous remarqué que le désert fait perdre le sentiment de sa propre vie ? C'est à cause de la pierre. Sans végétation, on ne sait plus si on a les pieds bien posés quelque part. Il en faut rien qu'un peu. Lierre ou vigne, même si elle est aigre. En fait il y a des plantes ici, mais certains ne sont pas assez doués pour les voir. J'observe beaucoup de choses et croyez-moi. Même un cactus. Une moisissure sur un caillou. Je vois des gens de toutes sortes.

Il y a des êtres qui résistent, qui restent convaincus de la valeur de leur vie même quand l'air se dessèche autour d'eux. Même si la terre entière se changeait en pierre, ils continueraient de se savoir humains, et seront sauvés. »

Ils regardent encore. Leurs yeux troués par la lumière les font souffrir mais ils comprennent : le cimetière des migrants est un amas de pierres presque nues. Pas toutes. Certaines ont le ventre un peu moisi, elles se hérissent d'herbes amères dont seuls les peuples en exil se nourrissent. Au bout de l'allée un pied d'agave a accouché d'une fleur énorme, dont on fait un alcool.

XVI. Virginie

De retour aux archives de la Pullman, Grís parla d'une seule traite, sans même s'apercevoir que ses paroles se perdaient parfois totalement dans l'obscurité – il fallait alors que Josh se lève à tâtons et longe les murs de ciment qui lui semblaient parfois rugueux, ou au contraire vitreux et froids, pleins d'échos bavards, de chansonnettes, d'injures, sentant l'argile et la vinasse, l'urine, pour rallumer la minuterie.

Ils mirent encore un peu de temps à franchir l'année 1964. Sur le chantier elle avait marqué le début d'une ère anxieuse, à cause des désillusions vécues par le couple Bernache mais aussi d'éléments extérieurs, politiques. L'année des Civil Rights avait été très dure pour les migrants, soumis désormais à des quotas beaucoup plus restrictifs. Elle s'était soldée par l'abolition du programme Bracero qui permettait à des milliers de Mexicains d'obtenir chaque année un visa de travail à la frontière et pourtant, d'après la foule qui grouillait dans le récit de Grís, le nombre de personnes en route pour les États-Unis n'avait pas diminué, bien au contraire – ces voyageurs impénitents s'étaient simplement résignés à devenir, par modestie et par nécessité, autant de clandestins. Des gens de tous les horizons affluaient à Minas Blancas et rejoignaient les ouvriers dans le tunnel, si bien que Grís avait dû porter de plus en plus de lettres d'amont en aval et d'aval en amont, et comme s'il se voyait encore courant comme un lapin dans un couloir il continuait de se plaindre du poids de sa besace bourrée des sentiments du reste de l'humanité :

« Vois-tu, toutes les lettres d'amour sont *prioritaires*... pour leurs écrivains », disait-il en hochant la tête, ivre de fatigue. Il semblait avoir mauvaise conscience, affirmant que sa tâche l'avait dépassé et qu'il n'avait pas su s'en acquitter convenablement. « Mais personne ne t'a aidé à porter les lettres ? » demanda Josh, qui se voulait compréhensif et serviable. « Ce n'est pas ça. » Et comme le lapin il semblait en effet accablé par la course du temps, pressé de parvenir dans un lieu impossible. La parole qu'il devait porter d'un bout à l'autre du tunnel était trop cruelle pour lui, il y avait de nouveaux arrivants de mauvais augure, qui lui soufflaient des mots désespérés, « surtout à partir d'octobre 1968 ». Soudain enfant, Josh vit passer les deux oreilles rabattues sur le dos velouté, qui filaient à toute vitesse et disparaissaient dans un trou en laissant dans leur sillage une enveloppe tombée du sac et quelques poils arrachés à la queue en pompon. Pourquoi courir comme ça, quand le temps est si grand ? C'est que certains récits étaient lourds à porter, il aurait préféré les fuir ou les confier à d'autres, mais « les nouveaux » n'étaient pas bienvenus à ce moment-là : « – Quels nouveaux, Grís, qui étaient les nouveaux arrivants ? – Des gamins, répondait-il avec une moue de mépris. Des très jeunes qui parlaient bien, des qui avaient de l'éducation. Mais les blessures qu'on leur voyait au visage comme à des vieilles personnes, ça ne faisait pas plaisir de les connaître.» Grís avait coutume d'entendre et de répercuter toutes les histoires du tunnel, mais ces gens-là, arrivés à l'automne 1968, il sentait qu'il fallait à tout prix leur échapper, surtout ne pas écouter ce qu'ils avaient à dire.

Adolescents qui portaient sur les mains et les joues des stigmates de mort, partout où la peau se voyait, ils se mêlaient à la foule toujours grandissante du chantier Bernache, excitée par l'approche des États-Unis et qui murmurait sans cesse la question de la fin. Où est la frontière ? Et comment saurat-on qu'elle a été franchie ?

Les paroles de Grís se faisaient de plus en plus urgentes, courant à leur perte dans la fièvre d'une confession, de ce qui prit finalement la forme fatale d'une confession. Le trouble dans lequel il livra la fin de cette histoire obligea Josh à reconstituer plus tard certains faits, mais voilà à peu près ce qui fut dit cette nuit-là : le dernier récit du chantier Bernache.

* * *

Dans l'œil unique de Grís Bandejo, la fête a éclaté. En attendant que chacun trouve son destin, on a tendu des guirlandes, accroché des calebasses pleines de bonbons aux poutres du tunnel, et les mules qui portent la nouvelle sont couvertes de parures en plumes, de grelots scintillants, leurs sabots sont peints.

Pourquoi cette nuit est-elle différente de toute autre nuit ? Le 12 décembre, ce n'est pas une fête banale, ce n'est pas une fête à trois ou à cinq pesos, pas une fête au maïs et à la bière, c'est une fête à la dépense, en litres de *pulque* et de chocolat, c'est la meilleure de toutes.

Vierge de Guadalupe, notre Mère et notre Refuge : ton manteau d'étoiles. Cette nuit, pardonne-nous d'avance nos péchés, car demain matin nous ne nous souviendrons de rien. Je sais déjà que tout cela sera vil et répugnant, je ne ferai rien de ce que tu dis dans ton enseignement, je serai méchant, vorace, et boirai tant que j'en serai malade, alors sois raisonnable et n'oublie pas, Vierge de Guadalupe, n'oublie pas de prier pour moi, tant qu'il est encore temps, je te le dis avant qu'il soit trop tard : n'oublie pas d'oublier ! Nous qui sommes tes enfants, nous avons besoin de ta miséricorde, Vierge de Guadalupe, nous savons bien que tu peux nous comprendre, il le faut ! Nous qui sommes tes enfants, nous t'aimerons d'une façon lascive : Vierge de Guadalupe, le duvet brun de tes jambes tannées, et en bouquet sous tes aisselles, maintenant que je t'ai trouvée ainsi je t'aime différemment des autres jours, Vierge de Guadalupe, Putain consacrée. Vierge de Guadalupe, cette nuit est pour toi, en l'honneur de tes seins de grenat, de tes cuisses fantastiques, de tout le lait de ton corps qui ce soir coulera dans nos bouches. Vierge de Guadalupe, pardonne-moi d'avance car je vais pécher. Mais c'est pour toi que je le fais.

Pourquoi cette nuit est-elle différente de toute autre nuit ? De mémoire de chantier, il y avait eu bien d'autres fêtes. Georges avait appris quels étaient les jours consacrés et se faisait un point d'honneur de les respecter, et même de contribuer à leur faste en fournissant alcool et victuailles – en riant, il prétendait que c'était même la seule occasion de se faire obéir. Tandis que déjà la foule remontait en bavardant gaiement, et passait devant lui sans même le remarquer : « J'exige qu'on arrête le travail ! » criait-il dans un haut-parleur à l'entrée du tunnel, et il pouvait être sûr que cette fois sa parole serait relayée jusqu'à l'extrémité nord. La déclaration des jours fériés étant devenue le seul domaine où il se donnait un sentiment de maîtrise, il se plaisait à les décider parfois en dehors des dates traditionnelles ; pour le reste il était devenu modeste et se savait porté comme tous les autres par le mouvement du tunnel, hors de sa volonté. C'est pourquoi il ne demandait plus rien que d'avoir un peu de place, pour lui et pour Florence, dans la communion et la fête. Agissant comme un étranger anxieux de se faire accepter, il avait fini par connaître les dates auxquelles il ne fallait en aucun cas déroger. Ainsi le 15 septembre au soir, toujours à la même heure, les ouvriers criaient à s'en crever les poumons de part et d'autre du tunnel, et l'écho violent résonnait pendant de longues minutes, à la gloire de l'indépendance si longuement conquise, en souvenir du cri de révolte lancé par le prêtre Hidalgo dans le village si bien nommé de Dolores, un vieux jour de 1821. Et le 5 mai était bon enfant : on sortait la kermesse, on fêtait dans l'innocence la plus pure cette deuxième indépendance de 1867, le président Juárez restauré et l'empereur Maximilien exécuté – Georges évitait de venir ces jours-là, craignant la bordée de quolibets anti-européens plus ou moins bien intentionnés.

Mais rien n'égalait en puissance la fête de la Vierge de Guadalupe : passé les gestes sobres du culte et le recueillement religieux, la fête devenait aussi violente, aussi féroce et débauchée que la Vierge était sainte – comme si, sentant leur hommage humilié par tant de grâce, les fidèles transformaient la fête en vengeance insatiable.

Pourquoi cette nuit serait-elle différente ? Ce 12 décembre 1968, ce 12 décembre était particulier, il y avait dans l'atmosphère une folie plus grande encore que les autres années. Oh non, ce n'était pas une année comme les autres, on avait fait venir des êtres exceptionnels, des animaux de cirque, la kermesse proposait des lots inestimables, un véritable éléphant bramait à l'extrémité sud. Et certes, le peuple du tunnel était mêlé de nouveaux arrivants qui n'étaient pas semblables au commun des ouvriers : sous les masques d'argile hilares, les robes des travestis, c'étaient des gens exorbitants, des intellectuels, des artistes, des gens de l'université, de très jeunes gens... Tous en cavale, et le tunnel avait toujours été à l'unisson des mouvements de la foule, toujours plus d'arrivants quand il y avait plus d'exil. Mais cette fois, les effusions étaient trop fortes pour être drainées par le chantier Bernache. Tous ces jeunes gens qui s'étaient joints à eux, qui étaient rescapés de la prison Lecumberri et d'autres geôles encore qui n'avaient pas de nom mais un simple numéro, « Campo Militar Número 1 » disait-on dans un souffle apeuré en insistant sur le « 1 » sans savoir si c'était le début d'une série ou un prototype monstrueux, ceux qui avaient échappé au massacre – apportaient une passion, une révolte inextinguible.

– Pourtant, nous étions tout près d'arriver, disait Grís dans un soupir. Tu te souviens de l'année 1968 ?

– J'avais vingt-deux ans, répondit Josh faute de mieux.

– C'est tout ?

– J'avais les cheveux longs. Je me suis fait arrêter comme tout le monde par la police à Vancouver, à cause du haschisch qu'il y avait dans mes poches.

– Et en octobre à Mexico ?

– Non, à Vancouver, au poste de police. C'est là qu'on allait pour ne pas aller au Vietnam. J'avais passé l'été sur la côte ouest, à manifester, j'étais déguisé en fleur, tu vois que c'était pas une tenue pour l'armée, et puis en vérité tout ce que je peux te dire c'est qu'arrivé là-bas, côté Canada, il faisait plus froid qu'à Sacramento… Je me suis beaucoup ennuyé en fait, une fois que j'avais échappé à la conscription je savais plus trop quoi faire de moi-même.

– Mais tu étais en prison ?

– Oh là, une journée, une bonne journée et demie ! Mais on s'est retrouvés dans la même cellule avec des potes, en train de parler de sexe et de politique… ça changeait pas beaucoup des autres jours, sauf qu'ils nous avaient supprimé nos munitions en herbe.

– Ils ne vous ont pas fait mal ?

– Non non, ils nous ont vite relâchés. Et moi ça a fait mes affaires parce qu'ils m'ont jugé trop débile, une fois pour toutes inapte à l'armée. Je m'en souviens bien, ils avaient écrit : « esprit indiscipliné, et lent », ou l'inverse. Je dois avoir ce diplôme quelque part, enfin le procès-verbal quoi…

Finalement 68, ce n'était pas la Révolution, mais au moins c'était une fête.

— Et dans la télévision ?

— Le Vietnam ?

— Non, les Jeux Olympiques.

— À Mexico !

C'est ça, à Mexico. Avant que Josh ne puisse apercevoir dans la lucarne poudreuse et tournoyante, derrière les bouteilles vides et les mégots refroidis des conversations, deux athlètes cathodiques levant un poing ganté de noir (certes pas assez longtemps pour qu'il s'en rappelle), Grís balaye de la main ses émotions sportives. Les Jeux de Mexico : ce souvenir n'allume pas la flamme de la paix dans l'œil de Grís. Plutôt un éclat morne, le reflet d'un gyrophare, d'une ramasseuse-pelleteuse qui travaille la nuit à dégager les corps.

— 68, ce n'est pas là que ça se passe, pas dans la télévision…

Grís observe Josh d'un air navré, comme s'il venait de faire tout ce qui était en son pouvoir pour lui éviter la suite du récit parce qu'il est encore cet enfant barbu et fleuri assis devant le téléviseur. Mais sans plus demander pardon, il se lance.

« 68, tu rentres par le sud : devant toi, c'est le bâtiment où a lieu le rendez-vous de la délégation étudiante avec les représentants du gouvernement, mais toi tu arrives par la face opposée, où sont le temple et l'église. L'église est Santiago Tlatelolco mais le temple plus personne ne sait comment l'appeler. Tout ce qu'on connaît sur lui, c'est qu'il a été un lieu des Aztèques, un temple sacrificiel pour le sang humain.

Mais le 2 octobre 1968, tu sais que les Aztèques ont disparu alors tu crois pouvoir être en sûreté : c'est pourquoi, après tant de journées passées dans des manifestations, à travers les rues de la ville, tu décides de t'asseoir sur les marches avec tes camarades. Sur les marches du temple, toi aussi tu offres ta gorge au soleil.

Et tu attends parmi ceux qui attendent. Tout à l'heure, dans le bâtiment moderne qui est en face, vos délégués doivent se rendre à une réunion sur le sort de l'université et les conditions de la démocratie – il vous a fallu de longs mois pour obtenir ce rendez-vous, pour pouvoir enfin expliquer ce que vous pensez. Vous avez mis beaucoup d'espoirs dans cet instant. Il y a déjà une foule de jeunes gens sur la place, des jeunes comme toi, entre cinq et dix mille, on ne sait pas trop…

On ne saura jamais parce que le gouvernement n'a pas attendu de vous compter et de savoir ce que vous pensez pour tirer dans le tas. Combien de morts ? On n'a jamais su combien de morts. Et dans les jours qui suivirent, environ deux mille en prison, torturés. »

C'est de là qu'ils arrivaient, les étudiants-ouvriers du chantier Bernache : du 2 octobre 1968. Avant de les rejoindre, eux aussi s'étaient assis sur les marches du temple, en face du lieu du rendez-vous, à côté de l'ombre bienfaisante de Santiago Tlatelolco.

Pourquoi cette nuit ? Ce n'était pas un 12 décembre comme les autres car cette année le tunnel avait franchi la frontière. On avait mesuré la distance parcourue, reporté les coordonnées sur l'immense carte et la carte avait parlé : on débouchait désormais à dix kilomètres au nord de la frontière, à l'ouest du Rio Grande. Au-dessus de leurs têtes était le Nouveau-Mexique. Ils étaient entrés aux États-Unis.

La foule se pressait vers l'extrémité nord du chantier, qui allait être baptisée ce soir la place de Livourne – ce nom rescapé du Vieux Continent, les ouvriers avaient bien voulu l'accueillir dans leur tunnel pour exaucer un rêve très ancien de l'ami Georges Bernache, qui en parlait depuis de longues années : baigné à l'ouest par la Méditerranée et à l'est par le vin de Chianti, ce port toscan était resté dans ses souvenirs de cours d'histoire un havre de bonheur où, à la fin du XVIᵉ siècle, les marins de toutes les origines avaient eu leur place. Il voulait réserver le même sort à ses ouvriers, et il était fou de joie de voir réaliser sous la terre son rêve médicéen, ce port franc à l'abri des violences qui hantaient la zone frontière.

C'est donc là qu'allait avoir lieu l'inauguration de la fresque en céramique à laquelle des milliers d'ouvriers avaient travaillé ces derniers mois. La fête commença quand le grand tissu bleu et or qui la recouvrait fut mis à bas, et des milliers de pieds foulèrent cette mer miraculeuse, les gens applaudirent, se prirent dans les bras. Œuvre extraordinaire que cette fresque qui semblait recueillir les dernières confidences des migrants dans un luxe inouï de détails : le Mexique des plaines et des montagnes, la côte atlantique avec le Port de Veracruz, et celle de l'océan Pacifique où ne manquait pas une fleur, pas un arbre ou un insecte. Les croyants, parmi lesquels les artistes n'avaient eu de cesse de représenter des visages familiers et déjà lointains, des mères, des frères et des amis, se pressaient dans les églises que le baroque ornait comme des jungles, mais aussi au pied de temples aztèques et mayas aux flancs impénétrables. Sous un soleil qui était un astre en même temps qu'un Christ de Douleur, pleurant des larmes de sang, et qui jetait dans chaque ruelle, sur chaque pierre ou visage la lumière âcre de la nostalgie, la fresque se déployait avec la lenteur, la tristesse lancinante d'un dernier regard vers la terre abandonnée. En mémoire du jour où elle serait découverte, on avait placé en son centre une géante au sourire imperturbable, les mains rassemblées en prière éter- nelle pour chacun des êtres minuscules qui avaient contribué à sa gloire : une Vierge de Guadalupe tout en carreaux blancs, bleus et or, dans un champ de fleurs et d'étoiles aussi abon- dantes que les malheurs des hommes. Et son sourire disait d'avance qu'elle pardonnait, d'avance elle pardonnait la fête – elle pardonnait à tous dans ses prières.

Beaucoup pleuraient, et il y avait beaucoup de femmes parmi eux, beaucoup plus que d'habitude : quelques authen- tiques femmes qui étaient arrivées on ne sait comment pour l'occasion, mais aussi et surtout beaucoup de femmes de déguisement. Car en ce jour officiel de révolte, les ouvriers s'étaient tous déguisés, avaient mis des costumes de conquis- tadors du XVIe siècle, d'hommes d'affaires en cravate, de prêtres, de soldats, mais aussi de servantes, de paysannes, de prostituées, de tout ce qui permettait, noble ou vil, de déployer de grands jupons brodés et des corsages de couleurs vives, des fichus et des mantilles, du rouge à lèvres et des fards aux joues, des bas soyeux dans des souliers à hauts talons. Même si beaucoup gardaient leur moustache, leur chapeau, leurs bretelles – du moins pour l'instant – il fallait reconnaître ce miracle de la botanique : la foule des ouvriers du chantier Bernache, en l'honneur de la Vierge de Guadalupe, en l'honneur du pays perdu et des États-Unis à venir, pour oublier l'Exil et pour la Liberté, s'était changée en champ de fleurs. Un immodeste, chatoyant, saugrenu champ de fleurs dont les corolles étourdissantes exhalaient déjà leurs effluves d'alcool et de sueur, inédites dans les couvents et les bordels de meilleure réputation.

Une joie immense que cette fête, aussi immense que la tristesse de toute une vie. Des orchestres se répandaient parmi nous, la musique répondait à la musique d'un bout à l'autre du tunnel. D'aucuns racontent que cette nuit les rares habitants du désert crurent que la terre avait tremblé. On applaudissait des animaux absurdes, des numéros d'acrobates faits par des rats, des spectacles de guignols moustachus où s'invitaient des coqs excités au combat, des poules belles comme des incendies. Mais parmi les masques invités dans la foule, soyez sûrs qu'il y avait des histoires qui n'auraient pas dû être là. Des témoignages qu'on avait cachés sous le fard et les grimaces, qui venaient de loin, fuyant la capitale, qui n'avaient pas leur place. Si on interrogeait un peu ces personnes, on apprenait des contes à ne plus jamais dormir, des fables échappées du massacre – qui avaient l'air de fables tant elles étaient sanglantes, et pourtant véritables.

Pourquoi cette nuit est-elle différente de toute autre nuit ? Les hôtes qui se sont mêlés à la fête ne peuvent dissimuler sur leur peau les traces des bottes en cuir et des pinces électriques d'habitude réservées au bétail. Ils ont été dans des lieux dont ils ne pourront plus jamais s'enfuir, quoiqu'ils rejoignent le tunnel en prétendant qu'ils parviendront à s'échapper. Ils ont leurs geôles dans la tête. Leurs yeux sont encore électrifiés, leurs corps maculés de couleurs qui ne sont pas peintes mais que les coups ont imprimées dans leurs chairs.

– Les Jeux Olympiques de 1968, vraiment, ça ne t'évoque rien?

Si, maintenant, ça lui revient: les deux athlètes noirs qui lèvent le poing sur l'écran de télévision s'appellent Tommie Smith et John Carlos. Ils font ce geste pour dire à l'Amérique qu'ils n'ont pas gagné pour elle, mais contre elle. Ils ne sont pas des bêtes de concours élevées pour faire plaisir aux amateurs, et ils réclament à leur pays encore raciste qu'il respecte leurs droits. Josh les a vus et a salué leur courage: à force d'insister, il faut bien que certains combats paraissent au grand jour. Mais une semaine avant cette course, personne n'a montré les étudiants assassinés à Tlatelolco, sur la place des Trois Cultures. Ni eux, ni la sciure versée sur le bitume au petit matin pour que le sang sèche plus vite. Ni les survivants qu'on cachait dans les prisons. Ceux-là, qui les a vus?

Ceux qui tiraient depuis l'édifice central (où les délégués étudiants avaient eu rendez-vous pour négocier, mais au lieu de cela restaient plaqués au sol avec des fusils dans la nuque), ceux-là qui tiraient le feu du ciel portaient un gant blanc à la main gauche, ou bien un petit foulard blanc noué au poignet. Ils avaient des cheveux très courts. Personne ne connaissait les membres de ce bataillon spécial. Ils avaient eux-mêmes obéi à un ordre venant du ciel, une fusée rouge et une verte tirées d'un hélicoptère (certains prétendirent : depuis l'église, la rouge depuis l'église, non, la verte) et cet ordre était suffisamment impérieux pour qu'en une heure des centaines de corps qui n'avaient pas vingt ans gisent face contre terre dans un affreux désordre, car entre l'armée venant par le nord et le sud à la fois, les tirs du ciel, et les marches déployées du temple aux sacrifices, il n'y avait pas de moyen idéal pour s'enfuir. Combien sont morts dans l'après-midi de Tlatelolco ? Nul ne le sait, c'est une fête qui est restée sans mémoire : car à la nuit tombée, les ondes des radios et des télévisions furent coupées. Les ambulances parvenues sur les lieux après les fourgons priées de s'en retourner, avec leurs lits vides.

Les corps avaient disparu vite, beaucoup plus vite que s'ils avaient été confiés aux mains pourrisseuses de la nature. Dans sa mémoire, Grís avait fini par dissimuler la scène sous une couche de peinture montrant un demi-corps, les deux petites jambes raides d'un enfant qui finissait de disparaître dans la gueule d'un vieillard échevelé. Ce qui le choquait dans cette image était la grandeur des yeux injectés de sang et de larmes, et aussi béants que la bouche. Il croyait se souvenir que c'était l'œuvre d'un peintre espagnol, *Le Général Cortés dévorant ses enfants*, mais il n'en était pas certain.

Des milliers d'enfants morts. Les autres, les rescapés, étaient à la fête de la Vierge le jour où le chantier Bernache atteignit les États-Unis. Personne ne voulait entendre ce qu'ils racontaient et pourtant ils le racontaient à n'en plus finir : depuis l'envers des masques leurs voix ne tarissaient pas.

Telle paysanne en robe des prés, les joues roses et le front humide, qui engloutissait en pleurant les dernières gorgées de sa bouteille de vin, on découvrait sous son grimage un jeune homme au regard plein de fièvre, qui disait : « J'étais étudiant, dans ma deuxième année au Politécnico. J'étais sur la place de Tlatelolco. Croyez qu'ils nous ont tous tués. »

Sous cet autre visage à la langue fourchue, la tête auréolée de plumes, une jeune femme en blue-jeans, avec en travers de son buste un appareil photo dont la lentille était complètement brisée : « Ah ce serait formidable que vous puissiez voir ces photos. Nous étions des milliers sur la place mais ils n'ont pas eu peur. Si vous pouviez voir ces photographies, elles sont formidables. Avec beaucoup de sang par balles ! Ils l'ont fait, ils nous ont tous assassinés. Tout est sur la pellicule, venez voir ! » Elle ouvrait son chargeur : son chargeur était vide. « Ah. Ils m'ont pris la pellicule, les salauds. Mais croyez-moi nous étions bien nombreux et ils n'ont pas eu peur. Ça fait que nous sommes tous morts ! »

Et Grís rajoutait, avec une curieuse insistance : « Il y en avait un autre, je dois t'avouer, il n'avait presque pas de bras. Ce n'était pas une blessure, non, il était né comme ça, tu comprends ? » Ce garçon infirme, auquel Grís tenait tant, était ce jour-là déguisé en écuyer, en réchappé des temps de la conquête. Il le remarqua pour la première fois alors qu'un de ses camarades venait l'aider à grimper sur une mule, puis à tenir la bride dans ses mains, au bout de ses bras courts comme des moignons. Plus tard dans la soirée, Grís, qui était resté totalement fasciné par ce jeune homme, apprit qu'il avait miraculeusement échappé aux policiers qui le

277

pourchassaient. Mais désormais il fallait qu'il reste caché, d'autant que son signalement était bien reconnaissable et son crime vraiment remarquable : sur la liste qui circulait dans les services de police, il était écrit qu'il avait été condamné à la prison ferme par contumace pour avoir « brûlé douze bus *avec des grenades lancées à grande distance* ». Vraiment, en ces temps héroïques, la Vérité était un miracle sans cesse recommencé : peut-être le jeune écuyer songeait-il à cela tandis qu'il agrippait les brides de sa mule au bout de ses bras minuscules.

Grís, qui s'était assis sur la place de Livourne, mangeait et bavardait en compagnie de son ami Azul. Azul portait une robe, bleue évidemment. C'était une robe de sa femme, qu'il avait dû abandonner l'année où il avait commencé à être poursuivi pour ses activités syndicales, parce qu'il avait été établi qu'il n'adhérait pas au syndicat préconisé. Il avait emporté d'elle cette robe, mais n'avait jamais osé la revoir de peur qu'elle en aime un autre ; il avait toujours dissimulé cette angoisse en prétendant qu'il ne voulait pas lui attirer d'ennuis. Au bout d'un moment, de toute façon, la femme s'était désincarnée et pour Azul elle était devenue cette robe qu'il mettait aux grandes occasions et qui le parait entièrement de mélancolie. C'est pourquoi ce soir-là il était impossible à Grís de le faire arrêter de boire, même s'il supportait avec peine sa joie de plus en plus méchante. Car il semblait dans ces moments qu'Azul ne riait pas franchement, plutôt qu'il s'amusait toujours aux dépens de quelqu'un : une personne désignée par ses moqueries et sur laquelle il s'acharnait, ou bien tout simplement le génie de la fête, caché dans les cœurs palpitants et au fond des bouteilles, à qui il voulait signifier son refus d'obtempérer en demeurant profondément triste. Ainsi Azul riait en dehors de la fête, gardant les bras croisés et le sourire amer dans sa robe bleue.

Au bout d'un certain temps Grís fut lassé par l'amertume de son ami et il l'abandonna pour se mêler à la foule des autres. Des années plus tard, il se souvenait avoir eu une conversation avec Georges et Florence qui se trouvaient là, Georges déguisé en Florence et Florence en Georges, et il fit semblant d'être confondu par le stratagème et rit avec eux, félicitant Florence pour la vigueur de sa barbe et rendant à Georges un hommage galant, en mettant un genou à terre.

Les masques s'étaient assemblés sur la place de Livourne. La musique qui les avait attirés était aussi imperceptible que les visages – elle restait sous la peau, et dépourvue de forme ou de couleur jusqu'à ce que tous soient capturés et qu'elle se révèle enfin à eux. Quand les premières paroles de chanson furent entendues, personne ne pouvait plus bouger, tous les masques se tenaient en rangs serrés et retenaient leur souffle.

Grís avait toujours connu ce moment de creux dans la fête, quand le vin se change en chagrin. Pourtant il lui semblait qu'il y avait ce soir-là quelque chose qui rendait la situation insupportable. Il se rendit compte à son tour, mais trop tard, que c'était la musique.

« Les gens s'étaient groupés autour des musiciens » : une ronde de corsages tachés de sueur, d'yeux écarquillés par les cernes et le maquillage qui avait coulé, coulait encore à cause des larmes. Tandis que sur la fresque multicolore l'immense Vierge tenait toujours ses deux mains rassemblées, tandis qu'elle souriait et gardait ses yeux mi-clos de la façon qui permet d'ignorer et de pardonner, des couples se tenaient par la main, réunis dans l'émotion de ce petit matin sans soleil, écoutant des paroles nouvelles qui passaient bientôt de bouche en bouche comme un vieux souvenir, comme si chacun les avait portées en lui depuis toujours, à la place de son âme.

« Ils étaient trois. Leur chanson, elle disait… » Grís interrompit soudain le récit. Il semblait maintenant faire un effort douloureux pour retrouver les paroles précises. D'après l'expression de son visage, blême sous le néon de la galerie, c'était un enjeu capital. « Je ne peux pas me souvenir, puisque les musiciens étaient masqués ! » Cette pensée lui procura un soulagement médiocre, bien qu'elle durât assez pour qu'il se remémore quelques autres détails de la scène. « Une flûte », il regarda Josh d'un air anxieux, comme un garnement qui est en train de mentir et veut s'assurer de la crédulité de son interlocuteur. « Quelles étaient les paroles, Grís ? », reprit Joshua, qui d'après son expression pensait tenir là un élément révélateur. « Une flûte, une guitare et un tambour », Grís réfléchit encore et conclut : « C'est bien ça. »

Il ne savait plus maintenant qui jouait, et de quel instrument : Arlequin, Pierrot ou le Capucin. « Arlequin jouait de la flûte. Non, le Pierrot. » « Le Capucin jouait du tambour, cela c'est certain. » Surtout, il ne savait plus qui jouait les rôles dans ce groupe de musiciens : tantôt il affirmait que c'étaient des étudiants, de ceux qui étaient arrivés récemment ; tantôt des ouvriers plus anciens du chantier. Ce doute en tout cas semblait insurmontable, et douloureux. « Je ne sais plus si les masques des musiciens étaient des ouvriers du chantier, ou bien des étudiants déguisés en ouvriers. Azul, lui, a cru que c'étaient des étudiants, que c'étaient eux qui s'étaient mis sous les masques de flûte, de guitare et de tambour, et faisaient ces ravages sentimentaux. » Puis, comme s'il venait enfin de remettre la main sur son souvenir : « En fait je sais que tous leurs instruments étaient en papier. Tu vois qu'ils faisaient semblant ? En papier colorié, jaune, blanc, brun. Aucun son ne sortait de là, la musique était en papier comme leurs vêtements, leurs chapeaux. Alors, pourquoi on les entendait ? » Il scrutait le visage de Joshua, dans l'attente anxieuse d'une réponse – qu'il finit par apporter lui-même : « À cause des paroles, c'est ça ! Ah ! Des losanges, des barbes, on voyait leurs costumes... on ne les entendait pas. Au contraire la musique était dans les têtes. C'était de la fausse musique, des étudiants déguisés avec des instruments en carton. Je crois que c'est ça qui a mis Azul fou de rage quand il s'est aperçu. Mais avant, nous avions tous participé à la chanson, qui disait... »

Il se tut. À nouveau il sembla buter contre quelque chose, une de ces formes en carton colorié qui se mettait en travers de sa mémoire. Il cherchait les paroles, un objet précis difficile à distinguer à l'intérieur du kaléidoscope de masques, de losanges. « Masques bleus, losanges orange ? Ils étaient déguisés. Et le titre de la chanson était, on nous l'avait bien dit : *Chanson sans organes.* » Il rougit. « On n'avait pas besoin de vrais instruments pour la faire, le carton suffisait. *Je me rappelle* : ça commençait comme ça, Je me rappelle. Et il fallait pour la chanter montrer les parties du corps, comme quand on apprend les mots qui les désignent pour la première fois. » Il rougit encore plus, comme si Josh devait comprendre certains sous-entendus. « Elle se chantait en s'échangeant des choses, nos habits, nos masques. C'était une chanson plutôt bleue qui disait ça : *Je me rappelle une semeuse, ses caresses et ses lolos.* Elle rendait tout le monde très triste. Je crois qu'Azul n'a pas supporté que quelqu'un d'autre le mette dans cet état. Tu vas comprendre, ça disait », il se mit à fredonner, en tapant sur sa cuisse pour marquer le rythme.

> *Je me rappelle une semeuse*
> *Ses caresses et ses lolos*
> *Mon crâne est sous mon chapeau*
> *Vois mes os sous ma chemise*
>
> *Elle avait une robe grise*
> *Sous sa robe on puise l'eau*
> *Mon crâne est sous mon chapeau*
> *Vois mes os sous ma chemise*
>
> *Tant de fois elle m'embrassa*
> *Dans le maïs et sous la faux*

De nouveau Grís s'arrêta pour chercher ses mots. « Je ne sais pas pourquoi Azul s'est comporté de cette façon, avec le jeune qui avait de tout petits bras, l'écuyer. J'ai cru que c'était amical, mais pas vraiment, je me suis rendu compte à ce moment-là que le jeune écuyer avait besoin d'aide. Je me suis approché. Je sais que j'ai vérifié si j'avais dans ma poche le pistolet que j'emportais dans mes tournées postales, pour si jamais. »

Grís se rapprocha à travers les bribes de chanson et entendi les insultes : *bourgeois, intrus, parasite*, hurlait Azul à l'intérieur de sa belle robe bleue, tandis que l'autre répondait, *rends-moi mon argent, il m'a tout volé, je n'ai plus rien*, et il n'avait pas non plus assez de force pour répondre aux coups qui maintenant pleuvaient sur sa tête, il levait ses petits bras impuissants, ses petits bras beaucoup trop petits pour lancer des grenades, trop petits pour brûler des autobus ou pour se défendre contre Azul épaissi par l'alcool, et qui de son bas de soie bleue arrachait un couteau.

Grís reprit : « Je ne me souviens pas les paroles de la fin… Ah si, voilà :

> *Tant de fois elle m'embrassa*
> *Dans le maïs et sous la faux*
> *Qu'à la fin elle me mangea*
>
> *Le cœur, les poumons, le pénis*
> *Mon crâne est sous mon chapeau*
> *Vois mes os sous ma chemise.* »

Et soudain ce qu'il cherchait avec le plus d'angoisse, qui se dissimulait dans la chanson, revint à ses lèvres : « D'abord j'ai frappé Azul au visage. Il était beaucoup plus grand que moi, s'il n'avait pas été ivre, je ne te donne pas l'issue. Mais je lui ai arraché son masque bleu, et déchiré sa robe. Heureusement qu'à ce moment-là la musique était finie, les masques maintenant faisaient cercle autour de nous. Le jeune écuyer, il tremblait mais il était sauf. Sauf que moi j'étais par terre avec Azul, quand je lui ai déchiré sa robe il était en dessous. De l'avoir démasqué, je ne sais plus, ça m'a troublé : c'était Azul, l'homme ami, qui était sous la robe. Mais trop tard Là il m'a attrapé par les cheveux et renversé aussi. Je l'ai bien regardé. Il avait son couteau. J'ai vu : Georges et Florence dans la foule, Georges en Florence et Florence en Georges, et aussi le jeune écuyer qui n'avait pas de bras, puis Azul et rien. J'ai cherché vers ma poche et j'ai tiré dans son flanc. Je ne voyais plus rien. Je t'ai dit les paroles, à la fin '› ›

Josh se leva une fois de plus pour rallumer la minuterie. Quand il revint près de Grís, celui-ci levait une main tremblante contre sa pommette gauche, en dessous de son œil mort, et il lui dit :

– Je croyais que je ne voyais plus rien parce que j'étais mort, pourtant peu à peu je me suis rendu compte de certaines couleurs. Quelqu'un au début, je ne l'ai pas vu approcher parce qu'il arrivait par le mauvais côté, qui restait complètement à l'abandon. Les couleurs ont voulu faire des formes et au bout d'un moment une ombre rose a traversé mon visage pour y verser de l'eau. Puis j'ai cru à nouveau que tout disparaissait dans un mur noir, pourtant à ce moment ma vue a cessé de trembler et j'ai reconnu le visage de Georges.

L'œil unique était envahi de larmes. C'est ainsi que Georges Bernache l'avait trouvé, quand enfin il eut traversé la foule pour rejoindre les combattants : Grís était étendu, l'œil plein de sang, à côté du corps d'Azul. En relevant Grís, en épongeant l'œil qui saignait, une pensée traversa l'esprit de Georges : il se rendit compte qu'il n'y avait jamais eu de débordement de violence sur le chantier, jamais en tout cas qui ait causé la mort d'un homme. Des bagarres, des accidents, des maladies... Mais pas cela. C'était le premier meurtre.

Il déchira un bout du drap étoilé de la fresque, et en le couchant sur le corps d'Azul, il pensa : « C'est notre premier mort. » Puis, il aida Grís à se lever, le conduisit doucement vers l'escalier qu'ils avaient bâti tout au bout du tunnel, et qui s'ouvrait dans un coin de la fresque, sous l'arche d'un temple. L'escalier conduisait aux États-Unis. Il aida Grís à prendre appui contre la rampe, il lui fit faire un pas, un deuxième pas, et il lui dit tout bas, sur un ton menaçant : « Alors, va-t-en » – ce qu'il fit.

* * *

L'œil est maintenant un gouffre d'angoisse où brille comme un dernier espoir : la lueur pâle d'une question. Cela fait bien longtemps qu'elle habite dans l'œil de Grís, cette question, et qu'elle le torture nuit et jour. Dans le sous-sol de la Pullman, parmi les vestiges muets du chantier Bernache, Josh comprend que Grís l'a invité ce soir comme juge à son propre procès. Qu'il a attendu de longues années avant de pouvoir raconter ces souvenirs brûlants, et pouvoir enfin demander :

– Est-ce que tu crois que c'est de ma faute ?

L'œil qui a survécu implore son verdict, attend.

Mais alors qu'elle parvient à sa conscience, dans la terre blanche et prospère où il est né, tout ingénieur qu'il soit, Josh reste muet.

Il sent qu'il est tombé dans l'œil, et se débat.

Puis il s'immobilise, et réfléchit longuement. Cela fait plusieurs heures qu'il n'a pas entendu le son de sa propre voix, il la retrouve difficilement à travers le silence et l'obscurité.

Mais au bout d'un moment tout s'éclaire, il est surpris, ému, il prend Grís dans ses bras, et il lui répond de tout son cœur :

– Non, je ne crois pas. Non… C'est comme ça, Grís, tu sais : il fallait bien que quelqu'un commence.

Après ? Après, on se disperse. La fête est terminée, ils sont au bout du tunnel, arrivés. Là-bas, disent-ils, répétant sans le savoir les mots du poète, là-bas sera un autre jour

XVII. On entend de la musique dans un tunnel

– 1 –

Quand la fête fut terminée, on ouvrit les digues du fleuve noir. Les voûtes s'emplirent d'un écho liquide et nacré qui engloutit les voix humaines, le bruit des pas et les conversations des pioches et des marteaux. On continua tout bas, en dissimulant les chuchotements sous les clapots nauséabonds.

C'était l'heure de payer la dette du chantier, et pendant cinq années l'oléoduc qui courait tout au long du tunnel charria les tonnes de pétrole que la Pullman avait exigées. Georges Bernache resta chargé de l'administration des ressources, comme il l'avait été des infrastructures. Pendant ces années il prétendit employer encore de nombreux ouvriers, pour assurer l'exploitation. C'était un métier difficile, ainsi expliquait-il que les ouvriers ne restaient pas longtemps. Eux aussi s'écoulaient au long du tunnel et jusqu'à la frontière, où ils disparaissaient. Georges Bernache supervisait, il agissait avec discrétion et diplomatie, faisait preuve d'une grande maîtrise des contraintes locales de sorte que jamais la Pullman n'eut à regretter cet investissement.

Du fait de son caractère officieux, le tunnel ne fournissait pas le gros de la consommation, mais il offrait des ressources d'appoint que la Pullman faisait mettre sur le marché chaque fois que le manque s'installait. Les États-Unis risquant à tout moment des pénuries de carburant, cette stratégie s'avéra fort lucrative. En 1973, au plus fort de la crise pétrolière, le site Bernache fut définitivement essoré : on charria plus de pétrole en six mois que dans les quatre années qui avaient précédé. Et il n'y eut bientôt plus une goutte de trésor.

Georges Bernache dut se battre pour pouvoir continuer d'embaucher un maximum de personnes, en prenant pour prétexte l'entretien du site, puis l'organisation de sa fermeture. Les financements de la Pullman s'espacèrent et disparurent tout à fait, et il n'y eut plus d'activité possible pour servir d'écran de fumée au passage des hommes.

Ainsi, la ville de Minas Blancas, qui s'était épanouie pendant les grandes années du chantier, fut sinistrée. Elle fut abandonnée par les familles. Oubliée des voyageurs. Vinrent la pauvreté, l'ennui et la poussière : les souvenirs heureux se retirèrent des murs en y laissant des auréoles humides et crasseuses.

En 1975, un groupe de jeunes gens vint frapper à la porte de la grande demeure des Bernache. Ce fut Florence qui leur ouvrit, et les convia à sa table. Il n'y avait plus de domestiques.

Le jardin était envahi de pierres et d'herbes sèches. Le terrain de tennis était gondolé, fissuré de part en part, le filet gisait sur le sol comme une toile d'araignée. Les jumeaux étaient partis depuis longtemps faire leurs études au D.F., ils travaillaient maintenant comme médecin et avocat. Ils ne revenaient pas très souvent.

Mais quelle jolie vieille dame, souriante. Et Georges, pas un regret dans sa voix. On se mit à table. Ce fut le miracle d'un bœuf bourguignon (recette de Georges), d'une salade fraîche de tomates et d'avocats, d'une bouteille de vin, d'une tarte aux figues de Barbarie (recette de Florence). On parla de la région, du dispensaire qui avait du mal maintenant à entretenir plus de dix lits. Du marché, qui n'avait lieu qu'un seul dimanche sur deux, à des kilomètres de là. Ils allaient eux-mêmes, dans une vieille Ford déglinguée qui n'avait plus de vitres. Florence en vieillissant ne craignait plus le soleil : sa peau avait bruni, semblait-il, sans une ride. Georges la tenait par la taille pendant qu'ils se promenaient dans le jardin dépenaillé où les citrouilles poussaient dans les citrons et les vignes aigres au milieu des fougères, car il était arrosé avec amour mais semé au hasard. Ils laissaient la vaisselle s'empiler dans l'évier. Ils avaient mis du linoléum dans la cuisine et dans la salle de bains, le parquet se déchaussait un peu dans toutes les autres pièces, ils laissaient les rideaux s'effranger, sans trop les nettoyer. Ils avaient vendu tous les beaux meubles, il ne restait que quelques armoires, un bureau en contreplaqué et de la vaisselle en verre dépoli, pas belle du tout. Quand ils allaient et venaient, ils ne fermaient jamais leur porte, ni le portail du jardin. Ils ne craignaient

289

pas les voleurs. Ils riaient d'un rien. Ce n'étaient pas des gens très fréquentables.

Pendant le repas avec ces jeunes gens, la conversation fut très animée. Georges et Florence se montraient avides de recevoir des nouvelles provenant d'autres horizons, ils écoutaient sans rien exiger de leurs hôtes, pas le moindre renseignement sur leur identité, leur but.

À la nuit tombée, quand les paroles et le vin furent taris, Florence amena de grosses bougies couleur d'ivoire pour les poser au centre de la table, parce que Georges avait suggéré avec malice : « Il est temps d'allumer les chandeliers en argent. » Elles étaient commencées depuis longtemps, leurs parois striées de larmes et collées d'insectes nocturnes. Georges sortit une bouteille de *pulque* qu'il servit dans de petits récipients en ferraille, et chaque invité sentit la chaleur qui brillait dans sa poitrine comme la flamme des bougies, un peu dégoulinante. Accoudé au bout de la table, son corps dans la pénombre, Georges avait la joue posée contre son poing, une cigarette coincée dedans qui lui faisait la tête pleine de volutes. Florence s'était assise contre lui, presque blottie et se taisait comme une adolescente.

Quand ils eurent contemplé l'assemblée, qu'ils les eurent jugés, Georges leur dit simplement que l'accès était libre. Il n'y avait pas de clef, pas de règle. Florence ajouta : un puits, derrière l'ancienne carrière, sous un arbre. Et Georges conclut : une margelle pavée d'azulejos, un escalier, et puis c'est tout droit.

Les voyageurs couchèrent tous dans l'ancienne chambre des jumeaux, et au matin ils avaient disparu. L'un d'entre eux seulement revint trois jours après, il avait renoncé à accomplir la traversée. Il vint chez eux et reçut l'hospitalité pour encore une nuit sans subir la moindre question. En les quittant il les remercia, et dit qu'il retournait dans sa famille au Guerrero. Il leur dit aussi que le tunnel résonnait, qu'on y entendait de la musique : un son argenté qui venait de très loin, seul ou en groupe, impossible de compter les instruments, ils parlaient une langue qu'il ne savait pas reconnaître, peut-être très ancienne ou disparue depuis longtemps. L'homme avait l'air un peu égaré, on n'aurait su dire ce qui provenait de son imagination. Il repartit.

Le secret continuait de circuler silencieusement à travers les années, amenant parfois d'autres groupes de jeunes gens, parfois des couples. Parfois des individus seuls, des fuyards ou des aventuriers, qui sait ? On ne leur demandait pas.

Ceux qui renonçaient, ceux qui revenaient, évoquaient souvent cette musique qu'ils avaient entendue résonner sous la voûte, au long du chemin. Mais cela pouvait être l'écho de leurs pensées et les battements de leur cœur rendus plus intenses par la solitude du voyage, l'écho des parois. Nul ne pouvait être certain de son existence.

Cela semblait pourtant éveiller la curiosité de Georges et de Florence. Ils sortaient parfois de leur réserve pour demander plus de précisions : étaient-ce des voix ou des instruments ? Certains répondaient que la musique était triste, d'autres qu'elle venait d'une fête. Elle les rendait de plus en plus inquiets. Il fallait la trouver pour savoir.

Georges et Florence s'absentèrent pendant toute une semaine. La maison resta ouverte, accueillit d'autres étrangers en partance qui dormirent dans les canapés en tapisserie dont on voyait la corde, laissèrent des miettes sur la table de cuisine et dans l'évier.

Georges et Florence revinrent. Ils avaient l'air fatigué, pour la première fois leur gaieté était un peu vaincue. Ils passèrent une journée dans l'ombre barbue du grand pin, et depuis leurs transatlantiques en toile de fleurs fanées ils épièrent le jardin comme un monde que l'on quitte, et prétendirent faire provision de couleurs. Aussi Florence prépara un grand panier plein de nourritures exceptionnelles, de belles mangues, des saucissons, un gâteau au miel. Georges exhuma un très bon vin d'un vieux souvenir de cave. Ils enveloppèrent le pique-nique sous une robe en mousseline trouvée dans la jeunesse de Florence. Le sourire leur était revenu. Georges mit un costume sombre et une cravate, Florence passa un châle vert autour de ses épaules et sur sa tête elle posa le chapeau en velours bleu avec une plume de coq.

Ils descendirent sans difficulté. Arrivé le premier au bas de l'échelle, Georges attrapa Florence dans ses bras et sentit qu'elle était légère comme une enfant, qu'elle n'avait jamais été aussi maigre. Peut-être malade ? L'ombre ne vit pas son regard inquiet, puis son léger haussement d'épaules, son sourire mi-amer. Bientôt dans le tunnel, ils se sentirent encouragés par le bruit de leurs pas qui les précédait. Grâce à la lampe de poche, ils pouvaient revoir les dessins sur les murs et discerner leurs souffles, distincts l'un de l'autre et distincts de leurs pas, mais se choquant les uns aux autres

suivant des rythmes clairs. Ils allaient prestement, sans se
soucier de l'heure, absorbés dans la contemplation des souvenirs qu'ils retrouvaient au fil de leur marche.

Au bout de quelques heures ils commencèrent à entendre
des échos, si ténus qu'ils crurent que c'était la solitude
des parois qui produisait ce son. L'endroit était si désolé.
Ils n'osaient parler à voix haute, craignant que le moindre
mot, déformé par le vide, ne devienne monstrueux une fois
lâché dans une galerie. Ils avançaient en tendant l'oreille,
et bientôt ils se mirent à comprendre que les échos étaient
vivants, que le tunnel pouvait être habité. Le son semblait
se rythmer et produire des motifs plus précis, répétés, et
enfin le rayon de la lampe tomba dans l'entrée d'un atelier
à l'abandon, où auparavant avaient été produits des objets
zapotèques : en fouillant le mur du fond ils retrouvèrent des
dizaines de guerriers, sous le faisceau de lumière les plumes
de leurs casques s'ouvraient et se dressaient autour de leur
visage, leur langue tendue dans un sifflement menaçant. La
musique s'amplifiait, tandis qu'ils avançaient dans le tunnel
ils étaient traversés par les souvenirs des migrants, parfois ils
tombaient sur d'autres dépôts d'objets, de simples cruches
à eau, des urnes funéraires à visage humain, des poteries de
toutes sortes, animaux ou femmes nues qu'en illuminant ils
tiraient soudain de leur sommeil. Ils se guidaient à l'oreille :
engagés dans une voie transversale où ils croyaient avoir
localisé la source, ils étaient parfois aussi perdus que ces vestiges archéologiques dans leurs caches poussiéreuses, quand
brusquement ils n'entendaient plus rien. Alors ils revenaient
péniblement dans l'allée centrale, plus tard ils trouvaient

sur le chemin quelques notes sur lesquelles ils trébuchaient, de l'une à l'autre croyaient se remettre en bonne voie et partaient pour une nouvelle heure de traversée tâtonnante.

Ils n'avaient pas du tout assez de nourriture ni assez d'eau pour arriver de l'autre côté, pourtant ils continuaient. Ils étaient fatigués. La musique leur avait à nouveau échappé lorsqu'ils s'arrêtèrent dans une galerie qu'ils reconnurent parce qu'elle avait longtemps servi de cantine. Au centre du mur d'émaux était représenté un arbre qui leur convint très bien. Sous l'arbre ils mangèrent les provisions, burent la bouteille. Ils se blottirent dans son ombre bienfaisante, laissèrent reposer l'après-midi dans le feuillage. Ils firent la sieste dans ses racines, ils se cachèrent derrière son tronc. Ils se rendormirent dans leur peau nue et tiède.

Enfin ils crurent entendre un son plus net parcourir le tunnel. Cela ressemblait d'abord à un tuyau en métal en train de se plaindre, puis au même tuyau plein de rats. Et peu à peu ce son creux, et le grattement à l'intérieur, au lieu de courir indéfiniment se scindèrent en deux, en trois, quatre morceaux de couleurs différentes. La course des rats devint lit de rivière et bruissement de feuilles, l'un et l'autre, l'un après l'autre et tout à la fois. Les morceaux de couleurs se mélangèrent et formèrent de nouvelles couleurs, plus denses et plus joyeuses, et quand elles se rencontrèrent à nouveau elles étaient désespérées, presque mortes.

Georges et Florence écoutaient sans bouger. Ils savaient désormais qu'ils n'avaient plus du tout assez de forces pour retourner sur leurs pas ou pour aller à la rencontre de cette musique. C'était la première fois qu'ils l'entendaient aussi nettement, et malgré l'épuisement ils ne regrettaient pas le voyage, car même d'aussi loin, sans la voir, la musique était belle et délicieuse. Ils s'endormirent plusieurs fois sans qu'elle les abandonne, elle se mêlait à leurs rêves et ils la retrouvaient quand ils s'éveillaient, en se serrant l'un contre l'autre pour endiguer le froid ils arrivaient à se concentrer pour en saisir les nuances. Plusieurs fois le miracle recommença d'un seul flux noyant tout tandis que par en dessous battait une vie intense d'animaux de toutes sortes, qui soudain dominait le flux jusqu'à être rattrapée par la charge de nouveaux animaux joyeux et indisciplinés, dansant à leur tour en tous sens avant de se remettre à l'unisson et d'être eux-mêmes emportés.

Au bout d'un moment, Georges chassa une fourmi qui était grimpée dans la nuque de Florence, et écrasa un ver de terre qui lui déplaisait. Ils partagèrent les derniers morceaux de gâteau, dont les miettes attirèrent de nouvelles fourmis, et en les voyant qui arrivaient sur eux en file indienne Georges comprit qu'elles étaient dans leur droit, qu'il fallait renoncer à leur échapper. Émerveillés par la vie qui s'était emparée du tunnel, Georges et Florence éteignirent la lampe de poche pour se faire plus discrets. La nuit tomba sous l'arbre. Il faisait si noir qu'ils ne savaient plus quand ils avaient les yeux ouverts ou fermés.

Et les couleurs continuaient de résonner dans les parois malgré l'obscurité. Elles se condensaient à l'état de sentiments, s'organisaient sous forme d'objets, prenaient de la géométrie. Elles ressemblaient à un souvenir très agréable. Bientôt elles se fixèrent avec une netteté tranchante, à l'instant tranchant où le verre éclate.

Les éclats bleus sont les reflets de deux verres d'eau sur la nappe en papier. Quelques gouttes ont taché la surface, les fenêtres sont ouvertes, les volets fermés mais le soleil traverse quand même, on dirait qu'il mouille le bord des rideaux. Les ailes d'un oiseau-mouche froissent l'air, les moisissures profitent d'une pastèque ouverte. Tout est à l'avenant, rien laissé à sa place dans les limites convenables : un moulin à café éructe sur la table de cuisine, sa poussière brune s'envole, les petites tasses ont débordé et laissé derrière elles un chemin d'auréoles, des morceaux de chocolat qu'on n'a pas finis ont fondu. La musique provient d'un bizarre instrument en argent et à coulisse, avec plusieurs pistons, que le garçon vient de poser contre la fenêtre. La robe en coton est tombée de la fille.

– 2 –

Ils prirent la route en direction du sud. Josh au volant, Grís somnolent, les mains croisées sur son ventre, ses deux pieds nus bien calés contre le pare-brise – un juste repos après s'être acquitté de la tâche essentielle qu'était la bénédiction de cette voiture louée, afin de la soustraire aux mauvais sorts. La Ford, cette mule prélevée sur le cheptel d'apparence inoffensive de l'agence *Rent a Car* de Chicago, portait désormais à son front, sous le rétroviseur central, un crucifix en bois du meilleur effet, ainsi qu'en guise de tatouage à son flanc droit un autocollant portant la mention rassurante : «Jesús copiloto». Sur l'image, ce dernier avait l'air cependant très affaibli par une couronne d'épines qui le faisait fortement saigner. Quelques gouttes de sang périphériques avaient été rajoutées au marqueur, ainsi qu'une auréole supplémentaire. Ce décor avait fait légèrement pâlir, insensiblement transpirer l'ami Josh qui fut heurté par une pensée impie – sa caution, comment allait-il la récupérer ? Enfin, résonnaient encore dans l'enceinte du véhicule les paroles magiques d'une prière à Marie, conservées grâce aux vitres closes, dans l'air fraîchement climatisé. Voilà pourquoi Grís méritait pleinement de détendre ses antiques jambes si lasses, son œil et sa voix irrités par cette nuit bouleversante. Il ressemblait à présent, dans l'atmosphère éteinte de la voiture, à un très jeune enfant épuisé par la promenade immense qu'est la traversée d'un jardinet, ou l'exploit héroïque d'une phrase de plus de cinq mots. Vrai, il était endormi comme quelqu'un qui mérite son sommeil pour avoir accompli les choses les plus petites – avec la grâce sublime d'un innocent, ce qui lui avait gagné la protection indéfectible de Josh. Celui-ci menait d'une main sûre sa monture bénie à travers l'immensité américaine et veillait sur le sommeil de son camarade avec autant de fierté que s'il avait été son propre enfant.

Investi de cette triple mission de gardien du sommeil, *pater familias* et conducteur de la diligence, Josh se sentait ennobli et ses pensées stimulées par la tombée du soir. Triomphant du paysage si mornement immobile, et vide, il jugea avec satisfaction qu'il était désormais aux commandes de

l'unique cerveau allumé de tout le pays – qui sait ? le seul
de la planète entière. Le silence de la nuit était de toute évidence une façon qu'elle avait d'acquiescer ; et dans le secret
de son cœur il la remerciait pour cela, pour lui offrir cette
surface neutre sur laquelle projeter les mouvements de son
cerveau, toujours aussi bien gonflé, vrombissant même…
maintenant qu'on entrait dans le Missouri et que les limites
de vitesse étaient levées. Ne croisant plus d'obstacle, il avait
tout le loisir de repenser à l'événement qui les avait entraînés
dans ce voyage.

La veille, alors que Josh s'éveillait dans le sous-sol des
archives Pullman, il avait pour la dernière fois titubé vers
la minuterie, et ouvert des yeux éberlués sur les milliers
d'objets à visage animal ou humain qui habitaient les étagères
du département. Le cerveau empli de poussière, le dos raidi
par sa couche de ciment, il avait salué d'un geste solennel
la foule abandonnée. Et, pour rendre un dernier hommage
à ce peuple héroïque, qui avait traversé des kilomètres de
territoires hostiles pour franchir la frontière, il avait cueilli de
son étagère une de ces demoiselles qu'il affectionnait tant,
une déesse de fertilité très rebondie, creusée en son centre.
En tournant dans sa main avec des précautions émues cette
beauté brune si bien pourvue, parée, mais si fragile, il eut
l'indiscrétion de regarder sous le rebond de ses fesses : ce
qui lui rappela l'existence fâcheuse de cet étiquetage en
papier cartonné, présent sur toutes les pièces. Ainsi, la belle
qu'il s'apprêtait à embrasser et qu'il rêvait déjà en égérie
romantique dont on murmure le nom dans le secret des rêves

s'appelait prosaïquement : *Donation Gabriel Gould. – Argile. – Oxyde de fer. – GG. 1492c.*

Alors la déesse une fois de plus s'était échappée de ses mains et avait explosé sur le sol, faisant pour une aussi délicate créature un fracas considérable qui avait réveillé Grís. Et Josh, considérant l'étiquette grisâtre au milieu de la corolle de débris, s'était souvenu du vieil homme de la guérite. La livrée bleue à boutons d'or. Les boucles grises et les épais verres de lunettes, qui ensemble couvraient le visage horriblement maigre d'un halo de bulles qui le rendaient flou. Et il se rappela avoir vu un instant, sous le regard fascinant et inquisiteur, avant qu'il ne replonge dans son tiroir-caisse, le badge qui disait en toute bonne foi son nom et sa fonction : *Gabriel Gould, Accueil.* La fonction trop discrète lui avait fait totalement négliger l'identité de cet homme.

Il leur avait fait l'hospitalité. Quittant l'étroite guérite dans laquelle il semblait si merveilleusement imbriqué, déployant son dos, il avait accepté de leur ouvrir ses appartements d'apparat à l'intérieur des bâtiments officiels. Il les avait invités à s'asseoir confortablement dans son décor désuet de cuivre et d'acajou, parmi les vitraux rouge et or déversant à l'excès sur chaque être et chaque chose (ils en étaient) la poudroyante lumière de la nostalgie.

Malgré la peine atroce qu'il purgeait dans l'enceinte du Mémorial Pullman, il avait gardé ses manières grand seigneur, et parlait comme un propriétaire des lieux, peu avare de ses mots : *il suffisait qu'on le priât !*

Gabriel Gould tirait son orgueil de l'influence décisive qu'il avait eue sur des chantiers du monde entier durant de longues années et, ajoutait-il modestement, *il y a* de longues années. Il soulignait l'importance très relative du chantier Bernache parmi les autres affaires de sa vaste carrière d'escroc ; mais une fois esquissée l'ampleur de ses exploits, il voulait bien reconnaître qu'en effet il s'était chargé depuis les États-Unis de la direction administrative du chantier Bernache, et que ce poste lui avait accessoirement permis d'alimenter son trafic de faux objets précolombiens. Maintenant que le mal était découvert, *il n'y avait point de mal à en parler.* C'est pourquoi il se montra si généreux et si précis – et puisque Josh et Grís étaient prêts à accepter sans broncher ses nombreuses coquetteries mêlées à des informations plus décisives, il se lança :

– Je n'étais pas un bégueule, je vendais le vrai et le faux Selon la géographie des chantiers que je supervisais, je prenais ce qui se trouvait. L'avantage des Bernache, c'est qu'en optant pour la contrefaçon ils pouvaient fournir bien davantage de marchandises que si elles avaient été authentiques. Ils ont été très prolifiques. J'en serai toujours reconnaissant.

Il disait cela dans un glissement de mocassins vernis sur le parquet anciennement verni de l'ancien Hôtel Florence, où il leur avait fait les honneurs d'un petit déjeuner. Derrière le comptoir de zinc délabré il exhuma une cafetière américaine flambant neuve, qui pendant le début de cette conversation s'écoula en quantités de ploc ploc, au rythme inexorable et accablant d'un sablier.

Savez-vous qu'ici, c'était le seul débit de boissons autorisé de toute la ville Pullman ? Car le maître des lieux ne tolérait pas ce vice chez ses employés ; seulement pour ses clients les plus huppés, et il y en eut avant vous, croyez-moi.

Cet *avant vous* était plein de raillerie, mais le ton courtois avait aussitôt repris le dessus. Le glissement verni revint vers la table de restaurant où ils avaient pris place, avec la cafetière fumante et un plateau chargé de porcelaines aux armes de la maison : un *P* et un *F* dorés entrelacés, car l'hôtel avait été bâti en hommage à Madame Florence Pullman, son joli menton droit, ses lèvres pincées, ses si bonnes manières.

– Entendez bien. Je suis condamné, mais ne me plains pas.

Car la société avait trouvé là un emploi sur mesure pour dérober ce dirigeant scandaleux aux regards du public, de la presse et des tribunaux. Il croupissait dans les meilleures conditions, qu'il avait acceptées noblement.

– Sinon, c'était le procès. Ils m'avaient dit clairement : on ne vous couvrira plus. J'avais ici ma place, en tant que conservateur officieux si vous préférez.

C'était lui-même qui préférait cette expression, sans nul doute. Et il tendait sur une soucoupe des biscuits industriels tout gris, parfumés au chocolat, fourrés d'une crème insipide et qu'il nommait avec délice

– Tête-de-nègre. Servez-vous.

Il les avait mis sur la voie. En ce deuxième jour de voyage le soleil se levait dans l'État du Colorado et Josh sentit une vive émotion en songeant qu'ils allaient bientôt rejoindre les sources du Grand Fleuve, et le suivraient désormais jusqu'au

Mexique comme un compagnon de route inoffensif – alors qu'il avait été si fatal à des centaines de milliers d'hommes qui arrivaient dans l'autre sens. Ils allaient *dans le bon sens*, celui dans lequel ils n'auraient pas à subir une inquisition à la douane : voilà une pensée qu'il jugea sordide, et qu'il ravala d'un bâillement abyssal. Il était temps de réveiller l'ami Grís. Il fallait bien. Mais à nouveau il regarda le visage, le souffle, l'œil vivant aussi fermé et aussi calme que l'œil d'émail. Il n'osait pas. Aussi il s'absorba dans la contemplation de la route, laissant les pensées désagréables s'évaporer dans la chaleur naissante tandis que son cerveau enfin tranquille prenait la teinte rouge tendre dont le monde était fait désormais. La voiture rejoignait le Mexique à vive allure, et il se sentait plein de confiance tandis qu'ils pénétraient dans un territoire étrangement familier : celui de la carte du chantier Bernache.

Reconnaissant de mieux en mieux cette région nouvelle de son cerveau, il accéléra. À la fin de sa confession, satisfait de la capacité d'écoute soutenue dont avaient fait preuve ses deux visiteurs et voulant les récompenser, Gould avait dit : « Mieux vaut que vous gardiez la carte du chantier Bernache. Elle n'est pas mal tombée, entre vos mains. Mais faites-moi voir encore – pour une minute encore : je voudrais vous montrer quelque chose. » Joshua et Grís s'étaient alors regardés comme deux sales gosses avec la main dans le sac. Joshua crut lire un signe d'encouragement dans l'œil de Grís, aussi il ouvrit le cartable en cuir qui l'avait accompagné jusqu'ici, et dans lequel il avait soigneusement plié la carte. Il se sentait soudain volé de son propre larcin, et rougissant, avec des excuses brouillonnes et des mains moites il sortit la carte et en ouvrit quelques plis sur la table. Gould ne semblait pas enclin aux représailles, il l'observait avec amusement, presque un peu de tendresse. En maître indulgent il replia l'endroit de la carte que Josh avait ouverte au hasard, et choisit de la prendre au début, plein ouest : « Minas Blancas. Bien sûr, depuis toutes ces années, j'ai souvent été tenté d'aller voir... »

Il leva les yeux vers les têtes de ses deux disciples, qui s'étaient rapprochées au centre de la table au point de se toucher : « Je vous l'affirme, pour en sortir, la seule solution c'est de s'y rendre. Parce que la sortie officielle (cette fois il déploya l'autre extrémité, et pointa un triangle noir posé dans le jaune du Nouveau-Mexique, près d'un réseau de routes et de petites villes) a disparu. J'en suis certain puisque c'est moi-même qui l'ai fait condamner, lorsque j'ai assuré la fermeture du site. » De nouveau il guetta leurs regards, et déploya un autre espace, légèrement plus à l'est et celui-là totalement vide, des kilomètres de sable sans aucune notation ni repère : « C'est là », et il passa le dos de sa main au-dessus de la surface aveugle. « Vous comprenez, il y a une autre sortie, et je ne sais pas où elle est. Sous terre, l'endroit s'appelle Livourne, mais il n'est pas indiqué sur la carte, et depuis la surface on ne peut pas savoir où ça se trouve. Tout ce que je peux vous suggérer, c'est de demander à Georges et à Florence Bernache. » Et il ajouta, comme si cette précision avait une incidence importante sur son raisonnement : « Vous savez, ce sont de vieilles personnes. »

Il leva sa tête grise, qui semblait béante autour de ses

dents d'os et de plomb. Josh pensa : un dentier, la raideur d'un dentier et on voit ses gencives mieux que ses lèvres. Sourire semblait lui demander un effort terrible, ses yeux sans cils se remplissaient de larmes, il était très vieux lui aussi et peut-être presque mort. Pourtant, il ne parlait pas de lui, mais bien de Georges et de Florence lorsqu'il disait « de vieilles personnes, fragiles » – et en effet, Joshua se rendit compte qu'il n'avait pas cessé de les imaginer tous les deux tels que Grís les avait décrits, vingt ans auparavant. Il n'avait pas encore envisagé la participation du Temps dans cette affaire…

Ainsi Georges et Florence Bernache, l'année passée, étaient venus voir Gould – dont la voix se brisait en évoquant cette visite. Ils avaient l'air si fragiles, si fatigués, et ils avaient pourtant fait le voyage jusqu'à lui. Assis à la table où étaient maintenant Joshua et Grís, ils avaient pris ensemble le petit déjeuner. Gould était bouleversé par ce geste, il disait : « Vous comprenez ? Ce dépôt dans mes archives, c'est un signe de confiance. Une manière de testament », et il cherchait un signe d'approbation dans le regard de Josh et de Grís, tout en montrant la carte : « Voilà, c'est ce qu'ils m'ont apporté. » Sa main ne cessait de tâter la surface désertique comme celle d'un aveugle cherchant une prise : « Voyez. Et je suis désolé : je ne sais pas où est la sortie. »

À travers la plaine rouge dans son chimérique attelage, Josh fouettait et s'époumonait furieusement. Il espérait qu'ils pourraient passer la frontière ce matin, et arriver à Minas Blancas avant la nuit. « Pour savoir, il n'y a que deux moyens », avait dit Gould. « S'ils sont encore en vie, vous pouvez demander à Georges et à Florence Bernache. Ou bien : descendre dans le tunnel. Et alors il faudra le traverser jusqu'au bout. »

* * *

Ils n'ont pas réussi. Le pays les déborde, les collines rouges infiniment plus hautes et contournées qu'elles n'en ont l'air, d'un rouge qui brouille les échelles. Grís s'est un peu réveillé, parfois pour célébrer le vol d'un corbeau ou la venue furtive d'un nuage, mais après avoir livré si durement la bataille de la mémoire ses forces mettent beaucoup de temps à revenir. C'est seulement le soir qu'ils ont atteint la barrière de douane : une ligne blanche en travers de rien, qu'un homme en stetson actionne avec un bouton rouge. Dans cette direction le stetson ne fait pas de difficulté, il regarde à peine les papiers de Josh, s'attarde insensiblement sur le passeport neuf de Grís. Ici, il n'y a que des phares jaunes de part et d'autre d'une ligne blanche, et un homme en stetson avec un bouton rouge. Un monde sobre et net : c'est à se demander pourquoi il fait l'objet de tant de passions et de convoitise.

De l'autre côté ce n'est pas différent. La même nuit sur la route qui s'est disciplinée, devenue droite et plate depuis longtemps. Alors comme ça, n'y a-t-il pas d'autre pays ? Cette idée emplit Josh de tristesse. Elle s'impose complètement au bout de quelques miles, c'est pourquoi il entraîne la voiture sur le bord de la route et se gare. Maintenant qu'ils sont parvenus au Mexique, il est temps de faire un somme

Au troisième jour du voyage, Minas Blancas les attend. Du fond de sa dépression post-industrielle, livrée sans défense à la chaleur sordide elle va bientôt retourner à l'état de sable, quand ses ruelles blanches auront fini d'être pulvérisées comme un squelette en sucre. «Il n'y a donc pas de pitié dans ce lieu», pense Josh en serrant sa marche dans l'ombre des murs, et en portant telle la Croix du Christ la veste jetée sur son épaule.

Bien peu de gens se dressent sur leur chemin, un dos voûté marche devant eux sans se retourner, un tablier grisonnant disparaît sous un porche. La ville est peuplée de fantômes.

Grís retrouve facilement la maison Bernache, et ils n'ont pas plus de difficulté à y pénétrer : le portail du jardin, la porte de la maison sont grand ouverts. Seulement il n'y a personne ici. Personne dans le jardin, ni dans aucune des innombrables pièces de cette épave, malgré l'impression de désordre et de vie qui témoigne d'un départ temporaire : la vaisselle dans l'évier, des vêtements jetés sur une chaise, des romans ouverts sur les canapés, dans les draps et sur la table du salon

Toutefois les derniers habitants de Minas Blancas affirment qu'ils sont partis depuis longtemps, et ne reviendront pas. Combien de temps ? Oh, six mois. Trois ans. Quelque chose comme ça. Ici le temps est si ennuyeux, identique à lui-même. Et à la fin, ils ne faisaient plus très attention à eux.

Les deux amis reviennent à travers la ville, Josh toujours accablé par le poids de sa veste, la fatigue de la route ; Grís indifférent à la chaleur, légèrement étonné comme un enfant après la sieste.

Leurs pas les conduisent près de l'ancienne carrière sur une place dominée par un arbre dont le feuillage est comme un chapiteau, ses innombrables branches cherchant éperdument l'appui du sol. Sous l'arbre il y a un puits, avec une margelle recouverte d'azulejos. Josh et Grís se rapprochent. Sur le rebord ils trouvent un chapeau en velours bleu orné d'une plume de coq. Et un châle vert accroché à la poulie.

– C'est ici, dit Grís.

Ils se penchent. Ils attendent au-dessus du puits. Ils ne savent pas ce qu'ils attendent. Ils se penchent encore. Ils ouvrent des yeux ronds. La bouche en cœur et les oreilles en éventail. Ils se penchent encore : ils attendent.

Au bout d'un moment quelque chose s'anime. Ils croient d'abord entendre le son tendu du vide lamé d'argent, et dedans le fracas d'un éboulis. C'est le même son séparé de lui-même, qui roule à l'infini le long des parois. Puis une voix qui se plaint d'avoir mal aux pieds. Celle qui répond de se dépêcher, de courir, de ne manger qu'un seul biscuit, de garder l'eau. Qui dit quand nous rejoindront-ils ? As-tu assez d'argent ? Es-tu certain qu'ils auront du travail ? Pour moi pour mon frère pour mon ami. Les pas sont de plus en plus vifs, de plus en plus nombreux. Ils sont rattrapés par une chanson à boire. Ressurgissent, se perdent dans le bruit d'une digue qu'on ouvre, d'un liquide qui se répand. Tu sais ? Quoi ? Je ne crois pas que nous reverrons les parents. Tu ne le savais pas ? Ils sont trop vieux. Tu ne le savais pas ? La foule des pas traverse le désert, se bouscule et chahute dans la fuite. Il y en a qui traînent et qui se blessent. Sais-tu qui a gagné le match ? Je crois qu'ils l'ont mis en prison. Il s'est blessé au dernier championnat. L'odeur d'essence, en voilà une vie. Noyé. Combien ? Quatre générations dans le désert. Je t'assure, les galettes pas besoin de four, séchées au soleil. Il a levé son bâton. La douleur d'exil, la chaleur, les pieds sur la pierre, la main au bâton, calleux quand leur chair n'est pas arrachée, tuméfiée. Il l'a levé, jeté à terre, et il s'est changé en serpent. L'horizon personne peut y toucher. Il y en a qui se font emprisonner pour moins que ça. Tu crois qu'on va arriver ? On mangera ce qu'on peut. Il n'avait pas le droit de finir le voyage. À cause des quotas ou à cause de Dieu. Ils se sont fait arrêter juste après la frontière. Il est tombé malade, est resté en arrière. Mais les autres ont continué. Pas d'antibiotiques ? À cette époque ? Il avait attrapé une malédiction. Les autres ont décidé de prendre par le fleuve. Elle n'est pas venue avec moi parce qu'elle était enceinte mais l'année prochaine à coup sûr. Du sable et des échardes à l'intérieur des plaies. Ce sera une petite fille. Ils te tirent dessus même si tu ne sais pas nager. J'ai pourtant fait des études. Ils se sont délivrés mais ils les ont poursuivis Dépêche-toi. Et après ? Il n'est jamais arrivé non, il est mort avant. C'est encore loin ? Que dis-tu ?

– **3** –

Les éclats bleus sont les reflets de deux verres d'eau sur la nappe en papier. Quelques gouttes ont taché la surface, les fenêtres sont ouvertes, les volets fermés mais le soleil traverse quand même, on dirait qu'il mouille le bord des rideaux. Les ailes d'un oiseau-mouche froissent l'air, les moisissures profitent d'une pastèque ouverte. Tout est à l'avenant, rien laissé à sa place dans les limites convenables : un moulin à café éructe sur la table de cuisine, sa poussière brune s'envole, les petites tasses ont débordé et laissé derrière elles un chemin d'auréoles, des morceaux de chocolat qu'on n'a pas finis ont fondu. La musique provient d'un bizarre instrument en argent et à coulisse, avec plusieurs pistons, que le garçon vient de poser contre la fenêtre. La robe en coton est tombée de la fille.

C'est dans une maison un peu déglinguée, au sud du Nouveau-Mexique. Où pas mal d'artistes sont venus s'installer pour l'utopie dans les années 1960, avec plus ou moins de bonheur. Il y a eu des communautés dans ces régions, des gens qui testaient des trucs, mais je ne crois pas que lui ça l'intéressait. El Niño, il s'est toujours tenu un peu à l'écart, avec sa drôle de trompette.

Il ne nous reste pas d'enregistrement de l'œuvre de Niño Bernache parce qu'il n'a jamais accepté d'en faire. Il a toujours préféré la vie et a prétendu vivre d'amour jusqu'à sa mort. Une vie de peu.

Moi je l'ai connu à la Nouvelle-Orléans, il est resté chez nous dans la chambre 12 pendant quelques mois. Le succès venant, il a fait toutes les salles de la ville, mais jamais dans une formation fixe. Il rejoignait un groupe pour un soir ou pour une semaine, mais il tenait à garder son identité : c'était toujours tel quatuor, tel pianiste *and El Niño*. Il apportait son espèce d'animal multisymphonique dans tous les corps de jazz, et le boucan prenait, les gens venaient.

Le plus particulier, c'est que le public en perdait son nom, je veux dire qu'ils savaient plus de quelle couleur ils étaient nés. Parce que quand c'étaient des Noirs qui jouaient, on savait bien reconnaître les clubs de Noirs pour les Noirs, et les clubs de Noirs pour les Blancs (quand par exemple il y avait par mégarde dans le groupe des Noirs un musicien blanc). Mais avec Bernache, ça a tout de suite créé de la confusion : dès la première soirée au *Raw Cat*, il y avait de tout, et tous se regardaient les uns les autres comme des intrus, jusqu'à ce que la musique commence et que la haine s'évapore. Ça apportait une chose nouvelle, qui venait pas d'Europe ou d'Afrique, comme avant, mais d'un lieu inconnu de nous jusqu'alors.

Et ça bien avant Red, qui pourra toujours dire qu'il a inventé le truc : ce n'est pas vrai, j'étais là pour le voir. L'Indien n'a jamais rien voulu enregistrer, et c'est pour beaucoup dans la maladie de Red. En 1962, quand il sort l'album *Coloras* avec toutes les compositions qu'il a piquées à l'Indien, il lui lance un défi et pense que l'autre va crier au vol, faire un procès, et prendre sa revanche. Mais Niño s'en fout, et la rage de Red enfle encore davantage du fait qu'il saura toute sa vie qu'il est un salaud d'usurpateur – d'où les rages, de plus en plus violentes, et sur la fin de sa vie cette hystérie qui lui paralyse la moitié du corps et l'empêche de jouer, jusqu'à ce qu'il en crève C'est entièrement la faute de l'Indien.

Ce que Red n'a jamais pu digérer, c'est que l'autre avait dans sa vie quelque chose de plus important que la musique. C'était un soir de 1964, on ne pouvait plus danser, ni pleurer – la musique avait pénétré si profondément dans nos corps qu'au lieu de l'entendre on pouvait la sentir comme une caresse dans une chambre silencieuse, absolument silencieuse. Chacun d'entre nous luisant de sueur, devenu plus coloré et plus dense car les rêves et les désirs nous étaient montés aux joues, faisaient coller au corps les manches des chemises et les plis des robes. Et j'ai remarqué la fille adossée au fond de la salle, à part des autres mais pas de la musique : car elle la recevait tout entière pour elle-même, dans son cœur et ses os. Tout à coup le silence s'est brisé quand on a tous pu entendre très distinctement la course solitaire de Red le long de sa basse – ses mains acharnées sur les cordes et tapant furieusement contre le bois comme s'il voulait être à lui seul un orchestre pour couvrir l'absence de l'autre. Mais on voyait tous que le roi était nu et la chaise vide à côté de lui : j'ai juste eu le temps de me rappeler le visage ébloui de la fille blanche et de les voir ensemble passer la porte comme deux fugitifs.

On les dit installés au Nouveau-Mexique. Ils ont toujours vécu de peu, vu que Niño refusait d'enregistrer. Les meilleures formations pourtant, ça les rendait fous. Il disait je fais la scène, mais je ne veux pas d'enregistrement. Les autres le suppliaient. Les gens venaient de loin pour l'écouter, d'aussi loin que Vancouver, Chicago, Atlanta, des endroits comme ça, qui sont loin.

Je me suis souvent demandé pourquoi il était parti. Après

J'ai entendu toutes les rumeurs. Certains disaient qu'il avait tué un policier dans son enfance ou même qu'il avait été agriculteur avant d'être musicien. Certains allaient jusqu'à prétendre que la fille c'était sa sœur, et qu'ils couchaient ensemble, ce qui est vraiment drôle car elle était tout à fait blonde, les yeux et la peau clairs, elle lui ressemblait un peu autant que si elle avait été Greta Garbo ou la Reine des Neiges, quelque chose comme ça. Tant qu'ils sont restés elle venait l'écouter tous les soirs, elle était vraiment belle. Elle a nui à sa musique, à la fin il ne voulait rien d'autre qu'elle.

Ils vivent de peu, à quelques kilomètres au sud de Taos paraît-il. Il se produit rarement en public, il joue dans des salles locales. Ce n'est vraiment pas la carrière qu'il aurait méritée.

Elle s'appelle Suzanne je crois. Qu'il couchait avec sa sœur, de toutes les rumeurs c'était sa préférée. Ça le faisait rire à en exploser sa trompette. Ils vivaient tous les deux là-bas près de Taos, ils vivaient de pas grand-chose.

On raconte sur lui les histoires les plus fantastiques. Que parfois il s'absente pour aller jouer dans le désert. Il plante sa jeep au pied d'un monticule, pas loin de la frontière, une sorte de puits. Il joue. Il revient le soir. Pas beaucoup de gens l'ont entendu, il aime pas qu'on le suive. De l'entendre on dit que certains ont failli mourir. Ceux qui ont vu disent que c'est la porte d'un tunnel, un puits profond comme est la mort. De l'avoir entendu ils n'en reviennent jamais entiers. On dit que c'est une épopée. Ou une chanson d'amour. Moi je pense que c'est l'un ou c'est l'autre. Enfin, on n'est pas sûr de rien. Il n'y a pas d'enregistrement.

XVIII. New York – 1989, La Reconquête

Les souvenirs de Grís s'échappaient du tunnel et se bousculaient par milliers sous la voûte de l'arbre. Certaines voix restaient nimbées d'écho au sortir des ténèbres et s'éteignaient doucement en petits tas de cendres, d'autres étaient pulvérisées d'un coup par l'émotion et leurs éclats s'envolaient en tous sens, à toute vitesse dans un bruissement de feuilles. Penchés sur la bouche d'ombre ils restèrent jusqu'à la nuit tombée, fascinés de raconter ou d'entendre pour la première fois les destins des hommes du tunnel, ceux qui avaient réussi la traversée, ceux qui s'en étaient retournés, et d'autres encore qui étaient passés par les sables du désert ou les eaux du Rio Grande, morts de soif, ou noyés, ou bien qui avaient survécu et dont on avait perdu la trace. Le charme dura encore jusqu'au petit matin, quand tous deux retournèrent dans leur abri automobile pour affronter le voyage du retour.

Mais là encore les voix les poursuivaient. Grís connaissait quelqu'un qui était arrivé en traversant une autoroute transfrontalière, qui avait failli mourir sur chacune des six voies qu'il avait franchies en retenant son souffle, chaque voie traversée l'obligeant davantage car il devenait aussi mortel de faire demi-tour. La renommée de ceux qui réussissaient avait des conséquences fatales : il en avait connu un autre qui s'était tué dès la deuxième voie, son bras envoyé aux États-Unis, son corps disloqué ramené sur le bord mexicain par le choc d'une voiture qui freina tant bien que mal pour qu'il retrouve le repos, sur le bas-côté où il n'avait plus de visage. Les voix des morts étaient moins nombreuses que celles des vivants, mais elles chargeaient les vivants d'une aura de fantômes, allumaient dans leurs yeux une lueur maniaque. Comment osaient-ils ainsi défier la mort ? Et pour quel salaire ? On ne savait pas toujours de quel côté il fallait enterrer les corps.

Pour faire de la résistance, Grís avait recours à certains mots qu'il voulut partager avec son compagnon de voyage. Il lui apprit que les Mexicains qui viennent aux États-Unis, et leurs enfants de plus en plus nombreux, intensément américains, ont une expression pour parler de leur immigration : ils parlent de *la Reconquista*. C'est le mot qu'employaient les Espagnols du XVIe siècle pour désigner la reprise de la péninsule ibérique aux mains des Musulmans. Les Mexicains d'aujourd'hui l'utilisent sans rancune et sans hostilité, plutôt avec humour et en toute connaissance de cause : puisque la moitié du territoire mexicain est passé aux États-Unis au siècle dernier, eh bien, ils se sentent chez eux aux États-Unis.

À mesure qu'ils remontaient le petit matin, les paroles de Grís se faisaient plus claires et plus sereines. Le chemin qu'ils faisaient maintenant, à une si vive allure, était celui qu'il avait accompli au cours du reste de sa vie avec sa lenteur et son fatalisme, mais en gardant à l'intérieur de sa carcasse de plus en plus raide et rouillée son cœur intact et éperdu.

La vie nouvelle avait commencé ce jour de 1968 où il s'était éveillé dans le désert avec les mains et le visage en sang. Loin de toute terre habitée, et cela valait mieux : il n'était pas certain de se recomposer une figure humaine avant longtemps. Il avait gardé le sac qu'il utilisait pour livrer les lettres – il en restait quelques-unes qui ne parviendraient jamais à destination, et aussi par miracle deux gourdes d'eau, quelques chiffons propres, des galettes de maïs. Non, pas par miracle : c'est Georges qui lui avait donné ces vivres, il sentait encore sa main autoritaire le retenir dans les premières marches pour les glisser dans sa besace. Il lui devait.

Et comme Joshua s'en inquiétait, il était temps maintenant de répondre de son œil. Pourquoi avait-il d'abord inventé cette bagarre avec Georges, alors que c'était Azul qui avait causé cette blessure ?

« En quittant le tunnel j'étais plein de peur et de haine. Je ne savais pas ce qui m'attendait, je savais seulement que Georges m'avait abandonné. J'aurais voulu qu'il me châtie, qu'il me condamne et me garde emprisonné pour mon crime. De cette manière je n'aurais même pas eu besoin d'un seul de mes yeux, je serais resté mort tranquillement. Au lieu de cela il m'a poussé dehors avec à boire et à manger. Je ne pensais pas trouver quelque chose d'heureux, au-delà. J'avais perdu l'usage de la vie

Et le mieux de ce conte que je t'ai fait. c'est me battre avec lui comme un égal, parce qu'il n'est pas bon de se connaître un bienfaiteur. oh non, ce n'est pas trop confortable, cela peut rendre amer et méchant car je ne possédais rien pour lui rendre en échange. J'étais pauvre, assoiffé, exilé de la compagnie des hommes et de leur paix que j'avais profanée ; je n'avais plus qu'un seul œil. Alors vraiment j'ai pensé, il aurait mieux valu lui casser la gueule, tu comprends ? »

Et Joshua comprenait, non qu'il ait été tout à fait d'accord car il se sentait trahi par ce mensonge, et sa moralité fortement éberluée, mais il y avait beaucoup plus de choses que désormais il acceptait et l'œil perdu en faisait partie, il voulait bien le considérer comme il était avec son vrai ou son faux destin.

Il le fallait bien car ce premier mensonge ouvrait la marche à une foule de congénères. En rembobinant cette route, Josh pouvait voir que le mystère de Grís commençait tout juste à la sortie du chantier. Le vieil homme profitait du chemin pour devenir de plus en plus loquace, pour accomplir un pèlerinage formidable en l'honneur de sa propre existence. Il était désormais incapable de retenir le cours de son épopée dans laquelle il confondait la chronologie, brûlait des étapes, faisait des emprunts scandaleux à des biographies d'amis ou de connaissances lointaines. Pourquoi le contredire ? On pouvait croire qu'il avait bien été gardien de bétail pendant trois ans au Nouveau-Mexique. Et manutentionnaire a Tulsa, Oklahoma, c'était imparable – malgré son âge déjà avancé : il aurait alors eu presque soixante ans. Mais à partir de son étape en Illinois, où il devenait coiffeur, le doute commençait a poindre. Il racontait aussi avec beaucoup d'émotion son année de mariage avec une veuve cubaine qui l'avait enveuvé à son tour, mais il était difficile de situer cet épisode parmi d'autres flirts et aventures amoureuses, souvent concomitants. Et comment synchroniser ces différents métiers avec sa carrière de restaurateur, d'homme-sandwich, de cireur de chaussures, de vendeur de voitures ? Il en faisait trop, dans trop d'États, jugeant inépuisables ses qualifications – ne doutant pas de son imagination. C'est comme ça qu'il était arrivé à New York cinq ans plus tôt, traînant avec lui sa science arlequine et l'anglais brinquebalant qu'il avait accumulé tout au long de la route.

Les voilà qui s'approchent maintenant de l'Île de Manhattan. Ils l'abordent par la face ouest, mais dans la mémoire de Grís elle apparaît derrière les voilures du pont de Brooklyn, comme il l'a découverte le vingt-neuf avril de l'An de Grâce 1984 : au long de l'eau sa frondaison impénétrable de verre et d'acier, cachant des sentiers si profonds que le soleil n'y touche pas et qui pourtant abrite une profusion d'essences et d'espèces. Dans son journal de bord, Grís avait reporté l'odeur du bitume fumant, des pollens chatouilleux et de la pizza. Il fit mention de la variété remarquable des ressources qu'il jugea positive pour son installation. Il découvrit même au cœur de la forêt une végétation différente, étonnante parce qu'elle était verte ; il nota scrupuleusement le nom que lui donnaient les autochtones : *le Parc du Milieu*. Ce qu'il trouva sobre et joli, de même que les appellations des rues par numéros, peu fleuries mais pratiques et dont il avait pris l'habitude depuis si longtemps qu'il traversait ce pays. Et d'ailleurs tout le territoire lui fit force d'évidence car il le connaissait par de nombreux récits, il s'y était habitué à travers la légende télévisuelle qui circulait un peu partout.

Le quartier que Grís a choisi d'habiter est loin au nord de l'île, c'est presque l'arrière-pays, à des kilomètres de la côte ténébreuse par laquelle il avait alors accosté. C'est une zone molle semée d'échoppes, de vie sociale à ciel ouvert, de soins de beauté pas chers, coiffure et manucure à toute heure, lavomatique pour tous. Un monde hybride, facile à pénétrer, le type de sol qui est favorable aux familles et à la petite criminalité, à l'entraide et à la contrebande, aux tournois d'échec et au partage des seringues, qui veut savoir ? Puisque chacun aura sa place. Avec parfois un peu de prostitution sans chichis, juste une fille en jogging sur le trottoir et qui attend, peut-être, peut-être pas. Un peu plus loin la messe est dite par une femme énergique dans une salle bondée, elle tonitrue par-dessus les ventilateurs, les chants. La musique est omniprésente, diffusée partout par des appareils hors de mode, des haut-parleurs scotchés.

Du haut de l'escalier d'incendie en fer bariolé de rouille et de linge qui sèche, le vieux Grís salue l'ami qui s'éloigne. Il écoute la rumeur du quartier, palpe soigneusement les fleurs des géraniums pirates qu'il a installés là au mépris des règlements de sécurité. Ces gestes infimes propagent une bordée de douleur à travers tout son corps, alors il arme son dos, pose ses mains brûlantes sur la barrière et respire lentement un air mal accueilli par ses poumons qui sifflent, son ossature qui craque. Et maintenant qu'elles sont bien arrimées,

318

il regarde ses mains et découvre qu'elles ont la peau moisie. Il les soulève lentement pour allumer une cigarette qui le réchauffe un peu à l'intérieur puis il reste immobile, en se tenant bien droit pour que rien ne s'effondre. Il reste encore quelques instants à se remémorer un à un les noms des enfants qu'il voit passer plus bas dans la rue, à réfléchir à son dîner, et s'il prendra une bière. Et pour l'ami qui se retourne il est à la proue d'un bateau de conquête et regarde loin. Regarde loin et de son bon profil, dont l'œil est ouvert – l'orbite vide et les larmes de sang étant cachées.

Table des matières

RÉALISATION : PAO ÉDITIONS DU SEUIL
CPI FIRMIN-DIDOT AU MESNIL-SUR-L'ESTRÉE
DÉPÔT LÉGAL : JANVIER 2010. N° 100167-6(100910)
IMPRIMÉ EN FRANCE